Ma première grammaire Bescherelle

Grammaire de la phrase

•

Conjugaison

•

Orthographe grammaticale

•

Orthographe d'usage

•

Vocabulaire

•

Grammaire du texte

Jocelyne Cauchon

HURTUBISE

HMH

Catalogage avant publication de la Bibliothèque nationale du Canada

Cauchon, Jocelyne, 1953-

    Ma première grammaire Bescherelle

    (Collection Bescherelle)
    Comprend des réf. bibliogr. et un index.

    ISBN 2-89428-465-9

    1. Français (Langue) – Grammaire. 2. Français (Langue) – Orthographe. 3. Français (Langue) – Conjugaison. 4. Vocabulaire. I. Titre. II. Collection.

PC2105.C38 2003   448.2   C2003-940228-2

L'auteure et l'Éditeur tiennent à exprimer leur reconnaissance envers les pédagogues qui ont accepté de lire et de commenter le manuscrit :
    Louise Jutras, conseillère pédagogique, Commission scolaire de la Pointe-de-l'Île
    Francine Valois, conseillère pédagogique, Commission scolaire Marguerite-Bourgeoys
    Christine Tellier, Département de linguistique et traduction, Université de Montréal

Révision linguistique : Nathalie Savaria, Julie Sergent, Miléna Stojanac
Correction d'épreuves : Renée Bédard
Illustrations : Philippe Germain
Conception et réalisation de couverture : Marc Roberge
Conception et réalisation d'intérieur : Interscript inc.
Saisie des textes et demandes de droits : Valérie Lebeau
Éditrice chargée du projet : Miléna Stojanac

Éditions Hurtubise HMH ltée
1815, avenue De Lorimier
Montréal (Québec)
H2K 3W6
Téléphone : (514) 523-1523
Télécopieur : (514) 523-9969
www.hurtubisehmh.com

Les Éditions Hurtubise HMH bénéficient du soutien du Gouvernement du Canada par l'entremise du Programme d'aide au développement de l'industrie de l'édition (PADIÉ).

ISBN 2-89428-465-9
Dépôt légal – 2ᵉ trimestre 2003
Bibliothèque nationale du Québec
Bibliothèque nationale du Canada

AVANT-PROPOS

Si tu aimes communiquer tes idées ou tes émotions à d'autres personnes, tu as probablement déjà fait l'expérience d'écrire une lettre à une amie ou un ami, un poème à ta grand-mère, peut-être même une lettre d'opinion au maire de ta municipalité ! Tu as certainement eu l'occasion de t'exprimer dans une recherche sur un sujet de ton choix ou dans le compte rendu d'une expérience en sciences de la nature. Tu as appris que communiquer un message clair, à l'écrit comme à l'oral, exige beaucoup de rigueur. Pour y arriver, tu te sers bien sûr de la langue, mais pas de n'importe quelle façon. Mais alors, comment fait-on pour produire un message qui exprime clairement sa pensée, qui décrit ses idées de la bonne façon ?

Comme toute chose, cela s'apprend, et c'est d'abord en t'exerçant à produire des messages oraux et écrits variés que tu fais cet apprentissage. Mais ce n'est pas suffisant. Tu dois également prendre le temps de réfléchir sur tes productions afin de découvrir tes réussites, voir ce que tu dois améliorer et questionner différents aspects de ton travail. Tu dois utiliser des mots précis pour parler de la langue, reconnaître les situations qui méritent d'être questionnées et te référer à des procédures qui t'aideront à améliorer ton écriture. C'est à ce moment que la grammaire peut devenir ton alliée !

La grammaire permet de décrire le fonctionnement de la langue. Elle te donne un ensemble de règles à suivre pour parler et écrire correctement. La grammaire utilise un langage qui lui est propre et il est important de bien le connaître pour être en mesure d'y recourir au besoin. Parler le langage de la grammaire, c'est se comporter un peu à la manière d'une scientifique qui décrit le corps humain à l'aide d'un vocabulaire particulier. Un enfant emploierait des mots très différents pour parler du même sujet.

Je t'accompagnerai tout au long des six unités de ton manuel qui traitent du texte, de la phrase et des mots. Tu y trouveras de l'information présentée sous forme de questions, ainsi que des explications accompagnées d'exemples et parfois de démonstrations servant à les illustrer.

Mon souhait le plus cher est qu'à consulter *Ma première grammaire Bescherelle* tu deviennes une amoureuse ou un amoureux de la langue, tout comme moi !

JOCELYNE CAUCHON

SOMMAIRE

★ = enrichissement par rapport au *Programme de formation* (MEQ, 2001)

Comment utiliser *Ma première grammaire Bescherelle* ?

Ma première grammaire est un ouvrage de référence. Tu le consulteras pour trouver réponse à tes questions ou tout simplement parce que tu désires en connaître un peu plus sur la langue française.

L'ouvrage est composé de six **unités**. À chaque unité est associée une **couleur** différente.

> Grammaire de la phrase
> Conjugaison
> Orthographe grammaticale
> Orthographe d'usage
> Vocabulaire
> Grammaire du texte

Une unité est divisée en plusieurs **chapitres**. Chaque chapitre est annoncé par un onglet de la **couleur de l'unité**, ce qui te permet de le distinguer facilement.

Vocabulaire
1. Utiliser les rapports de sens entre les mots
2. Reconnaître les rapports de formes entre les mots
3. Utiliser un dictionnaire et une grammaire

Un chapitre est divisé en plusieurs **paragraphes**. Chaque paragraphe est numéroté.

Chaque paragraphe pose une **question** à laquelle répondent les **encadrés** qui suivent. Les encadrés sont de la même couleur que celle de l'unité.

Si la question est suivie de plusieurs encadrés, c'est que la réponse est répartie en plusieurs points. La réponse est souvent accompagnée d'**exemples**.

1

UTILISER LES RAPPORTS DE SENS ENTRE LES MOTS

Les mots ont le même sens, un sens contraire, des sens qui se rapprochent ou des sens qui sont assez différents.

1. Un mot peut-il avoir plusieurs sens ?

• Le plus souvent, un même mot a plusieurs sens différents. On dit qu'il est **polysémique**.

un chemin droit : une route rectiligne
le côté droit : par opposition au côté gauche

> En lisant, porte une attention particulière au contexte, c'est-à-dire à tout ce qui se trouve autour d'un mot. Tu comprendras alors mieux le sens de ce mot. Consulte aussi un dictionnaire. Il donne les différents sens d'un mot et présente des exemples de phrases qui permettent de bien distinguer chaque sens.

➤ Utiliser un dictionnaire et une grammaire, n° 6

2. Qu'est-ce que le sens propre d'un mot ?

• Le sens propre d'un mot est son **premier sens**. C'est généralement le sens le plus habituel.

montagne (sens propre) : importante élévation de terrain
Les Appalaches sont des montagnes.

Rubriques et symboles

 Attention
Rappel de certaines difficultés ou particularités associées à une notion.

Renvoi aux numéros de page et de la question d'un autre paragraphe qui permet de compléter tes connaissances ou de retrouver une notion traitée dans un autre contexte.

Par exemple :

➤ p. 263-264, n°s 4, 6

Tu chercheras les questions 4 et 6 aux pages 263 à 264.

➤ p. 180, 183-185, n°s 2, 7

Tu chercheras la question 2, à la page 180, et la question 7, aux pages 183 à 185.

Stratégie de lecture ou d'écriture.

Recommandation orthographique du Conseil supérieur de la langue française (1990).

Énoncé qui appartient au registre oral familier.

Énoncé agrammatical, erroné.

Procédure de reconnaissance d'un groupe de mots, d'une phrase, d'un signe de ponctuation, d'une fonction ou d'une classe de mots.

Enrichissement hors programme.

Pour te retrouver plus facilement dans *Ma première grammaire Bescherelle*, tu peux utiliser le **sommaire** et l'**index**. Chacune à sa façon, ces deux parties regroupent toutes les informations retenues dans les six unités du livre.

Le **sommaire**, au début de l'ouvrage, te permet d'obtenir rapidement un aperçu du contenu. Il te donne les titres de tous les chapitres du livre et les pages où ces chapitres se trouvent.

L'**index** figure à la fin du livre. Tu peux le repérer au moyen d'un onglet de couleur. L'index répertorie tous les mots que tu peux avoir besoin de chercher et qui sont expliqués dans la grammaire. Il te permet d'accéder à l'ensemble des pages qui traitent d'un mot.

Plus tu cerneras l'objet de ton questionnement, plus il te sera facile de choisir entre les titres du sommaire et la liste des mots de l'index. Par exemple, si tu te demandes comment trouver le groupe sujet dans une phrase que tu viens d'écrire, tu peux regarder dans le sommaire et trouver le chapitre *Reconnaître un groupe sujet (GS) dans la phrase.*

7. Reconnaître un groupe sujet (GS) dans la phrase

En feuilletant les pages du chapitre, tu découvriras que le dernier paragraphe te propose une procédure pour reconnaître le groupe sujet.

Comment trouver le groupe sujet (GS) dans une phrase ?

Tu peux également consulter l'index et chercher les mots « procédure » ou « groupe sujet ». Tu trouveras ainsi la page du livre qui traite de ces mots.

Grammaire de la phrase

1

RECONNAÎTRE UNE PHRASE

Une phrase est un ensemble de mots bien ordonnés les uns à la suite des autres dans une structure qui respecte la langue française.

Qu'est-ce que c'est ?

1. Quel est le lien entre le mot et la phrase ?

- Lorsqu'une personne emploie **plusieurs mots** pour parler ou écrire, elle produit une phrase. Mais une phrase n'est pas seulement un assemblage de mots.

Courriels j'écris des à mes souvent grands-parents.

Dans cet exemple, on se trouve devant une phrase incompréhensible parce que les mots ont été placés dans un ordre qui ne respecte pas celui de la langue française.

p. 344-347, n°s 1, 2, 3, 4, 7

- Les mots d'une phrase forment une **suite ordonnée** qui a du **sens**.

J'écris souvent des courriels à mes grands-parents.
L'autre jour, j'ai envoyé une carte virtuelle à mon grand-père à l'occasion de son anniversaire et il m'a répondu.
Vive Internet !

- Les mots forment des **groupes de mots** dans la phrase. Cette organisation constitue la **structure** de la phrase.

groupe sujet	*groupe complément de phrase*
groupe verbal ou **groupe prédicat**	*groupe attribut du sujet*

2. À quoi sert une phrase ?

• Une phrase sert à **exprimer un message**. On communique, à l'oral ou à l'écrit, en employant des phrases.

3. Quelle différence y a-t-il entre une phrase orale et une phrase écrite ?

• Lors d'une communication orale, une phrase que l'on dit est composée de **sons**, de **mots** et de **groupes de mots**, le tout rythmé de **pauses** et marqué par une **intonation**. Une phrase écrite contient, elle aussi, des sons, des mots et des groupes de mots, ainsi que des **lettres**, des **signes orthographiques** et des **signes de ponctuation**.

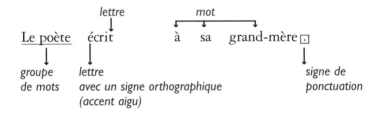

4. Quelles sont les limites d'une phrase écrite ?

• Les limites d'une phrase écrite sont la **lettre majuscule** au premier mot et le **point** à la fin.

Ton petit frère dort avec son ourson⸱

➤ p. 52-53, n° 1

5. Qu'est-ce qu'un groupe de mots?

- C'est **un ou plusieurs mots** qui jouent un **rôle** dans la phrase. On appelle ce rôle une **fonction**.

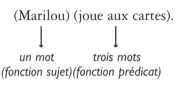

(Marilou) (joue aux cartes).

un mot   trois mots
(fonction sujet)(fonction prédicat)

➤ p. 63-65, n° I

- Un groupe de mots est toujours **en relation** avec un autre groupe de mots dans une phrase.

(Mes filles) (vont à l'école).

*Le groupe du nom **Mes filles** joue le rôle de groupe sujet. Il est suivi du groupe prédicat ou groupe verbal **vont à l'école**. Le groupe sujet est en relation avec le groupe prédicat : il le précède. Le groupe **vont à l'école** est aussi en relation avec le groupe sujet : il précise ce que l'on dit à propos de **Mes filles**.*

En lisant, tu peux chercher à reconnaître les **groupes de mots** et découvrir les liens qui existent entre eux. C'est un bon moyen de comprendre une phrase.

6. Comment est construit un groupe de mots?

- Dans un groupe de mots, on trouve un **noyau**, qui donne son nom au groupe, et une **expansion**. Le **noyau** est le mot qui est à la base du groupe. Si on efface ce mot, le groupe n'existe plus.

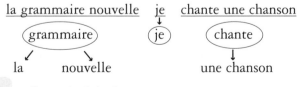

- Les mots qui gravitent autour du noyau font partie de l'**expansion**.

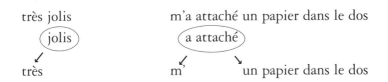

très jolis

(jolis)

↙

très

m'a attaché un papier dans le dos

(a attaché)

↙ ↘

m' un papier dans le dos

- L'**expansion** est un mot ou un groupe de mots qui peut **enrichir** le groupe de mots.

Mon   ami a vu le   bébé.

Mon plus grand ami a vu le petit bébé de notre voisin Jules.

En lisant, essaie de reconnaître le **noyau** d'un groupe de mots. C'est un bon moyen de trouver l'**information essentielle contenue** dans ce groupe de mots.

7. Combien de mots forment un noyau ?

- **Un seul mot** peut former un noyau d'un groupe de mots.

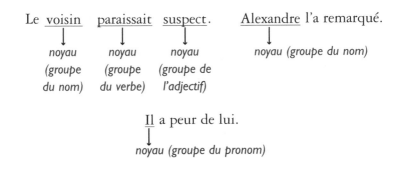

Le voisin   paraissait   suspect.   Alexandre l'a remarqué.

↓   ↓   ↓   ↓

noyau   *noyau*   *noyau*   *noyau (groupe du nom)*

(groupe   *(groupe*   *(groupe de*

du nom)   *du verbe)*   *l'adjectif)*

Il a peur de lui.

↓

noyau (groupe du pronom)

• Dans un verbe conjugué à un temps composé, le noyau est formé de **deux mots** : l'**auxiliaire** *être* ou *avoir* et le **participe passé** du verbe.

➤ p. 263-264, n°s 4, 6

Le coq <u>avait chanté</u> aux petites heures du matin.
  ↓
  noyau (groupe du verbe)

Yann <u>était tombé</u> malade.
  ↓
 noyau (groupe du verbe)

• Dans une liste de mots **énumérés** ou **juxtaposés**, chaque mot peut être un **noyau**.

<u>Pierre</u>, <u>Jean</u> et <u>Jacques</u> sortent toujours ensemble.
 ↓ ↓   ↓
noyau noyau noyau

Mes amis paraissaient <u>amusés</u> et <u>intrigués</u>.
      ↓   ↓
     noyau *noyau*

Mon <u>père</u> et ma <u>mère</u> aiment lire des poèmes.
  ↓   ↓
 noyau *noyau*

Maxime <u>observait</u>, <u>analysait</u>, <u>se questionnait</u>.
   ↓   ↓   ↓
   noyau *noyau* *noyau*

8. Comment reconnaître un groupe de mots dans une phrase?

- On utilise **quatre opérations** pour reconnaître les groupes de mots : l'**effacement**, le **déplacement**, le **remplacement** et l'**ajout**. Dans certains cas, on peut aussi employer l'**encadrement** et le **dédoublement**.

Opérations sur un mot ou un groupe de mots	Exemples
Effacement L'enlever complètement.	Le petit voisin joue dehors. Le voisin joue dehors. *On peut effacer le mot **petit**.*
Déplacement Le changer de place.	L'année dernière, les chatons étaient âgés d'une semaine. Les chatons étaient âgés d'une semaine, l'année dernière. *On peut déplacer le groupe de mots **l'année dernière**.*
Remplacement Placer un autre mot ou un autre groupe de mots à sa place.	Éléonore et sa sœur scient des branches. Elles scient des branches. *On peut remplacer le groupe du nom **Éléonore et sa sœur** par un pronom.*
Ajout Ajouter un nouveau mot ou un nouveau groupe de mots.	Éléonore et sa sœur scient des branches. Éléonore et sa sœur scient des branches avec leur père. *On peut ajouter le groupe de mots **avec leur père**.*

Opérations sur un mot ou un groupe de mots	Exemples
Encadrement Le séparer des autres groupes en ajoutant C'est... qui ou C'est... que, C'est... qu'.	Jean-Luc a lu *Le Seigneur des anneaux* à sa fille. C'est Jean-Luc qui a lu *Le Seigneur des anneaux* à sa fille. *On peut encadrer le groupe de mots **Jean-Luc** avec **C'est... qui**. Dans la phrase, ce groupe occupe la fonction de groupe sujet (**GS**).* C'est *Le Seigneur des anneaux* que Jean-Luc a lu à sa fille. *On peut encadrer le groupe de mots Le Seigneur des anneaux avec **C'est... que**. Dans la phrase, ce groupe occupe la fonction de groupe complément direct (**CD**).* C'est à sa fille que Jean-Luc a lu *Le Seigneur des anneaux*. *On peut encadrer le groupe de mots **à sa fille** avec **C'est... que**. Dans la phrase, ce groupe occupe la fonction de groupe complément indirect (**CI**).*
Dédoublement L'ajouter à la fin de la phrase qui reprend le même message. Cela se passe, Cela s'est passé ou Cela se passera.	Dans le parc, les oiseaux chantent. Les oiseaux chantent. Cela se passe dans le parc. *On peut dédoubler le groupe de mots **Dans le parc**. Dans la phrase, ce groupe occupe la fonction de groupe complément de phrase (**GCP**).* Les oiseaux chanteront fort. Les oiseaux chanteront. Ⓧ Cela se passera fort. *On ne peut pas dédoubler le groupe de mot **fort**. Dans la phrase, ce groupe n'occupe pas la fonction de groupe complément de phrase (**GCP**).*

9. Comment trouver les caractéristiques d'un groupe de mots?

• On utilise les opérations (l'effacement, le déplacement, le remplacement, l'ajout, l'encadrement et le dédoublement) pour déterminer la **fonction d'un groupe de mots** dans une phrase.

Le petit voisin joue dehors.

⟨∅⟩ joue dehors   ⟨∅⟩ joue dehors Le petit voisin

ne s'efface pas   *ne se déplace pas*

*Dans cet exemple, **le petit voisin** est un groupe de mots qui ne peut ni s'effacer ni se déplacer. Il est placé au début de la phrase : c'est le groupe sujet.*

➤ p. 63-65, n° I

10. Quels sont les mots donneurs dans une phrase?

• Les mots donneurs sont les mots qui dirigent les **accords** dans une phrase. Ce sont souvent des **noyaux** d'un groupe de mots. Ils donnent leur **personne**, leur **genre** ou leur **nombre** à des mots receveurs.

Les oiseaux apeurés déploient leurs ailes.

oiseaux : *noyau donneur du masculin et du pluriel au déterminant **les** et à l'adjectif **apeurés***

oiseaux : *noyau donneur de la troisième personne et du pluriel au verbe **déploient***

ailes : *noyau donneur du féminin et du pluriel au déterminant **leurs***

- Le **donneur sujet** peut être un nom, un pronom personnel ou le pronom relatif *qui*.

Les <u>oiseaux</u> déploi<u>ent</u> leurs ailes. Puis, <u>ils</u> s'envol<u>ent</u>.

Les oiseaux <u>qui</u> <u>ont</u> peur s'envolent.

oiseaux : *donneur sujet qui commande la finale de la troisième personne du pluriel du verbe* **déploi<u>ent</u>**

ils : *donneur sujet qui commande la troisième personne du pluriel du verbe* **ont**

qui : *donneur sujet qui commande la finale de la troisième personne du pluriel du verbe* **s'envol<u>ent</u>**

- Le **donneur complément direct (CD)** peut être un nom, un pronom personnel ou les pronoms relatifs *que, qu'*.

Voyez les plumes <u>que</u> ces paons ont déployé<u>es</u>.

Ils <u>les</u> ont déployé<u>es</u>.

Quelles <u>plumes</u> ont-ils déployé<u>es</u>?

que, les, plumes : *donneurs CD qui commandent la finale féminin pluriel du participe passé* **déployé<u>es</u>**

➤ p. 159-160, 165-166, 171-172, n°s 2, 9, 17

11. Quels sont les mots receveurs dans une phrase?

- Les mots receveurs sont des mots qui prennent la **personne**, le **genre** ou le **nombre** d'un noyau donneur.

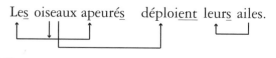

Le<u>s</u> oiseaux apeuré<u>s</u> déploi<u>ent</u> leurs ailes.

les :   *mot receveur du masculin et du pluriel du donneur oiseaux*

apeurés :   *mot receveur du masculin et du pluriel du donneur oiseaux*

déploient : *mot receveur de la troisième personne du pluriel du donneur*
                     sujet oiseaux

leurs :   *mot receveur du féminin et du pluriel du donneur ailes*

- Le **receveur verbe** peut être un verbe conjugué ou l'auxiliaire *avoir* ou *être* qui accompagne un participe passé. Le receveur verbe prend la personne et le nombre du donneur sujet.

Les oiseaux apeurés déploient leurs ailes.

déploient : *mot receveur de la troisième personne du pluriel*
                 du donneur sujet oiseaux

➤ p. 183-185, n° 7

- Le **receveur attribut** peut être un adjectif ou un participe passé qui suit le verbe *être*. Il prend le **genre** et le **nombre** du donneur sujet.

Les oiseaux étaient apeurés.

apeurés : *receveur attribut du masculin et du pluriel du donneur*
              sujet oiseaux

➤ p. 101-102, n° 5

En lisant, prends l'habitude de trouver tous les noyaux donneurs et les mots receveurs. C'est un **moyen efficace** de bien accorder les mots dans une phrase.

➤ p. 114-116, n°s 4, 5, 6, 7

12. Qu'est-ce qu'une PHRASE MODÈLE?

- La PHRASE MODÈLE est une phrase **déclarative**.

J'ai écrit mon dernier poème la semaine passée.

➤ p. 20-21, n° 1

- La PHRASE MODÈLE propose une structure de base qui aide à construire d'autres phrases. On l'appelle aussi **phrase de base**.

Les écoliers connaissent plusieurs chansons folkloriques.

- La PHRASE MODÈLE est toujours formée de deux **groupes obligatoires** et, parfois, de **groupes facultatifs**.

(Nous)   (jouons au ballon)   (durant la récréation).

groupe obligatoire   *groupe obligatoire*   *groupe facultatif*

- Les groupes obligatoires sont **fixes**, alors que les groupes facultatifs sont **mobiles**.

(Nous) ⟶ (jouons au ballon)   (durant la récréation).

(Durant la récréation),   (nous) ⟶ (jouons au ballon).

mobile   *fixe*   *fixe*

13. Quels sont les deux groupes obligatoires de la PHRASE MODÈLE?

- Le **groupe sujet** occupe la première position dans la PHRASE MODÈLE. Le plus souvent, il s'agit d'un nom, d'un groupe du nom ou d'un pronom.

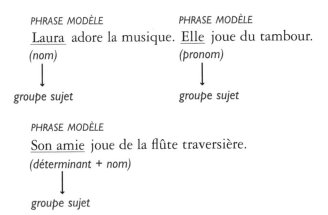

PHRASE MODÈLE
Laura adore la musique.
(nom)
↓
groupe sujet

PHRASE MODÈLE
Elle joue du tambour.
(pronom)
↓
groupe sujet

PHRASE MODÈLE
Son amie joue de la flûte traversière.
(déterminant + nom)
↓
groupe sujet

- Le **groupe prédicat (GP)** ou **groupe verbal** occupe la deuxième position dans la PHRASE MODÈLE.

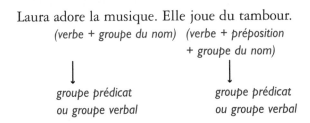

Laura adore la musique.
(verbe + groupe du nom)
↓
groupe prédicat
ou groupe verbal

Elle joue du tambour.
(verbe + préposition + groupe du nom)
↓
groupe prédicat
ou groupe verbal

Son amie joue de la flûte traversière.
(verbe + préposition + groupe du nom)
↓
groupe prédicat
ou groupe verbal

14. Quelle est la relation entre les deux groupes obligatoires de la PHRASE MODÈLE?

- Il y a une relation de **dépendance** entre le groupe sujet et le groupe prédicat ou groupe verbal. Ces groupes **ne peuvent ni se déplacer ni s'effacer** sans donner une structure fautive à la phrase ou créer une phrase incompréhensible.

⊘ M'a attaché un papier dans le dos le gamin.

⊘ Le gamin.

⊘ M'a attaché un papier dans le dos.

Ces exemples proposent des phrases incompréhensibles si l'on tente de déplacer ou d'effacer l'un des deux groupes.

- Le noyau du groupe sujet est un **donneur**. Le verbe du groupe prédicat est un **receveur**.

Le gamin pleure.
donneur receveur

Il <u>a perdu</u> son jouet.
donneur receveur

Son frère semble presque aussi attristé.
donneur receveur

15. Quel est le groupe facultatif de la PHRASE MODÈLE?

- C'est le groupe complément de phrase (**GCP**).

➤ p. 92-93, n° 1

16. Combien de groupes facultatifs peut-il y avoir dans une PHRASE MODÈLE ?

• Une PHRASE MODÈLE peut contenir **un** ou **plusieurs** groupes facultatifs.

Hier, le gamin m'a attaché un papier dans le dos.

un groupe complément de phrase

Hier, le gamin m'a attaché un papier dans le dos, avant de s'enfuir.

deux groupes compléments de phrase

• S'il n'y a **aucun** groupe facultatif, la phrase reste quand même compréhensible et bien structurée.

Le gamin m'a attaché un papier dans le dos.

17. Toutes les phrases ressemblent-elles à la PHRASE MODÈLE ?

• Certaines **phrases déclaratives** sont construites comme la PHRASE MODÈLE. Les autres phrases sont des **transformations** de la PHRASE MODÈLE.

PHRASE MODÈLE

Les feuilles font une douce mélodie.	*phrase déclarative*
Les feuilles font-elles une douce mélodie ?	*phrase interrogative*
Comme les feuilles font une douce mélodie !	*phrase exclamative*
Faites une douce mélodie.	*phrase impérative*

➤ p. 20-21, 22-26, 31, 33-35, nᵒˢ 1, 3, 9, 13

Quand tu révises une phrase, essaie de trouver la PHRASE MODÈLE et les groupes de mots qui la composent. C'est un **moyen efficace** de t'assurer qu'une phrase est bien construite.

➤ p. 113, n° 2

• Il existe aussi des **phrases infinitives**. Ces phrases n'ont pas la structure de la PHRASE MODÈLE. Les consignes prennent souvent la forme de phrases dont le verbe est à l'infinitif.

Ajouter un mot au groupe du nom de la phrase.

➤ p. 78-79, n° 3
➤ p. 191-192, n° 13

• Il existe enfin des **énoncés** ou **phrases sans verbe**.

Bravo !   Une belle réussite…   Joyeux Noël !

18. Comment transformer une PHRASE MODÈLE ?

• On transforme une phrase en **effaçant**, en **déplaçant**, en **remplaçant** ou en **ajoutant** un mot ou un groupe de mots.

Ton petit frère dort avec son ourson.

Est-ce que ton petit frère dort avec son ourson ?
    ↓
  ajout

*Dans cet exemple, la phrase « Ton petit frère dort avec son ourson » est transformée par l'ajout des mots **Est-ce que** au début de la phrase. Le point final devient un point d'interrogation. La PHRASE MODÈLE est transformée en phrase interrogative.*

➤ p. 22-26, 31, 33-35, n°s 3, 9, 13

19. Combien de PHRASES MODÈLES une phrase peut-elle contenir ?

• Une phrase peut contenir **plusieurs** PHRASES MODÈLES. Ces phrases servent à relier plusieurs idées entre elles.

J'étais assise près du lac et
j'ai vu sauter de belles petites truites.   *deux phrases*

Je me suis levée aussitôt, j'ai couru chercher
ma canne à pêche et j'ai lancé ma ligne à l'eau.   *trois phrases*

En écriture, la ponctuation est essentielle. Elle te permet de bien diviser des phrases qui se suivent et d'éviter ainsi que ton texte soit lourd et difficile à lire.

➤ p. 52-53, 56-57, nos 1, 6

Comment trouver les groupes de mots qui forment une PHRASE MODÈLE ?

- On cherche un mot ou une suite de mots qu'on peut remplacer par un seul mot, par exemple, *elle* ou *il*.

Phrases

Mon ami donne une fleur à sa mère, à l'aéroport.

Cette jolie fleur est éclose depuis ce matin.

[Mon ami] (donne une fleur à sa mère à l'aéroport).

[Il] (donne une fleur à sa mère à l'aéroport).

Mon ami est le **premier** groupe de mots dans la PHRASE MODÈLE : c'est le groupe sujet

[Cette jolie fleur] (est éclose depuis ce matin).

[Elle] (est éclose depuis ce matin).

Cette jolie fleur est le **premier** groupe de mots dans la PHRASE MODÈLE : c'est le groupe sujet

- On cherche un mot ou une suite de mots qu'on peut remplacer par un seul mot, par exemple, *arriver*, *dormir* ou *tomber*.

(Mon ami) [donne] (une fleur à sa mère à l'aéroport).

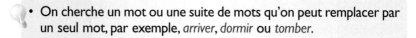 (Mon ami) [dort] (une fleur à sa mère à l'aéroport).

(Mon ami) [donne une fleur] (à sa mère à l'aéroport).

(Mon ami) [dort] (à sa mère à l'aéroport).

(Mon ami) ⎡donne une fleur à sa mère⎤ (à l'aéroport).

(Mon ami) ⎡dort⎤ (à l'aéroport).

donne une fleur à sa mère est le **deuxième** groupe de mots dans la PHRASE
MODÈLE : c'est le groupe prédicat ou groupe verbal

(Cette jolie fleur) ⎡est⎤ (éclose depuis ce matin).

✎ (Cette jolie fleur) ⎡tombe⎤ (éclose depuis ce matin).

(Cette jolie fleur) ⎡est éclose⎤ (depuis ce matin).

(Cette jolie fleur) ⎡tombe⎤ (depuis ce matin).

est éclose est le **deuxième** groupe de mots dans la PHRASE MODÈLE :
c'est le groupe prédicat ou groupe verbal

> • **On cherche un mot ou une suite de mots qu'on peut remplacer par un
> seul mot, par exemple, *ici* ou *maintenant*.**

(Mon ami) (donne une fleur à sa mère) ⎣à l'aéroport⎦.

(Mon ami) (donne une fleur à sa mère) ⎣ici⎦.

à l'aéroport est le **troisième** groupe de mots dans la PHRASE MODÈLE :
c'est le groupe complément de phrase

(Cette jolie fleur) (est éclose) ⎣depuis ce matin⎦.

(Cette jolie fleur) (est éclose) ⎣maintenant⎦.

depuis ce matin est le **troisième** groupe de mots dans la PHRASE MODÈLE :
c'est le groupe complément de phrase

RECONNAÎTRE
LES QUATRE TYPES DE PHRASES

En organisant de façon différente les groupes de mots d'une PHRASE MODÈLE, on choisit ce que l'on veut communiquer au moyen du message : raconter quelque chose, demander quelque chose, exprimer quelque chose d'intense ou donner un ordre.

Qu'est-ce que c'est ?

La phrase déclarative

1. Comment se construit la phrase déclarative ?

- Une phrase déclarative commence toujours par une lettre **majuscule** et se termine par un **point**.

La neige dans mes bottes me gèle les chevilles ⊡

- C'est une phrase dans laquelle un groupe sujet **précède** un **groupe prédicat** ou groupe verbal.

La neige dans mes bottes me gèle les chevilles.
          ↓   ↓
   groupe sujet   groupe prédicat ou groupe verbal

- La phrase déclarative peut être une PHRASE MODÈLE.

groupe sujet   groupe prédicat   groupe
            ou groupe verbal   complément

$\downarrow$ $\downarrow$ $\downarrow$

<u>Ma meilleure amie Annie</u> <u>habitera avec nous</u> <u>tout l'été</u>.

➤ p. 12, n° 12

- Le verbe d'une phrase déclarative se conjugue au mode **indicatif** ou au mode **subjonctif**.

Mon espion démasqué se <u>sauve</u> en courant dans la maison d'à côté.

$\downarrow$

indicatif

Le Mystère du moulin

➤ p. 274, 275-276, n°s 4, 6, 7

2. À quoi sert la phrase déclarative ?

- Quand une personne sait ou constate quelque chose et qu'elle veut **l'exprimer**, elle utilise la phrase déclarative.

- Ce type de phrase sert à **raconter** une expérience ou des événements vécus par des personnes, à **annoncer** ou à **constater** quelque chose, et aussi à **donner un avis**.

Roxane attend dix minutes sous le marronnier.

Cette phrase raconte une expérience ou un événement vécu.

La Veste noire

Des dizaines de vestes se balancent sur les cintres de bois.

Cette phrase annonce ou constate quelque chose.

● La Veste noire

Marche jusqu'au champ clôturé de fer. <u>Dans la clairière aux Chardons, dans l'enclos, tu verras trois lions de garde, les animaux les plus féroces du monde.</u>

Cette phrase donne un avis.

● Criquette est pris et autres contes

La phrase interrogative

➤ p. 54, n° 3

3. Comment se construit la phrase interrogative ?

- C'est une phrase qui commence par une **majuscule** et se termine par un **point d'interrogation**.

<u>C</u>ette carte routière représente-t-elle le Québec ?

- C'est une PHRASE MODÈLE qu'on **transforme** à l'aide des opérations d'**ajout**, de **déplacement** et de **remplacement** d'un mot ou d'un groupe de mots.

PHRASE MODÈLE : <u>Il</u> a craché de l'eau par les oreilles.

<u>Comment</u> a-t-<u>il</u> craché de l'eau ?

↓   ↓

ajout   *déplacement*

PHRASE MODÈLE : Fabrice est né <u>en 1992</u>.

<u>Quand</u> Fabrice est-<u>il</u> né ?

    ↓   ↓

remplacement   *ajout*

! **Attention**

> On doit accorder le verbe avec le groupe sujet de la phrase même si ce dernier se trouve **après** le verbe.

Comment t'appelle<u>s</u>-tu ?

➤ p. 9-11, nᵒˢ 10, 11

> • Une phrase interrogative peut commencer par les mots **est-ce que** ou **est-ce qu'**. Le groupe sujet précède encore le verbe.

PHRASE MODÈLE : Mon frère boit du lait.

<u>Est-ce que</u> mon frère boit du lait ?

     ↓

  ajout

PHRASE MODÈLE : Elle peut entrer.

<u>Est-ce qu'</u>elle peut entrer ?

     ↓

  ajout

> • On peut aussi construire une phrase interrogative en plaçant le **groupe sujet** après le verbe lorsque le groupe sujet est un pronom. Le verbe est alors relié au pronom par un **trait d'union**.

PHRASE MODÈLE : <u>Tu</u> peux entrer.

Peux-<u>tu</u> entrer ?

    ↓

  déplacement

PHRASE MODÈLE : <u>Ils</u> emprunteront le funiculaire.

Emprunteront-<u>ils</u> le funiculaire ?
↓
déplacement

!Attention

On écrit la lettre **t** entre deux traits d'union quand le verbe se termine par un **a** ou un **e** et qu'il est conjugué à la troisième personne du singulier avec les pronoms *il*, *elle* ou *on*. Ainsi, la prononciation se fait plus aisément, comme si le verbe était conjugué à la troisième personne du pluriel.

Fabrique-<u>t</u>-elle un coffre ?   Berce-<u>t</u>-il son chat ?

Va-<u>t</u>-on lancer la balle à ce garçon ?

- Une phrase interrogative peut aussi commencer par un **mot interrogatif**. Quand le groupe sujet est un pronom, il suit le verbe. Un **trait d'union** relie ces deux mots.

PHRASE MODÈLE : <u>Tu</u> as rencontré quelqu'un dans la rue.

<u>Qui</u> as-<u>tu</u> rencontré dans la rue ?
↓   ↓
ajout *déplacement*

PHRASE MODÈLE : <u>Vous</u> regardez <u>une</u> émission.

<u>Quelle</u> émission regardez-<u>vous</u> ?
↓   ↓
remplacement   *déplacement*

- Quand le groupe sujet contient un nom, on ajoute un **pronom** après le verbe. Ce pronom a la même personne, le même genre et le même nombre que le groupe sujet. Le verbe et le pronom sont reliés par un **trait d'union**.

PHRASE MODÈLE : Les serpents mangent toujours les souris.

ajout

Les serpents mangent-ils toujours les souris ?

groupe sujet : troisième personne, masculin, pluriel

PHRASE MODÈLE : Mes amies adorent les films d'action.

ajout

Pourquoi mes amies adorent-elles les films d'action ?

groupe sujet : troisième personne, féminin, pluriel

➤ p. 164, n° 8

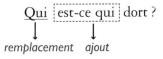

Attention

On emploie parfois des structures de phrases comme « Pourquoi il court ? » ou « Pourquoi Charlotte court ? » dans le langage familier. Lorsqu'on écrit un texte, on doit éviter ce genre de phrases. On préférera des formules qui relèvent du langage standard : « Pourquoi court-il ? » ou « Pourquoi Charlotte court-elle ? »

• Le mot interrogatif peut parfois être **précédé** d'une préposition. Il peut aussi être **suivi** de *est-ce que*, *est-ce qui* ou *est-ce qu'*.

PHRASE MODÈLE : Une chienne pense à ses chiots.

À qui une chienne peut-elle penser ?

remplacement   *ajout*

PHRASE MODÈLE : Mon iguane dort.

Qui est-ce qui dort ?

remplacement   ajout

2. Reconnaître les quatre types de phrases   **25**

PHRASE MODÈLE : Elle chante <u>une chanson de Gilles Vigneault</u>.

Qu' ⌐est-ce qu'⌐ elle chante ?

remplacement   ajout

PHRASE MODÈLE : La sculpture <u>est un art</u>.

Qu' ⌐est-ce que⌐ la sculpture ?

remplacement   ajout

- Parfois, on ajoute simplement un **point d'interrogation** à une PHRASE MODÈLE **sans déplacer** le groupe sujet ni le verbe.

PHRASE MODÈLE : Tu connais mon nom.

Tu connais mon nom ?

4. *Quels sont les principaux mots interrogatifs ?*

Mots interrogatifs	Exemples
quel/quelle/quels/quelles	<u>Quelle</u> heure est-il ?
que	<u>Que</u> peuvent-ils offrir à ton père ?
qui	<u>Qui</u> est malade ce matin ? <u>Qui</u> as-tu rencontré dehors ?
quoi	À <u>quoi</u> rêvez-vous ? De <u>quoi</u> veux-tu qu'on discute ?
lequel/laquelle/ lesquels/lesquelles	<u>Laquelle</u> vois-tu ? <u>Lequel</u> veux-tu ? <u>Lesquels</u> prends-tu ?

Mots interrogatifs	Exemples
combien	<u>Combien</u> vaut cette casquette ?
comment	<u>Comment</u> faire ce bricolage ?
où	<u>Où</u> est cachée la souris ?
pourquoi	<u>Pourquoi</u> veux-tu prendre une photo ?
quand	<u>Quand</u> irons-nous chez tante Sophie ?

 En lisant, observe la **forme du verbe** quand celui-ci fait partie d'une **question** formulée avec le mot interrogatif *qui*. La personne, le genre et le nombre du verbe sont des **indices** utiles si tu veux formuler des hypothèses sur les réponses possibles à cette question.

5. Y a-t-il toujours un verbe dans une phrase interrogative ?

• Non. On peut trouver certains **énoncés** qui sont des phrases interrogatives **sans verbe**. Il s'agit le plus souvent de messages inscrits sur des affiches publicitaires ou encore de parties de dialogues qui poursuivent une discussion.

– Je sais comment résoudre ce problème. Et vous ?

– Comment ?

➤ p. 87, n° 3

6. À quoi sert la phrase interrogative?

• Quand une personne veut savoir quelque chose, elle utilise une phrase interrogative. Ce type de phrase sert le plus souvent à **demander** de l'information.

En lisant, attarde-toi au **point d'interrogation** placé à la fin de la phrase interrogative et aux **mots interrogatifs**. Ces derniers te renseignent sur la réponse attendue et t'indiquent qu'il faut répondre à la question par une phrase.

7. Quelles sont les deux catégories de phrases interrogatives?

• La réponse attendue à la question permet de classer les phrases interrogatives en deux catégories : l'**interrogative totale** et l'**interrogative partielle**. Une phrase interrogative totale est aussi appelée **question fermée**. On y répond par oui ou par non. Une interrogative partielle, ou **question ouverte**, exige une réponse sous forme de phrase, avec des groupes de mots.

Question	Réponse oui ou non	Réponse plus détaillée que oui ou non
Tu as déjà voyagé ?	Oui.	
Es-tu déjà allé à l'étranger ?	Oui.	
Est-ce que tu as déjà pris l'avion ?	Non.	

Question	Réponse oui ou non	Réponse plus détaillée que oui ou non
<u>Tes parents pensent-ils</u> <u>prendre l'avion</u> <u>prochainement</u> ?	Oui.	
<u>Quels pays</u> connais-tu ?		Je connais le Canada et les États-Unis.
<u>À quand</u> remonte ton dernier voyage ?		Mon dernier voyage remonte à l'été dernier.
<u>Avec qui</u> tes parents ont-ils fait leur dernier voyage ?		Mes parents ont voyagé avec ma sœur Alexandra, mon frère Samuel et moi.
<u>Où</u> êtes-vous allés ?		Nous sommes allés à Vancouver.
<u>Pourquoi</u> avez-vous choisi cet endroit ?		Nous l'avons choisi parce que nous voulions nager dans l'océan Pacifique.
<u>Comment</u> avez-vous voyagé ?		Nous avons voyagé en train.
<u>Combien</u> de temps a duré votre voyage ?		Le voyage a duré trois semaines.

8. Comment choisir parmi les constructions interrogatives?

- À l'écrit et parfois à l'oral, quand on s'adresse à une personne peu ou pas connue, on déplace le verbe avant le sujet.

> – Pardonnez-moi, si je vous dérange,
> Monsieur le Goéland,
> Mais ne seriez-vous pas un ange ?
> Lui demanda l'enfant.
>
> À cloche-pied

> – Et si nous soupions, propose le chevalier affamé.
> – Que désirez-vous déguster, Excellence ?
>
> Le Chevalier de Chambly

Attention

Dans le langage familier, il arrive qu'on utilise des structures de phrases comme « Tu veux-tu de la soupe ? » Il faut faire attention à ce genre de phrases que la langue standard n'admet pas. On doit également éviter cette structure lorsqu'on écrit des textes. On écrirait plutôt : « Veux-tu de la soupe ? » ou « Est-ce que tu veux de la soupe ? »

➤ p. 390, n° 10

9. Comment se construit la phrase exclamative?

- Une phrase exclamative commence par une **majuscule** et se termine par un **point d'exclamation**.

➤ p. 54, n° 4

- C'est une PHRASE MODÈLE **transformée** à l'aide des opérations d'**ajout**, de **remplacement** et de **déplacement** d'un mot ou d'un groupe de mots.

PHRASE MODÈLE : Mes mitaines sont sales.

Que mes mitaines sont sales !

↓
ajout

PHRASE MODÈLE : David nous a raconté <u>toute une histoire</u>.

Quelle histoire David nous a racontée !

↓   ↓
remplacement *déplacement*

➤ p. 4-5, 7-8, n°s 6, 8

- Dans une phrase exclamative, le groupe sujet est souvent placé **avant** le verbe.

PHRASE MODÈLE : Tu es jolie.

Comme tu es jolie !

10. Y a-t-il toujours un verbe dans une phrase exclamative?

• Non. On peut trouver certains **énoncés** qui sont des phrases exclamatives **sans verbe**. Il s'agit le plus souvent de mots ou d'expressions suivis d'un **point d'exclamation**.

Félicitations $\boxed{!}$

Saperlipopette $\boxed{!}$

Le champion des champions $\boxed{!}$

➤ p. 87, n° 3

11. Quels sont les principaux mots exclamatifs?

Mots exclamatifs	Exemples
quel/quelle/quels/quelles	<u>Quelle</u> bonne mine il a ce matin !
que, qu'	<u>Que</u> tu m'ennuies ! <u>Qu'</u>ils soient prêts pour le spectacle !
comme	<u>Comme</u> j'aime ce film !

12. À quoi sert la phrase exclamative ?

- Quand une personne veut exprimer quelque chose d'**intense**, par exemple, une émotion, un sentiment ou un jugement, elle emploie une phrase exclamative. Cette phrase peut exprimer la **joie**, la **surprise** ou la **colère**.

Comme Ludovic semble malheureux !

En lisant, repère le **point d'exclamation** à la fin d'une phrase. Tu sauras tout de suite que le message traduit quelque chose d'intense : une grande colère, une grande joie ou un grand étonnement.

La phrase impérative

13. Comment se construit la phrase impérative ?

- Une phrase impérative commence par une **majuscule** et se termine par un **point**. À l'oral, l'**intonation** est descendante.

Venez me rejoindre à l'aréna.

- Parfois, la phrase impérative se termine par un **point d'exclamation**. On dit alors qu'elle est à la fois **impérative** et **exclamative**.

Cessez de vous chamailler tout de suite !

➤ p. 54, n° 4

- C'est une PHRASE MODÈLE qu'on **transforme** à l'aide des opérations d'**effacement** et de **déplacement**.

PHRASE MODÈLE : <u>Vous</u> faites un beau voyage.

.... Faites un beau voyage.

↓
effacement

PHRASE MODÈLE : <u>Tu</u> <u>nous</u> présentes <u>tes</u> tours de magie.

.... Présente-nous tes tours de magie.

↓   ↓
effacement   *déplacement*

➤ p. 4-5, 7-8, nᵒˢ 6, 8

- Dans une phrase impérative, on dit que le groupe sujet (*tu*, *nous*, *vous*) est absent parce qu'il s'**efface**. Le verbe se conjugue au **mode impératif**.

Voici un petit sac de blé que vous viderez à l'entrée du souterrain avant votre arrivée. Les fourmis se disperseront alors pour manger ce grain. <u>Profitez</u> de cet instant pour pénétrer dans le souterrain. <u>Emparez-vous</u> du petit miroir réflecteur qui est dans l'armoire à côté. <u>Sortez</u> tout de suite car, en quelques instants, les fourmis pourraient refermer le passage et se précipiter sur vous pour vous dévorer.

<u>Morvette et Poisson d'or et autres contes</u>

➤ p. 274-275, nᵒ 5

- On peut rencontrer des phrases impératives qui ont les mots *que* ou *qu'* en **début** de phrase et un verbe au **subjonctif**. Le groupe sujet est à la troisième personne du singulier ou du pluriel. Il se place **avant** le verbe.

Qu'elles se tiennent à la rampe ! C'est fini les folies et
que Paul se présente au bureau de la directrice !

➤ p. 275-276, n° 6

14. À quoi sert la phrase impérative ?

- Quand une personne veut faire **agir** ou faire **réagir** quelqu'un, elle utilise une phrase impérative. Ce type de phrase sert généralement à exprimer un **ordre**, un **conseil** ou un **souhait**.

Jean voulut le rassurer : « <u>Ne soyez pas</u> inquiet : Guillemette s'en est occupée. <u>Souvenez-vous</u> de Benoît : il s'était cassé un bras, et maintenant, il s'en sert comme avant. »

Jordan apprenti chevalier

En lisant, essaie de reconnaître les phrases qui n'ont **pas de groupe sujet**. Tu sauras tout de suite qu'elles expriment un ordre, un conseil ou un souhait.

15. Y a-t-il toujours un verbe dans une phrase impérative ?

- Non. On peut trouver certains **énoncés** qui sont des phrases impératives **sans verbe**. Il s'agit le plus souvent de messages d'affiches ou de panneaux, ou encore d'ordres brefs.

Stationnement interdit   *Sens unique*   *Arrêt*

➤ p. 87, n° 3

2. Reconnaître les quatre types de phrases   **35**

Comment trouver la PHRASE MODÈLE dans tous les types de phrases?

- On cherche le **groupe sujet**, un groupe de mots qu'on peut **encadrer** par *c'est… qui* et qu'on peut **remplacer** par le **pronom** *moi, toi, lui, elle, cela, nous, vous, eux* ou *elles*.

Phrases

Le bébé boit du lait ?

C'est le bébé (lui) qui boit du lait.

PHRASE MODÈLE : Le bébé boit du lait.

Il boit du lait ?

C'est $\begin{bmatrix} il \\ lui \end{bmatrix}$ qui boit du lait.

PHRASE MODÈLE : Il boit du lait.

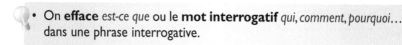

- On **efface** *est-ce que* ou le **mot interrogatif** *qui, comment, pourquoi…* dans une phrase interrogative.

<u>Est-ce que</u> le bébé boit du lait ⌐?⌐

C'est le bébé (lui) qui boit du lait.

PHRASE MODÈLE : Le bébé boit du lait.

<u>Est-ce qu</u>'il boit du lait ⌐?⌐

C'est $\begin{bmatrix} il \\ lui \end{bmatrix}$ qui boit du lait.

PHRASE MODÈLE : Il boit du lait.

Qu'est-ce que le bébé boit $\boxed{?}$

C'est le bébé (lui) qui boit quelque chose.

PHRASE MODÈLE : Le bébé boit quelque chose.

Qu'est-ce qu'il boit $\boxed{?}$

C'est $\begin{bmatrix} il \\ lui \end{bmatrix}$ qui boit quelque chose.

PHRASE MODÈLE : Il boit quelque chose.

➤ Reconnaître un groupe sujet (GS) dans la phrase, n° 1

Que boit le bébé $\boxed{?}$

C'est le bébé (lui) qui boit quelque chose.

PHRASE MODÈLE : Le bébé boit quelque chose.

Que boit-il $\boxed{?}$

C'est lui qui boit quelque chose.

PHRASE MODÈLE : Il boit quelque chose.

Qui boit du lait $\boxed{?}$

C'est le bébé (lui) qui boit du lait.

PHRASE MODÈLE : Le bébé boit du lait.

Qui est-ce qui boit du lait $\boxed{?}$

C'est $\begin{bmatrix} il \\ lui \end{bmatrix}$ qui boit du lait.

PHRASE MODÈLE : Il boit du lait.

- On **efface** le **mot exclamatif** *quel, comme...* dans une phrase exclamative.

Comme le bébé boit du lait ⏐!⏐

C'est le bébé (lui) qui boit du lait.

PHRASE MODÈLE : Le bébé boit du lait.

Comme il boit du lait ⏐!⏐

C'est il (lui) qui boit du lait.

PHRASE MODÈLE : Il boit du lait.

- On **ajoute** le **pronom** *tu, nous* ou *vous* avant le verbe conjugué d'une phrase impérative.

Bois du lait.

PHRASE MODÈLE : Tu bois du lait.

3

UTILISER LA FORME NÉGATIVE

Tous les types de phrases prennent la forme positive ou la forme négative. C'est par l'emploi des mots de négation qu'on les distingue.

Qu'est-ce que c'est ?

1. Comment se construit une phrase positive ?

• Une phrase positive commence par une **majuscule** et se termine par un **point**, un **point d'interrogation** ou un **point d'exclamation**.

Un cactus s'est frotté à une violette africaine.

Ça l'a piquée !

• Une phrase positive **peut être** une PHRASE MODÈLE.

La neige offre mille et une possibilités de jeux.

• Les phrases **déclaratives**, **interrogatives**, **exclamatives** et **impératives** peuvent être positives.

Samuel prend le train avec sa marraine.	*déclarative*
Alliez-vous au cirque ce soir ?	*interrogative*
Donne ce jouet à ta sœur.	*impérative*
Comme Mathieu semble heureux !	*exclamative*

2. À quoi sert la phrase positive?

- La phrase positive sert à communiquer un **message qui semble vrai** ou **possible**.

La neige <u>offre</u> mille et une possibilités de jeux.

3. Comment se construit une phrase négative?

- Une phrase négative commence par une lettre **majuscule** et se termine par un **point**, un **point d'interrogation** ou un **point d'exclamation**.

<u>Un</u> castor amoureux et son amoureuse ne se quittent jamais□

- Une phrase négative est une PHRASE MODÈLE **transformée** à l'aide des opérations d'**ajout**, de **remplacement** ou de **déplacement** de **mots** qui sont placés près du verbe. On appelle ces mots des **mots de négation**.

PHRASE MODÈLE : Les nuages avancent rapidement.

Les nuages <u>n</u>'avancent <u>pas</u> rapidement.

└─── *ajout* ───┘

PHRASE MODÈLE : Martin jouera au baseball <u>plus tard</u>.

Martin <u>ne</u> jouera <u>jamais</u> au baseball.

    ↓   ↓

  ajout   *remplacement et déplacement*

> Devant les mots *personne, jamais, rien*, on ajoute *ne* ou *n'*
> seulement, sans le mot *pas*.

 Il n'y a ~~pas~~ personne pour réparer ma bicyclette.

> *On a* et *on n'a* se prononcent de la même façon. Pour les différencier, on
> peut changer *on* pour *j'* ou *je*. On obtient *j'ai* dans une phrase positive et
> *je n'ai* dans une phrase négative. Quand le pronom **on** est suivi immé-
> diatement d'un verbe qui commence par une lettre-voyelle (*aimer, arriver,
> apprendre, avoir, écrire, être, imaginer, opérer…*), il est toujours remplacé
> par *j'*.

<u>On n'imagine</u> pas un monstre qui s'occupe tendrement
d'un bébé.

<u>Je n'imagine</u> pas un monstre qui s'occupe tendrement
d'un bébé.

<u>On imagine</u> un monstre qui s'occupe tendrement d'un bébé.

<u>J'imagine</u> un monstre qui s'occupe tendrement d'un bébé.

➤ p. 168, n° 12
➤ p. 346, 351, nᵒˢ 3, 13
➤ p. 353, n° 1

> • **Les mots de négation les plus courants sont** *ne… pas, n'… pas, ne…
> jamais, n'… jamais, ne… plus, n'…plus*.

Je <u>ne</u> cours <u>pas</u>.

Ils <u>ne</u> font <u>jamais</u> d'équitation.

Yannick <u>ne</u> voit <u>plus</u> ses amis.

Attention

> Dans le langage familier, on entend parfois des structures de phrases comme « Tu as pas de sous dans ton porte-monnaie ? » À l'écrit, par contre, on doit s'assurer que le verbe soit toujours encadré de *ne* ou *n'* et de *pas*.

- La place des mots de négation varie selon les formes que prend le verbe.

*Si le verbe est conjugué à un temps simple, ne, n' et pas **encadrent** le verbe.*

Aujourd'hui, maman <u>ne</u> conduit <u>pas</u> son auto.

Pourtant, sa voiture <u>n'</u>est <u>pas</u> chez le garagiste.

Hier, maman <u>ne</u> conduisait <u>pas</u> son auto.

Pourtant, sa voiture <u>n'</u>était <u>pas</u> chez le garagiste.

Demain, maman <u>ne</u> conduira <u>pas</u> son auto.

Pourtant, sa voiture <u>ne</u> sera <u>pas</u> chez le garagiste.

*Si le verbe est conjugué à un temps composé, ne, n' et pas **encadrent** l'auxiliaire.*

Aujourd'hui, je <u>n'</u>ai <u>pas</u> acheté de cadeau, j'en ai fabriqué un. Je <u>ne</u> l'ai <u>pas</u> encore offert à Juliette.

Hier, je <u>n'</u>avais <u>pas</u> acheté de cadeau, j'en avais fabriqué un. À midi, je <u>ne</u> l'avais <u>pas</u> encore offert à Juliette.

Demain, je <u>n'</u>aurai <u>pas</u> acheté de cadeau, j'en aurai fabriqué un. Je <u>ne</u> l'aurai peut-être <u>pas</u> encore offert à Juliette.

*Si le verbe est à l'infinitif, ne et pas sont placés ensemble, **devant** le verbe.*

<u>Ne pas</u> courir dans la rue.

<u>Ne pas</u> aimer le chocolat.

!Attention

Si le verbe est précédé d'un pronom personnel, *ne* est placé **avant** ce pronom et *pas*, **après** le verbe ou **entre** l'auxiliaire et le participe passé.

Papa ne <u>la</u> conduit pas à l'aréna.

Je ne <u>l'</u>ai pas vu.

Ne pas <u>leur en</u> vouloir.

Je ne <u>lui en</u> veux pas.

Ne pas <u>l'</u>écouter.

4. Quels principaux mots de négation accompagnent *ne, n'* ?

Mots de négation	Exemples
ne + pas **n'** + pas **ne** + plus **n'** + plus	La souris <u>ne</u> sourit <u>pas</u>. Ma tante <u>n'</u>est <u>pas</u> une enfant. Je <u>ne</u> mangerai <u>plus</u> de barbe-à-papa. Valérie <u>n'</u>ira <u>plus</u> au cirque.
ne + jamais **n'** + jamais jamais + **ne** jamais + **n'** **ne** + nulle part **n'** + nulle part	Ces plantes <u>ne</u> rampent <u>jamais</u>. Elles <u>n'</u>évitent <u>jamais</u> le soleil. <u>Jamais</u> elle <u>ne</u> vient au cinéma. <u>Jamais</u> il <u>n'</u>ira au cinéma ! Tu <u>ne</u> te rends <u>nulle part</u>. Olivier <u>n'</u>ira <u>nulle part</u>.

Mots de négation	Exemples
ne + personne	Philippe <u>ne</u> chante devant <u>personne</u>.
n' + personne	Sandrine <u>n'</u>a parlé à <u>personne</u>.
personne + **ne**	<u>Personne</u> <u>ne</u> voit Guillaume.
personne + **n'**	<u>Personne</u> <u>n'</u>écoute en classe.
ne + rien	James <u>ne</u> sent <u>rien</u> depuis qu'il a le rhume.
n' + rien	Je <u>n'</u>ai <u>rien</u> à faire.
rien + **ne**	<u>Rien</u> <u>ne</u> sera plus jamais pareil.
rien + **n'**	<u>Rien</u> <u>n'</u>arrive comme je l'avais prévu.
Aucun est un déterminant qui fait partie du groupe du nom.	
ne + aucun	Simon <u>ne</u> mange d'<u>aucun</u> poisson.
n' + aucun	Célestine <u>n'</u>aime <u>aucun</u> poisson.
aucun + **ne**	<u>Aucun</u> chandail ici <u>ne</u> me fait.
aucun + **n'**	<u>Aucun</u> autre chandail <u>n'</u>est plus chaud que le mien.
ne + aucune	Céline <u>ne</u> mange d'<u>aucune</u> pâte.
n' + aucune	Cédric <u>n'</u>espère <u>aucune</u> gloire.
aucune + **ne**	<u>Aucune</u> fille <u>ne</u> l'a suivi.
aucune + **n'**	<u>Aucune</u> fille <u>n'</u>ira au bal.

➤ p. 133-134, 137-138, n°s 1, 7

5. À quoi sert la phrase négative ?

- Si on veut indiquer qu'un événement **n'a pas lieu**, qu'il est **impossible** à envisager, ou quand on **ne partage pas** l'avis de quelqu'un, on **encadre** le verbe de la phrase avec *ne... pas.*

Je <u>ne</u> crois <u>pas</u> qu'une sirène soit une fée.

- La phrase négative exprime le **contraire** de la phrase positive.

Il pleut aujourd'hui.   Il <u>ne</u> pleut <u>pas</u> aujourd'hui.

phrase positive   *phrase négative*

Comment vérifier la construction d'une phrase négative ?

Tu ne dois <u>plus</u> bouger.	*plus*
J'ai <u>pas</u> de chaise pour m'asseoir.	*pas*
Alexandre ne les avait <u>plus</u> vus.	*plus*
Que l'enseignante n'a <u>pas</u> été sévère !	*pas*
N'es-tu <u>pas</u> plus heureuse depuis que tu as déménagé ?	*pas*
Sortons <u>pas</u> ce cartable du casier.	*pas*

Tu <u>ne</u> dois <u>plus</u> bouger.	*ne plus*
Je <u>n'</u>ai <u>pas</u> de chaise pour m'asseoir.	*n' pas*
Alexandre <u>ne</u> les avait <u>plus</u> vus.	*ne plus*
Que l'enseignante <u>n'</u>a <u>pas</u> été sévère !	*n' pas*
<u>N'</u>es-tu <u>pas</u> plus heureuse depuis que tu as déménagé ?	*n' pas*
<u>Ne</u> sortons <u>pas</u> ce cartable du casier.	*ne pas*

- On vérifie si les mots négatifs **encadrent un verbe conjugué** à un temps simple.

Tu <u>ne</u> dois <u>plus</u> bouger.	*oui*
Je <u>n</u>'ai <u>pas</u> de chaise pour m'asseoir.	*oui*
<u>N</u>'es-tu <u>pas</u> plus heureuse depuis que tu as déménagé ?	*oui*
<u>Ne</u> sortons <u>pas</u> ce cartable du casier.	*oui*

- On vérifie si les mots négatifs **encadrent l'auxiliaire** d'un verbe conjugué à un temps composé.

Alexandre <u>ne</u> les avait <u>plus</u> vus.	*oui*
Que l'enseignante <u>n</u>'a <u>pas</u> été sévère !	*oui*

- On vérifie si la phrase commence par une **majuscule** et se termine par un **point**, un **point d'interrogation** ou un **point d'exclamation**.

Tu <u>ne</u> dois <u>plus</u> bouger.	*phrase déclarative*
Je <u>n</u>'ai <u>pas</u> de chaise pour m'asseoir.	*phrase déclarative*
Alexandre <u>ne</u> les avait <u>plus</u> vus.	*phrase déclarative*
Que l'enseignante <u>n</u>'a <u>pas</u> été sévère !	*phrase exclamative*
<u>N</u>'es-tu <u>pas</u> plus heureuse depuis que tu as déménagé ?	*phrase interrogative*
<u>Ne</u> sortons <u>pas</u> ce cartable du casier.	*phrase impérative*

4 ★ UTILISER LA FORME PASSIVE

Tous les types de phrases prennent la forme active ou passive. C'est dans la façon d'écrire le verbe qu'on les distingue.

Qu'est-ce que c'est ?

I. Comment se construit une phrase active ?

- Une phrase active commence par une **majuscule** et se termine par un **point**, un **point d'interrogation** ou un **point d'exclamation**.

Samuel <u>prend</u> le train avec son père.

- Une phrase active peut être une PHRASE MODÈLE.

La neige <u>offre</u> mille et une possibilités de jeux.

- Les phrases **déclaratives**, **interrogatives**, **exclamatives** et **impératives** peuvent être actives.

Samuel <u>prend</u> le train avec sa marraine.	*déclarative*
<u>Alliez</u> -vous au cirque ce soir ?	*interrogative*
<u>Donne</u> cet album à ta sœur.	*impérative*
Comme Mathieu <u>semble</u> heureux !	*exclamative*

2. À quoi sert la phrase active?

- Dans une phrase active, le groupe sujet **fait** l'action exprimée dans le **groupe prédicat (GP)** ou groupe verbal.

La neige offre mille et une possibilités de jeux.

3. Comment se construit une phrase passive?

- Une phrase passive commence par une **majuscule** et se termine par un **point**, un **point d'interrogation** ou un **point d'exclamation**.

- C'est une PHRASE MODÈLE **transformée** par les opérations de **déplacement**, de **remplacement** et d'**ajout** de mots et de groupes de mots.

PHRASE MODÈLE : La neige offre mille et une possibilités de jeux.

Mille et une possibilités de jeux sont offertes par la neige.

    ↓   ↓   ↓   ↓

déplacement   *remplacement ajout déplacement*

- On construit le verbe d'une phrase passive avec l'**auxiliaire** être et le **participe passé** du verbe, très souvent suivis de **par.**

La souris <u>est</u> transformée en princesse ¦par¦ une sorcière.

La souris <u>était</u> transformée en princesse ¦par¦ une sorcière.

La souris <u>sera</u> transformée en princesse ¦par¦ une sorcière.

La souris <u>a été</u> transformée en princesse ¦par¦ une sorcière.

4. À quoi sert la phrase passive ?

- La phrase passive présente d'une **façon différente** l'information donnée par une phrase active.

Isabelle plante une hémérocalle.

ajout
↓
Une hémérocalle est plantée par Isabelle.
↓   ↓   ↓
déplacement   *remplacement*   *déplacement*

Dans la première phrase, Isabelle fait l'action de planter une fleur.
Dans la deuxième, c'est la fleur qui subit l'action d'Isabelle.

Une phrase passive employée parmi des phrases actives te permet de varier les structures de phrases dans un texte. Y recourir parfois est une bonne façon de faire avancer l'information. Par contre, si tu utilises trop de phrases passives, tu risques d'alourdir ton texte.

➤ p. 450-451, n° 4

5. Comment se comporte le participe passé dans une phrase passive ?

- Le participe passé du verbe d'une phrase passive se comporte comme un **adjectif**. Il s'accorde comme un **attribut du sujet**.

Les voleurs sont arrêtés par les policiers.

➤ p. 101-102, n° 5
➤ p. 151-154, n° 6

6. Les verbes conjugués avec l'auxiliaire être forment-ils toujours une phrase à la forme passive?

• Non. Une phrase active où l'on trouve des verbes comme *arriver*, *naître*, *rester*, *tomber*, *venir*... contient **toujours** l'auxiliaire *être* à un temps composé. Ces verbes n'acceptent **jamais** l'auxiliaire *avoir*.

Je suis venu.

 J'ai venu.

➤ p. 180, 183-185, nᵒˢ 2, 7
➤ p. 223, nᵒ 7

!Attention

Les verbes *descendre*, entrer, *monter*, rentrer, *sortir* se conjuguent avec les deux auxiliaires, être et *avoir*. On doit alors porter une attention spéciale au choix du bon auxiliaire pour exprimer correctement sa pensée.

Elle <u>a descendu</u> les marches de l'escalier.

Elle <u>est descendue</u> derrière moi.

J'<u>ai entré</u> la clé dans la serrure.

Je <u>suis entré</u> chez moi.

Papa <u>a sorti</u> le gâteau du four.

Maman <u>est sortie</u>.

5
UTILISER
LA PONCTUATION

Quand on parle, la voix monte, descend, s'arrête. À l'écrit, les signes de ponctuation correspondent aux changements d'intonation de la voix, aux pauses et aux limites de certains groupes de mots.

Qu'est-ce que c'est ?

1. Pourquoi emploie-t-on un signe de ponctuation dans une phrase ?

• Quand on écrit une phrase, on en marque les **limites** en mettant une lettre majuscule au **premier mot** et un signe de ponctuation à la **fin** : un point [.], un point d'interrogation [?] ou un point d'exclamation [!].

Qu'est-ce que le sens de l'humour [?] À quoi ça sert le sens de l'humour si c'est pour rire de l'apparence des autres ou pour chercher ce qui les blesse et s'en moquer [?] Alors, moi, Charles Charest, j'ai décidé que je n'avais pas le sens de l'humour [!] Je suis susceptible [.] Voilà [!] Un point c'est tout [!]

Bonne Année, Grand Nez
➤ p. 3, n° 4

En lisant, essaie de repérer la **fin** d'une phrase. Il s'agit d'un moment privilégié pour te demander si tu comprends bien ce que tu viens de lire. C'est aussi le temps de te poser des questions sur ce qui s'en vient.

> • À l'intérieur de la phrase, on sépare certains groupes de mots par d'autres signes de ponctuation : la virgule $\boxed{,}$, les deux-points $\boxed{:}$, les guillemets $\boxed{«}\boxed{»}$, le tiret $\boxed{-}$, les parenthèses $\boxed{(}\boxed{)}$ et le point-virgule $\boxed{;}$.

Dorothée ne cessa de répéter à qui voulait l'entendre quels modèles de petits cochons ils seraient, quelle intelligence $\boxed{(}$qu'ils tiendraient de leur mère, bien entendu$\boxed{)}$ et quelle élégance $\boxed{(}$celle de leur père, le prince, évidemment$\boxed{)}$!
Dans la plus haute tradition de la race du Wessex, leur robe serait noire avec une marque en forme de $\boxed{«}$ selle $\boxed{»}$ blanche entre les épaules et leurs pattes avant également blanches.
Et la truie ajoutait pour conclure $\boxed{:}$

$\boxed{-}$ Ne croyez pas pour autant que je vous déprécie, vous autres. Vous êtes marqués, comme il se doit. Mais n'est-il pas naturel pour une mère de s'imaginer que ses propres enfants atteindront la perfection ?

Cul-Blanc

2. À quoi sert le point ?

> • Le point $\boxed{.}$ indique la fin d'une phrase **déclarative** ou **impérative**.

➤ p. 20-21, 33-35, nos 1, 13

Le vent incessant m'envoie des gifles poussiéreuses $\boxed{.}$

L'Idole masquée

3. À quoi sert le point d'interrogation?

• Le point d'interrogation ⟨?⟩ indique la fin d'une phrase **interrogative**.

Depuis quand les êtres humains ont-ils la capacité de se transformer comme les chenilles ⟨?⟩

Le Congrès des laids
➤ p. 22-26, n° 3

4. À quoi sert le point d'exclamation?

• Le point d'exclamation ⟨!⟩ indique la fin d'une phrase **exclamative**.

Elle a hurlé tellement fort que mes cheveux se sont dressés vers l'arrière ⟨!⟩

Marguerite
➤ p. 31, n° 9

5. À quoi sert la virgule?

• La virgule ⟨,⟩ peut **séparer** les **éléments d'une énumération** ou des **éléments juxtaposés**. On peut faire une énumération d'objets, une série de qualités, une liste d'actions ou encore autre chose.

Lors des événements de la Journée mondiale du livre, j'ai rencontré des auteurs ⟨,⟩ des illustrateurs et des éditeurs.

On la voit jouer au parc. Elle saute, court et se balance.

• La virgule peut **encadrer** ou **isoler** des mots ou des groupes de mots qui occupent la fonction de **groupe complément de phrase**.

<u>Tous les jours</u>, nous traversons le pont Champlain.

Le groupe complément de phrase est isolé au début.

Nous traversons le pont Champlain, <u>tous les jours</u>.

Le groupe complément de phrase est isolé à la fin.

Nous traversons, <u>tous les jours</u>, le pont Champlain.

Le groupe complément de phrase est encadré.

Nos oncles, <u>André et Daniel</u>, aiment se renseigner.

• La virgule peut **encadrer** ou **isoler** une phrase qui identifie les personnes qui participent à un **dialogue**.

— Je vais pêcher, dit <u>Ulysse à son frère</u>.

— J'arrive, <u>répond François</u>, en s'empressant de sortir sa canne à pêche.

• La virgule peut **encadrer** ou **isoler** un groupe de mots qui précise à qui une personne s'adresse quand elle **parle**.

— <u>Rose</u>, c'est l'heure de dîner.

— Je voudrais, <u>les garçons</u>, que vous rangiez votre chambre !

En lisant, essaie de tenir compte du regroupement des **mots placés entre des virgules**. Le sens d'une phrase peut en effet changer en fonction de la place de la virgule.

Les chats⃞,⃞ des voisins tranquilles⃞,⃞ dorment toute la journée.

Les chats des voisins⃞,⃞ tranquilles⃞,⃞ dorment toute la journée.

6. Quelle est la différence entre une juxtaposition et une énumération ?

• La juxtaposition et l'énumération sont des façons de **coordonner** des mots ou des groupes de mots qui appartiennent à la **même classe de mots** et qui occupent la **même fonction** dans la phrase. Une juxtaposition et une énumération peuvent coordonner des **groupes du nom**, des **groupes du verbe**, des **adjectifs** ou même des **phrases**.

trois éléments dans une énumération :

Boris <u>saute</u>, <u>crie</u> et <u>applaudit</u> chaque
fois qu'il assiste au spectacle de son
chanteur préféré.

verbes

trois éléments dans une énumération :

Mon hamster est <u>enjoué</u>, <u>affectueux</u>
et <u>amoureux</u>.

adjectifs

trois éléments juxtaposés :

<u>Je n'avais pas faim</u>, <u>je n'avais pas soif</u>,
<u>je me suis endormi</u> avant que mon père
vienne me couvrir.

phrases

- Dans une **juxtaposition**, les éléments sont séparés uniquement par des virgules. Dans une **énumération**, le dernier élément est toujours précédé de *et* ou de *ou*.

L'autre soir, certains artistes chantaient , d'autres dansaient.

Marina veut manger une pêche, une pomme <u>ou</u> une poire.

La première phrase est une juxtaposition. La deuxième est une énumération.

En écriture, lorsqu'on énumère une suite de mots, on sépare les premiers termes par une **virgule** et on relie les deux derniers par la conjonction *et.* On combine ainsi la **juxtaposition** et la **coordination.**

7. À quoi servent les deux-points ?

• Les deux-points annoncent que l'on va **rapporter les paroles de quelqu'un**. Ils sont placés **avant** les guillemets.

Ulysse dit à son frère $\boxed{:}$ $\boxed{«}$ J'ai froid. $\boxed{»}$

• On place les deux-points devant une **énumération** ou une **explication**.

Francine achète des fruits à l'épicerie $\boxed{:}$ des pommes, des prunes, des raisins et des clémentines.

énumération

Isabelle est la deuxième enfant de la famille $\boxed{:}$ elle a un frère plus vieux et un frère plus jeune.

explication

8. À quoi servent les guillemets ?

• Les guillemets servent à encadrer les **paroles** ou les **pensées** rapportées de **quelqu'un**. Ils suivent les **deux-points** quand ils sont placés au milieu ou à la fin d'une phrase.

Magnus dit à son frère $\boxed{:}$ $\boxed{«}$ J'ai froid ! $\boxed{»}$

Au moment où Magnus a dit à son frère $\boxed{:}$ $\boxed{«}$ J'ai froid ! $\boxed{»}$, il est apparu une cape magique qui s'est posée directement sur lui. Magnus s'est senti enveloppé d'une douce chaleur.

9. À quoi servent les tirets?

- On indique les **paroles que des personnes échangent entre elles** en plaçant un tiret **au début de chaque ligne**.

— Je veux coucher dans la même tente que toi, dit Aurélie.

— D'accord. On va en parler à notre monitrice, répond Amélie.

— J'apporte mon baladeur.

— Moi, j'apporte le livre que j'ai acheté hier!

Attention

Dans un récit, on doit limiter les dialogues. Un texte risque de devenir ennuyeux s'il en contient trop, et le lecteur ou la lectrice peut avoir de la difficulté à le suivre.

➤ p. 444-445, n° 22

- Les tirets servent à séparer les termes d'une énumération présentée sous forme de liste.

Pour la rentrée scolaire, tu dois apporter :

— deux crayons à mine ;

— une règle ;

— une gomme à effacer ;

— un taille-crayon.

10. À quoi servent les parenthèses?

• Elles introduisent une **indication complémentaire**, une **précision**.

Cependant, ce flacon ne portant décidément pas l'étiquette : poison, Alice se hasarda à en goûter le contenu ; comme il lui parut fort agréable [(en fait, cela rappelait à la fois la tarte aux cerises, la crème renversée, l'ananas, la dinde rôtie, le caramel, et les rôties chaudes bien beurrées)], elle l'avala séance tenante, jusqu'à la dernière goutte.

Alice au pays des merveilles

Comment vérifier la ponctuation à la fin d'une phrase ?

- On vérifie si la phrase débute par une **lettre majuscule** et se termine par un **point**, un **point d'interrogation** ou un **point d'exclamation**.

Les feuilles rougissent à l'automne.

Les feuilles rougissent-elles à l'automne ?

Que les feuilles rougissent à l'automne !

- On vérifie si le signe de ponctuation correspond au message qu'on veut exprimer.

Les feuilles rougissent à l'automne.

message qui exprime ce que l'on sait ou ce que l'on constate OU
message pour faire agir ou réagir quelqu'un

Les feuilles rougissent-elles à l'automne ?

message qui pose une question

Que les feuilles rougissent à l'automne !

message qui exprime quelque chose d'intense (par exemple, la surprise)

Comment vérifier si la virgule est bien utilisée à l'intérieur d'une phrase ?

- On cherche si la phrase contient plusieurs fois le mot *et* ou le mot *ou*. Si c'est le cas, on garde le dernier *et* ou le dernier *ou* et on remplace chacun des autres par une virgule.

J'ai vu une girafe et un hippopotame et un tigre et une panthère.

J'ai vu une girafe [,] un hippopotame [,] un tigre <u>et</u> une panthère.

J'ai vu une girafe ou j'ai souri à un hippopotame ou j'ai salué un tigre ou j'ai parlé avec une panthère.

J'ai vu une girafe [,] j'ai souri à un hippopotame [,] j'ai salué un tigre <u>ou</u> j'ai parlé avec une panthère.

- On cherche si la phrase contient un groupe complément de phrase. Si oui, on le place à la fin de la phrase, précédé d'une virgule.

J'ai vu une girafe [,] dans le jardin du prince.

- On cherche si la phrase contient un message qui s'adresse à une personne en particulier. Si oui, on s'assure que le nom de cette personne soit en début de phrase et suivi d'une virgule.

– Pierre [,] je voudrais que tu cesses tes discussions avec l'hippopotame.

Quand une phrase est bien construite et bien ponctuée, on peut appliquer les règles qui permettent d'écrire correctement chaque mot.

6

DISTINGUER FONCTIONS DANS LA PHRASE ET CLASSES DE MOTS

Tout groupe de mots joue un rôle qui le distingue des autres groupes dans la phrase. C'est sa fonction. Chaque mot du groupe possède des caractéristiques bien particulières qui l'associent à une classe de mots.

Qu'est-ce que c'est ?

Les fonctions des groupes de mots

1. Quelles fonctions sont à la base d'une PHRASE MODÈLE ?

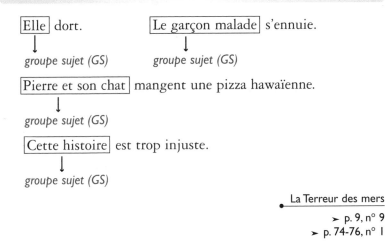

• Dans une PHRASE MODÈLE, on trouve toujours un **groupe sujet (GS)**. C'est la fonction occupée par le premier groupe obligatoire de la PHRASE MODÈLE.

| Elle | dort.
↓
groupe sujet (GS)

| Le garçon malade | s'ennuie.
↓
groupe sujet (GS)

| Pierre et son chat | mangent une pizza hawaïenne.
↓
groupe sujet (GS)

| Cette histoire | est trop injuste.
↓
groupe sujet (GS)

La Terreur des mers

➤ p. 9, n° 9
➤ p. 74-76, n° 1

- Dans une PHRASE MODÈLE, on trouve toujours un **groupe prédicat (GP)** ou **groupe verbal**. C'est la fonction occupée par le deuxième groupe obligatoire de la PHRASE MODÈLE.

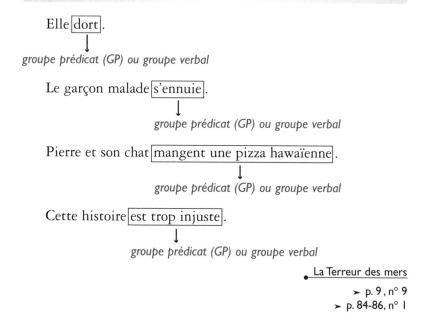

Elle |dort|.

↓

groupe prédicat (GP) ou groupe verbal

Le garçon malade |s'ennuie|.

↓

groupe prédicat (GP) ou groupe verbal

Pierre et son chat |mangent une pizza hawaïenne|.

↓

groupe prédicat (GP) ou groupe verbal

Cette histoire |est trop injuste|.

↓

groupe prédicat (GP) ou groupe verbal

La Terreur des mers

➤ p. 9, n° 9
➤ p. 84-86, n° 1

- La PHRASE MODÈLE peut aussi contenir un **groupe complément de phrase (GCP)**. C'est la fonction qu'occupe le groupe facultatif de la PHRASE MODÈLE.

groupe complément de phrase (GCP)

↓

Tout le jour, Fred le Boucher et ses hommes ont avancé dans la brousse.

La Terreur des mers

Marie-Laure, :hier:, a visité le zoo.

↓

groupe complément de phrase (GCP)

Les jeunes oies se rassemblent :dans le champ d'Alphonse:,
:à l'automne:.

↓   ↓

groupes compléments de phrase (GCP)

➤ p. 9, n° 9
➤ p. 92-93, n° 1

• On peut représenter les fonctions qui sont à la base d'une PHRASE MODÈLE.

2. Quelles fonctions peuvent occuper des groupes de mots à l'intérieur d'un groupe sujet (GS)?

• On trouve des groupes **compléments du nom**.

Un homme <u>de l'âge de pierre</u> fabrique ses outils.

↓

complément du nom **homme**

Ma cousine <u>aînée</u> court déjà partout.

↓

complément du nom **cousine**

*compléments du nom **cuisinier***

Le <u>grand</u> cuisinier <u>dont la renommée dépasse les frontières du pays</u> prépare le menu pour le 50ᵉ anniversaire de mariage de nos grands-parents.

➤ p. 81, n° 5

Tu dois faire la différence entre le **nom noyau du GS** et un autre nom qui est complément du nom. C'est **un moyen efficace** de réussir l'accord du verbe.

noyau du GS	*complément du nom*	*accord du verbe*
↓	↓	↓

Une <u>portion</u> raisonnable de <u>crapauds</u> infusés constitu<u>e</u> un repas santé pour une jeune sorcière.

- On peut représenter les fonctions des groupes de mots à l'intérieur d'un GS.

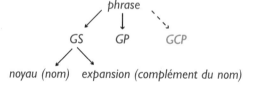

phrase

GS   GP   GCP

noyau (nom)   *expansion (complément du nom)*

3. Quelles fonctions peuvent occuper des groupes de mots à l'intérieur d'un groupe prédicat (GP) ou groupe verbal?

- On peut trouver le groupe **attribut du sujet (AS)** avec le verbe *être* ou un verbe qui se comporte comme lui.

Cette histoire est <u>ma création</u>.
↓
*groupe attribut du sujet **cette histoire***

Gabrielle Roy est <u>une grande écrivaine</u>.
↓
groupe attribut du sujet **Gabrielle Roy**

Cette histoire paraît <u>trop injuste</u>.
↓
groupe attribut du sujet **Cette histoire**

Elle semble <u>révoltante</u>.
↓
groupe attribut du sujet **Elle**

➤ p. 98-99, 100, n°s 1, 3

• On peut trouver également des groupes **compléments du verbe**, des groupes **CD** et des groupes **CI**.

Un éclair traverse <u>la plaine</u>.
↓
CD du verbe **traverse**

J'offre <u>un disque de Félix Leclerc</u> <u>à mon père</u>.
↓ ↓
CD du verbe **offre** *CI du verbe* **offre**

➤ p. 104-105, 110, n°s 1, 8

Le gamin répète <u>inlassablement</u> <u>la même justification</u>.
↓ ↓
complément du verbe **répète** *CD du verbe* **répète**

➤ p. 199-200, n° 5

Le **dédoublement** est une manière efficace de distinguer un groupe complément du verbe d'un groupe complément de phrase. Il est utile de reconnaître un complément du verbe pour bien écrire une phrase. Tu dois t'assurer de le placer après le verbe, et non en début de phrase.

L'eau envahit <u>complètement</u> la pièce.

Ⱡ L'eau <u>complètement</u> envahit la pièce.

Ⱡ <u>Complètement</u> l'eau envahit la pièce.

⊘ L'eau envahit la pièce et **cela se passe** <u>complètement</u>.

L'eau a envahi <u>complètement</u> la pièce.

L'eau a <u>complètement</u> envahi la pièce

⊘ <u>Complètement</u> l'eau a envahi la pièce.

⊘ L'eau a envahi la pièce et **cela s'est passé** <u>complètement</u>.

➤ p. 7-8, n° 8

- On peut représenter les fonctions des groupes de mots à l'intérieur d'un groupe prédicat (GP) ou groupe verbal.

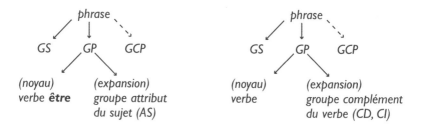

4. *Quels principaux groupes de mots peuvent occuper une fonction dans la* PHRASE MODÈLE ?

- Le **groupe du nom** peut occuper plusieurs fonctions dans la PHRASE MODÈLE. Le **pronom** peut occuper les mêmes fonctions.

Une araignée vorace tisse sa toile. Elle tisse sa toile.	GS
J'ai observé <u>une araignée vorace</u>. J'ai <u>l'</u>ai observée.	CD

L'ombre dans ma chambre
ressemble <u>à une araignée vorace</u>.
L'ombre dans ma chambre
<u>lui</u> ressemble.

CI

Mon araignée est <u>mon amie</u>.
Mon araignée <u>l</u>'est.

*groupe attribut
du sujet*

➤ p. 127-129, n° 13

- Le **groupe du verbe** n'occupe qu'une seule fonction dans la PHRASE MODÈLE : **groupe prédicat (GP)** ou groupe verbal.

Le lutin espiègle | observe le père Noël |.

- Le **groupe de l'adjectif** peut occuper différentes fonctions dans la phrase.

Le sol <u>couvert</u> de mousse créait un tapis <u>coussiné</u>.

*couvert joue le rôle de complément du nom **sol***
*coussiné est complément du nom **tapis***

On fabrique des vêtements <u>résistants</u>.

*Il joue le rôle de complément du nom **vêtements**.*

L'étoffe est <u>résistante</u>.

*Il joue le rôle de groupe attribut du sujet **L'étoffe**.*

5. Qu'est-ce qu'une classe de mots ?

- Il s'agit d'un ensemble de mots qui ont des **comportements** semblables dans une phrase et possèdent des **caractéristiques** communes :
  - ils acceptent mieux certains **mots voisins** que d'autres ;
  - ils occupent les mêmes **fonctions** dans la phrase ;
  - ils se terminent souvent par une **finale** semblable ;
  - ils se ressemblent par le **sens**.

La <u>fleur</u> dévoile sa beauté au soleil.

Les <u>fleurs</u> dévoilent leur beauté au soleil.

Le <u>chien</u> démontre son affection à sa maîtresse.

Les <u>chiens</u> démontrent leur affection à leur maîtresse.

- *Les mots **fleur** et **chien** se comportent de la même façon. Ils sont précédés du déterminant **La** dans le premier exemple et de **Le** dans le second. Ces mots acceptent bien les déterminants comme voisins.*

- *Ces mots sont placés en début de phrase. On peut les encadrer par **C'est... qui** : **C'est la fleur qui** dévoile sa beauté au soleil et **C'est le chien qui** démontre son affection à sa maîtresse. Ils jouent tous les deux le rôle de groupe sujet (GS).*

- *Lorsque **fleur** et **chien** sont au pluriel, ils en prennent la marque : un **s** à la fin.*

- *Les mots **fleur** et **chien** désignent quelque chose qui existe autour de nous, auquel on donne un **nom**. Le mot **fleur** désigne la partie d'une plante qui éclot et le mot **chien** désigne un animal à quatre pattes qui jappe.*

- *Fleur et chien sont des mots qui font partie de la classe des **noms**.*

6. Quelles sont les principales classes de mots?

• Il existe **huit** principales classes de mots : les **noms**, les **déterminants**, les **adjectifs**, les **pronoms**, les **verbes**, les **adverbes**, les **prépositions** et les **coordonnants/subordonnants**.

pronom verbe   adjectif   préposition   coordonnant
↓   ↓   ↓   ↓   ↓

Le chat <u>lui</u> <u>vole</u> la souris <u>étourdie</u> <u>par</u> un coup de patte <u>et</u> de griffes.

Je pensais <u>que</u> tu aimais <u>follement</u> <u>la</u> <u>musique</u>.
↓   ↓   ↓   ↓
subordonnant   adverbe déterminant nom

• Les mots interrogatifs et les mots exclamatifs comptent parmi eux des **adverbes**, des **pronoms** et des **déterminants**.

<u>Comme</u> tu es gentille !   *adverbe*

<u>Qui</u> est venu chez moi ?   *pronom*

<u>Quelle</u> crème solaire achètes-tu ?   *déterminant*

➤ p. 26-27, 32, nᵒˢ 4, 11

7. Quelles sont les deux catégories de classes de mots?

• Il existe des classes de mots **variables** et des classes de mots **invariables**. Les mots variables sont des **donneurs** ou des **receveurs**.

➤ p. 9-11, nᵒˢ 10, 11

- Les mots variables sont: les **déterminants**, les **noms**, les **adjectifs**, les **pronoms** et les **verbes**. Souvent, ce sont leurs lettres finales qui varient. Parfois, le mot change en entier.

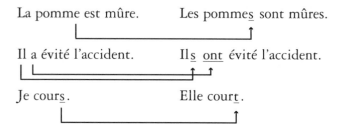

La pomme est mûre.   Les pommes sont mûres.

Il a évité l'accident.   Ils ont évité l'accident.

Je cours.   Elle court.

- Les mots invariables sont: les **adverbes**, les **prépositions** et les **coordonnants/subordonnants**.

8. Un même mot peut-il appartenir à des classes de mots différentes?

- Oui. Un même mot peut appartenir à des classes différentes si les **mots voisins** de ce mot appartiennent eux aussi à des classes différentes.

La <u>porte</u> du cabanon grince.

Je <u>porte</u> un chapeau.

*Le mot **porte**, dans la première phrase, est précédé du déterminant **La** et forme un groupe. On peut remplacer ce groupe par le pronom **Elle**. Donc, dans la première phrase, le mot **porte** appartient à la classe des **noms**. Le même mot, dans la deuxième phrase, appartient à la classe des **verbes** parce qu'il suit le pronom personnel **Je** et qu'il accepte d'être encadré par **ne… pas**.*

Comment reconnaître une classe de mots ?

• On utilise quatre opérations pour reconnaître une classe de mots : l'**effacement**, le **déplacement**, le **remplacement** et l'**ajout**.

J'ai dévalé la pente <u>enneigée</u>. J'ai dévalé la pente.	*effacement de l'adjectif*
C'est <u>vite</u> fait. C'est fait <u>vite</u>.	*déplacement de l'adverbe*
Tu voyageras cet <u>été</u>. Tu voyageras cet <u>hiver</u>.	*remplacement du nom*
J'irai vendredi. J'irai <u>un</u> vendredi.	*ajout du déterminant*

➤ p. 7-8, n° 8

7

RECONNAÎTRE
UN GROUPE SUJET (GS)
DANS LA PHRASE

La fonction groupe sujet (GS) est le rôle joué par le premier groupe de mots obligatoire dans la PHRASE MODÈLE.

Qu'est-ce que c'est ?

I. Comment se comporte un groupe sujet (GS) dans la PHRASE MODÈLE ?

• Le groupe sujet (GS) est le seul groupe de mots qui peut être **encadré** par *C'est... qui.*

PHRASE MODÈLE : Le sucre à la crème cuit sur le poêle à bois.

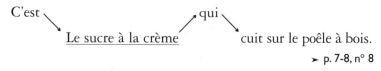

C'est

Le sucre à la crème qui

cuit sur le poêle à bois.

➤ p. 7-8, n° 8

• Le groupe sujet (GS) est un groupe de mots qu'on peut **remplacer** par un pronom comme *il, elle, cela, nous, vous, ils, elles.*

Ma sœur et moi sommes allées à la chasse.
↓
Nous

Une pomme devient mûre à l'automne.
↓
Elle

Grammaire de la phrase

Le sucre à la crème cuit sur le poêle à bois.
↓
Il

Courir garde en forme.
↓
Cela

Les filles participent au tournoi de tennis.
↓
Elles

Robert, Roger et Ryan naviguent sur le fleuve Saint-Laurent.
↓
Ils

- Dans une PHRASE MODÈLE, un groupe sujet (GS) **ne peut pas être déplacé**.

PHRASE MODÈLE : Le gamin m'a attaché un papier dans le dos.

⊘ M'a attaché un papier dans le dos le gamin.

Quand on essaie de déplacer le GS, on obtient une phrase fautive.

➤ p. 9, n° 9

- Un groupe sujet (GS) **ne peut pas être effacé**.

PHRASE MODÈLE : Le gamin m'a attaché un papier dans le dos.

⊘ ~~Le gamin~~ m'a attaché un papier dans le dos.

Quand on essaie d'effacer le GS, on obtient une phrase fautive.

➤ p. 9, n° 9

Quand tu révises une phrase, essaie d'en trouver la PHRASE MODÈLE et le GS qu'elle contient. C'est une **manière efficace** de trouver de qui ou de quoi on parle dans une phrase.

➤ p. 114, n° 4

2. Quelle est la place du groupe sujet (GS) dans une phrase?

- Le GS est placé **avant** le groupe prédicat (GP) ou groupe verbal dans la PHRASE MODÈLE, dans une phrase **déclarative** et dans une phrase **exclamative**.

<u>Le chasseur</u> courait derrière la grosse bête.

➤ p. 20-22, 31, n°s 1, 2, 9

- Il peut être séparé du verbe par un mot ou un groupe de mots qui joue le rôle d'**écran**.

Je <u>n'</u>aime pas le boudin.

Chantal <u>les</u> invite à essayer son nouveau jeu vidéo.

Le bouleau et l'érable, <u>des feuillus,</u> perdent leurs feuilles à l'automne.

Les vidéocassettes <u>que j'ai reçues</u> me permettent de visionner mes films préférés quand je le désire.

On doit toujours bien distinguer l'**écran** du **groupe sujet (GS)**, car ils peuvent tous les deux précéder immédiatement un verbe. Faire la différence devient particulièrement important quand l'un des deux est au singulier et l'autre au pluriel. Le **verbe s'accorde avec son groupe sujet (GS)**. Il ne s'accorde pas nécessairement avec le mot qui le précède immédiatement, ce mot n'étant pas toujours le GS.

Ma <u>sœur</u> les <u>invite</u> à essayer son nouveau jeu vidéo.

⊘ Ma <u>sœur</u> les ~~invitent~~ à essayer son nouveau jeu vidéo.

• Le GS, s'il est un pronom, peut être placé **après** le verbe dans une phrase **interrogative**.

Courait-<u>il</u> derrière la grosse bête ?

➤ p. 22-26, n° 3

• Le GS peut se trouver **après** le verbe dans un **dialogue**. Il indique alors la personne **qui parle**.

– Prends ce balai ! s'écrie <u>Edwige</u>.

– Pourquoi ? dit <u>Maria</u>.

– Je vais t'apprendre les secrets du maniement d'un balai, rétorque <u>Edwige</u>.

• Enfin, le GS peut être placé **après** le verbe. Cela peut **créer un effet de style** ou **mettre en valeur** le groupe sujet.

Sous les derniers rayons du soleil couchant se retrouvaient <u>les trois jeunes détectives</u>. Ils voulaient parler de la mission mystérieuse que leur confiait <u>la voisine</u>.

3. Y a-t-il toujours un groupe sujet (GS) dans une phrase?

- On trouve toujours **un GS** dans une phrase **déclarative**, dans une phrase **interrogative** et dans une phrase **exclamative**.

<u>La neige</u> danse avec le vent. <u>L'hiver</u> nous présente sa chorégraphie en blanc.

➤ p. 20-21, 22-26, 31 n°s 1, 3, 9

- Certaines phrases contiennent **un seul GS** formé de **plusieurs groupes de mots**. Ces groupes de mots sont séparés par des virgules. Les deux derniers sont unis par *et* ou par *ou*.

<u>La pluie, le vent, la neige et la grêle</u> rafraîchissent l'air.
$$\downarrow$$
GS

Cette phrase est l'équivalent des quatre phrases suivantes:

– La pluie rafraîchit l'air.
– Le vent rafraîchit l'air.
– La neige rafraîchit l'air.
– La grêle rafraîchit l'air.

*Pour éviter la répétition d'un même groupe de mots, ce qui rendrait le texte moins compréhensible, on réunit toutes ces phrases en une seule. La nouvelle phrase possède un seul **groupe prédicat** (GP) ou groupe verbal pour un seul groupe sujet (GS).*

*On peut faire une réflexion semblable avec **ou**.*

➤ p. 56-57, n° 6
➤ p. 334-337, n° 3

- Il peut y avoir **plusieurs GS** dans une phrase qui contient plusieurs verbes.

Grammaire de la phrase

Olivier s'est levé tôt, il a couru chercher sa canne à pêche

  ↓   ↓

 GS   GS

et il a lancé sa ligne à l'eau.

  ↓

 GS

➤ p. 209, n° 2

- Il existe des phrases dont le groupe sujet est **absent** mais sous-entendu. C'est le cas des phrases impératives.

Lance-moi le saucisson.

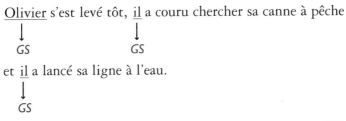

- On voit, enfin, des phrases **sans groupe sujet**. Elles sont construites avec un verbe à l'**infinitif**.

Vérifier les accords dans la phrase modèle.

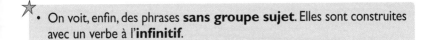

4. *Quels groupes de mots peuvent occuper la fonction de groupe sujet (GS)?*

- Le GS est souvent un **groupe du nom** ou plusieurs **groupes du nom**.

Miriam construit un château de sable sur la plage.	*un groupe du nom*
La petite fille construit un château de sable sur la plage.	*un groupe du nom*

Philippe et sa sœur empruntent la piste
cyclable pour aller à l'école.

deux groupes du nom

Les œufs, les croissants, les muffins
et les fruits sont placés sur la table
pour le brunch.

quatre groupes du nom

➤ p. 127-129, n° 13

• Le GS peut être un **pronom de conjugaison** comme *je, tu, elle, il, on, nous, vous, elles, ils.*

Elle prépare sa pâte aux amandes.

Attention

Certains verbes, dont les verbes qui parlent du temps qu'il fait, s'utilisent uniquement avec le pronom *il*.

Il pleut.   Il neigera.
◊ Je pleus.   ◊ Nous neigerons.

Il fait froid.   Il s'agit de ta première victoire.
◊ Tu fais froid. ◊ Vous vous agissez de votre première victoire.

➤ p. 165-166, n° 9

• Le GS peut être le pronom relatif *qui*.

Quand tu révises une phrase écrite qui contient le pronom relatif **qui**, tu dois trouver l'antécédent de ce pronom. Le verbe doit recevoir alors la **personne**, le **genre** et le **nombre** de cet antécédent.

Les enfants qui jouent au hockey rêvent de gagner la Coupe Stanley.

antécédent   pronom   verbe
              relatif

➤ p. 173, n° 19

★ • Le GS est parfois un groupe avec un verbe à l'**infinitif**.

Attendre son tour ne plaisait pas à Marcelle.

➤ p. 191-192, n° 13

★ • C'est parfois une autre phrase.

« J'ai soif » est une phrase que j'entends souvent à l'école,
après la récréation.

5. Le groupe sujet (GS) peut-il contenir des groupes de mots ayant d'autres fonctions?

• Oui, le GS peut contenir un groupe du nom **avec un complément**.

L'ami de ma mère cueille des bolets, à l'automne.
Ce sont des champignons.

L'homme qui discute avec ma mère cueille souvent
des bolets, à l'automne.

➤ p. 214-215, n° 3

6. Quelle est l'influence du groupe sujet (GS) sur les accords dans la phrase?

• Le **noyau** du GS est le **donneur sujet**. Il donne sa **personne** et
son **nombre** au verbe.

Mes amis cueilleront des fraises.

3e personne du pluriel

➤ p. 332-333, n° 1

- Le **donneur sujet** donne son **genre** et son **nombre** au groupe de mots qui joue le rôle d'**attribut du sujet**.

Mes sœurs sont des championnes au ballon chasseur.

féminin pluriel

Ils paraissent enjoués.

masculin pluriel

➤ p. 101-102, n° 5

7. À quoi sert le groupe sujet (GS)?

- Le GS indique la **personne (qui est-ce qui...)** ou la **chose (qu'est-ce qui...)** qui accomplit l'action ou le fait exprimé par le verbe.

Mes parents dorment.

Le saumon se nourrit de petits crabes.

Le crayon glisse sur la feuille.

- Le GS permet aussi d'indiquer la **personne** ou la **chose** qui possède une caractéristique particulière.

Jo était ravissante cet après-midi-là.

L'Île du savant fou

Comment trouver le groupe sujet (GS) dans une phrase ?

- On cherche un **groupe de mots** ou un **pronom** qu'on peut **encadrer** par *C'est... qui*.

> **Phrase** Mon ami cueille des bolets dans les bois.

C'est mon ami qui cueille des bolets dans les bois.	*oui*
⊘ Mon ami **c'est** cueille des bolets **qui** dans les bois.	*non*
⊘ Mon ami cueille des bolets **c'est** dans les bois.	*non*

! **Attention**

Quand une phrase contient les pronoms *je, tu, il, elle, ils, elles* ou *ça*, on les remplace par *moi, toi, lui, elle, eux, elles* ou *cela* pour vérifier l'encadrement de la phrase *C'est... qui* (*Ce sont... qui*).

Je cueille des bolets.	**C'est** moi **qui** cueille des bolets.
Tu cueilles des bolets.	**C'est** toi **qui** cueilles des bolets.
Il cueille des bolets.	**C'est** lui **qui** cueille des bolets.
Ça sent les champignons.	**C'est** cela **qui** sent les champignons.

- On vérifie si on peut **remplacer** ce **groupe de mots** par un pronom comme *il, elle, cela, nous, vous, ils, elles*.

Mon ami cueille des bolets dans les bois.	*oui*
Il cueille des bolets dans les bois.	

Quand un groupe de mots répond à toutes ces conditions, il s'agit du groupe sujet (GS) de la phrase.

Mon ami cueille des bolets dans les bois.
↓
GS

8
RECONNAÎTRE UN GROUPE PRÉDICAT (GP) DANS LA PHRASE

La fonction groupe prédicat (GP) ou groupe verbal est le rôle joué par le deuxième groupe de mots obligatoire dans la PHRASE MODÈLE.

Qu'est-ce que c'est ?

I. Comment se comporte un groupe prédicat (GP) ou groupe verbal dans la PHRASE MODÈLE ?

• Le GP est le seul groupe de mots qui **suit** le groupe sujet **encadré** par *C'est... qui.*

PHRASE MODÈLE : Le sucre à la crème cuit sur le poêle à bois.

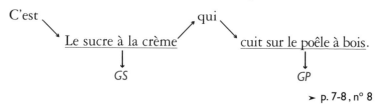

➤ p. 7-8 , n° 8

• Un GP **ne peut pas être déplacé.**

PHRASE MODÈLE : Le gamin m'a attaché un papier dans le dos.

◊ M'a attaché un papier dans le dos le gamin.

Quand on essaie de déplacer le GP, on obtient une phrase fautive.

- Un GP **ne peut pas être effacé**.

PHRASE MODÈLE : Le gamin m'a attaché un papier dans le dos.

⊘ Le gamin.

Quand on essaie d'effacer le GP, on obtient une phrase fautive.

- Un GP contient un verbe auquel on peut **ajouter** *ne... pas,* *n'... pas.*

Le gamin <u>ne</u> m'a <u>pas</u> attaché un papier dans le dos.

➤ p. 178-179 , n° 1

- Un GP est un groupe de mots qui peut toujours être **remplacé** par un **verbe seul**. Pour le remplacer, on cherche un mot qui peut **prendre sa place**, mais pas un synonyme. Ici, on peut utiliser un verbe comme *arriver, dormir* ou *tomber.*

Le gamin <u>m'a attaché un papier dans le dos.</u>
↓
dort

Une pomme <u>tombe de l'arbre.</u>
↓
tombe

Vincent <u>semble aimer le cours.</u>
↓
dort

Le canari <u>chante dès qu'il se lève.</u>
↓
dort

Des voiliers <u>se promènent sur le Saint-Laurent</u>.
↓
arrivent

➤ p. 178-179, n° 1

2. Quelle est la place du groupe prédicat (GP) ou groupe verbal dans une phrase ?

• Le GP est placé **après** le groupe sujet dans la PHRASE MODÈLE, dans une phrase **déclarative** et dans une phrase **exclamative**.

Le chasseur <u>courait derrière la grosse bête</u>.

➤ p. 20-21, 31, nᵒˢ 1, 9

• Le GP peut aussi être placé **avant** le groupe sujet quand on veut préciser la personne qui parle dans un **dialogue**.

– Prends ce balai ! <u>dit</u> Edwige.

– Pourquoi ? <u>répond</u> Maria.

– Je vais t'apprendre les secrets du maniement d'un balai, <u>rétorque</u> Edwige.

➤ p. 54-56, n° 5

• Enfin, on peut placer le GP **avant** le groupe sujet pour **créer un effet de style** ou pour **mettre en valeur** le groupe sujet.

<u>Sous les derniers rayons du soleil couchant se retrouvaient</u> les trois jeunes détectives.

3. Dans quelles phrases trouve-t-on un groupe prédicat (GP) ou groupe verbal?

• On trouve souvent **un GP** dans une phrase **déclarative**, dans une phrase **impérative** et dans une phrase **exclamative**.

Je cherche le GP de la phrase.

Nourris le chien.

• Il existe des phrases **sans GP**. Ce sont des énoncés, formés d'un mot ou de quelques mots seulement.

Victoire !   Pourquoi ?   Bonne année !

➤ p. 27, 32, 35, n°s 5, 10, 15

• Il peut y avoir **plusieurs GP** dans une phrase qui contient plusieurs verbes.

Olivier s'est levé tôt, il a couru chercher sa canne à pêche,
          ↓   ↓
         GP   GP
puis a lancé immédiatement sa ligne à l'eau.
         ↓
        GP

➤ p. 209, n° 2

4. **Quels groupes de mots peuvent occuper la fonction de groupe prédicat (GP) ou groupe verbal ?**

- Le GP est **toujours** un **groupe du verbe**. Son **noyau** est un **verbe conjugué**.

Catherine <u>a chanté</u>.
↓
groupe du verbe

Catherine <u>chante une chanson</u>.
↓
groupe du verbe

Catherine <u>est chanteuse</u>.
↓
groupe du verbe

➤ p. 188, n° 9

5. **Le groupe prédicat (GP) ou groupe verbal peut-il contenir des groupes de mots ayant d'autres fonctions ?**

- Le GP peut contenir un groupe **attribut du sujet**.

Les voisins semblent <u>suspects</u>.

➤ p. 98-99, n° 1

- Le GP peut contenir un groupe **complément du verbe**, un groupe **CD** (complément direct) ou un groupe **CI** (complément indirect).

Elle travaille <u>sérieusement</u>.
↓
groupe complément du verbe

Tu visiteras l'exposition au musée.

↓

groupe complément direct (CD)

Marie-Andrée construit un château de sable avec sa pelle.

↓ ↓

*groupe complément   groupe complément
direct (CD)   indirect (CI)*

➤ p. 66-68, n° 3
➤ p. 105, 109-110, n°s 2, 7, 8

6. À quoi sert le groupe prédicat (GP) ou groupe verbal ?

• Le GP présente **ce que l'on dit** du groupe sujet de la phrase.

Mes amis ont reçu un ordinateur en cadeau.

*La personne qui parle ou qui écrit ce message déclare quelque chose
à propos de ses amis. Elle dit qu'ils ont reçu un ordinateur en cadeau.*

Comment trouver le groupe prédicat (GP) dans une phrase?

• On commence par trouver la **partie de la phrase** qui **suit** le groupe sujet (GS).

Phrase Mon ami cueille des bolets dans les bois.

    GS   *partie de la phrase qui suit le GS*

C'est | mon ami | qui <u>cueille des bolets dans les bois</u>.

• On cherche ensuite le **groupe de mots** qui reste après avoir **enlevé** dans cette partie de phrase les **groupes compléments de phrase (GCP)**. Ce sont les groupes de mots qu'on peut **effacer** et **déplacer**.

effacement <u>cueille des bolets</u>

Mon ami ~~cueille des bolets~~ dans les bois. | *non*

effacement <u>dans les bois</u>

Mon ami | cueille des bolets | ~~dans les bois~~. | *oui*

déplacement

<u>Dans les bois</u>, mon ami | cueille des bolets |. | *oui*

déplacement

Mon ami, <u>dans les bois</u>, | cueille des bolets |. | *oui*

déplacement

Mon ami | cueille des bolets | <u>dans les bois</u>. | *oui*

- On vérifie si le groupe de mots contient un mot qu'on peut **encadrer** par *ne... pas.*

Mon ami ☐ne cueille pas des bolets☐
dans les bois.

oui

- On vérifie si on peut **remplacer** ce groupe de mots par un verbe comme *arriver, dormir* ou *tomber.*

Mon ami ☐cueille des bolets☐
dans les bois.

Mon ami ☐dort☐ dans les bois.

oui

Quand un groupe de mots répond à toutes ces conditions, il s'agit du groupe prédicat (GP) de la phrase.

Mon ami ☐cueille des bolets☐ dans les bois.

↓

GP

9

RECONNAÎTRE UN GROUPE COMPLÉMENT DE PHRASE (GCP)

La fonction groupe complément de phrase (GCP) est le groupe de mots facultatif dans la PHRASE MODÈLE.

Qu'est-ce que c'est ?

I. Comment se comporte un groupe complément de phrase (GCP) dans la PHRASE MODÈLE ?

- Un GCP est le seul groupe de mots de la phrase qu'on peut aussi bien **déplacer** qu'**effacer**.

PHRASE MODÈLE : Le gamin m'a attaché un papier dans le dos, hier.

Hier, le gamin m'a attaché un papier dans le dos.

Le gamin, hier, m'a attaché un papier dans le dos.

Le gamin m'a attaché un papier dans le dos, hier.

Quand on déplace le GCP, on obtient encore une phrase bien structurée.

Le gamin m'a attaché un papier dans le dos, ~~hier~~.

Quand on efface le GCP, on obtient encore une phrase bien structurée.

➤ p. 7-8, n° 8

- Un GCP peut être **dédoublé**. On peut l'ajouter **après** *Cela se passe*, *Cela s'est passé* ou *Cela se passera*.

PHRASE MODÈLE : Le sucre à la crème cuit sur le poêle à bois.

Le sucre à la crème cuit sur le poêle
à bois. Cela se passe aujourd'hui.

Le sucre à la crème cuisait sur le poêle
à bois. Cela s'est passé la semaine dernière.

Le sucre à la crème cuira sur le poêle
à bois. Cela se passera demain.

➤ p. 7-8, n° 8

2. Quelle est la place du groupe complément de phrase (GCP) dans une phrase ?

• Un GCP peut être placé **avant** le groupe sujet, **entre** le groupe sujet et le groupe prédicat (GP) ou groupe verbal, ou **après** le GP, dans tous les types de phrases.

Aujourd'hui, le sucre à la crème cuit sur le poêle à bois.

Le sucre à la crème, aujourd'hui, cuit sur le poêle à bois.

Le sucre à la crème cuit sur le poêle à bois, aujourd'hui.

Aujourd'hui, viendras-tu me visiter ?
Viendras-tu, aujourd'hui, me visiter ?

Viens me visiter aujourd'hui.
Aujourd'hui, viens me visiter.

La neige est belle, aujourd'hui !
Aujourd'hui, la neige est belle !

➤ p. 20-21, 22-26, 31, 33-35, n°s 1, 3, 9, 13

3. Combien peut-il y avoir de groupes compléments de phrase (GCP) dans une phrase ?

- Une phrase peut contenir **un** ou **plusieurs GCP** ; elle peut aussi n'en avoir **aucun**.

La marée monte. Viendras-tu me visiter ? La neige est belle !	*aucun groupe*
Tous les soirs, la marée monte.	*un groupe*
À Tadoussac, tous les soirs, sur les berges du fleuve, la marée monte.	*trois groupes*
Aujourd'hui, après l'école, viendras-tu me visiter ?	*deux groupes*
Aujourd'hui, la neige est belle !	*un groupe*

4. Quels groupes de mots peuvent occuper la fonction de groupe complément de phrase (GCP) ?

- Le GCP est souvent un **adverbe**.

Aujourd'hui, Nadja prépare sa pâte aux amandes.

➤ p. 196-197, 199-200, n°s 1, 5

- Le GCP peut être un **groupe du nom**.

Toute la journée, elle préparait sa pâte aux amandes.

➤ p. 117-118, 127-129, n°s 1, 13

- C'est parfois une **préposition** suivie d'un **groupe du nom**.

À deux heures, elle avait terminé la préparation
de sa pâte aux amandes.

➤ p. 202-203, n°s 1, 2

- Le GCP peut être également une **subordonnée**.

Dès que notre mère aura des vacances, nous irons
faire du camping.

➤ p. 212, 214-215, n°s 1, 3

5. Quelle est l'influence du groupe complément de phrase (GCP) sur les accords dans la phrase ?

- Le GCP n'a **aucune** influence sur les accords des autres groupes de mots. Ce n'est pas le cas du groupe sujet (GS) ni du groupe prédicat (GP) ou groupe verbal.

➤ p. 81-82, n°s 6, 7

6. Quel signe de ponctuation accompagne le groupe complément de phrase (GCP) ?

- La virgule peut **isoler** le GCP quand celui-ci est placé **au début** ou **à la fin** de la phrase.

Aujourd'hui, tu viens me visiter.

Viendras-tu me visiter, aujourd'hui ?

Aujourd'hui, viens me visiter.

La neige est belle, aujourd'hui !

- Deux virgules **encadrent** le GCP quand il est placé **entre** le groupe sujet (GS) et le groupe prédicat (GP) de la phrase.

Le sucre à la crème, <u>aujourd'hui</u>, cuit sur le poêle à bois.

- Une virgule **sépare** les GCP entre eux.

<u>Quand j'ai vu des feuilles mortes sur le lac</u>, <u>ce matin</u>, j'ai compris que l'automne était arrivé.

7. À quoi sert le groupe complément de phrase ?

- Le GCP permet généralement de **préciser** un message. Même s'il n'est pas essentiel à la structure de la phrase, le GCP contient souvent une partie importante du message. Effacer un complément de phrase **enlève des éléments d'information** au message.

<u>Quand j'ai vu des feuilles mortes sur le lac</u>, <u>ce matin</u>, j'ai compris que l'automne était arrivé.

<u>Ce matin</u>, j'ai compris que l'automne était arrivé.

J'ai compris que l'automne était arrivé.

Dans la première phrase, la personne qui parle nous dit ce qu'elle a compris. Cela s'est passé le matin, au moment où elle a aperçu des feuilles mortes sur le lac. Dans la deuxième phrase, elle dit simplement ce qu'elle a compris et que cela s'est passé ce matin. Dans la dernière phrase, la personne nous communique ce qu'elle a compris. Nous ne savons pas quand tout cela est arrivé, ni ce qui l'a amenée à comprendre que l'automne était arrivé.

➤ p. 54-56, n° 5

Comment trouver le groupe complément de phrase (GCP) dans une phrase ?

• On cherche un **groupe de mots** qu'on peut **effacer** et **déplacer**.

Phrase Mon ami cueille des bolets dans les bois.

effacement Mon ami ~~Mon ami~~ cueille des bolets dans les bois.	*non*
effacement cueille des bolets Mon ami ~~cueille des bolets~~ dans les bois.	*non*
effacement dans les bois Mon ami cueille des bolets ~~dans les bois.~~	*oui*
déplacement Dans les bois, mon ami cueille des bolets.	*oui*
déplacement Mon ami, dans les bois, cueille des bolets.	*oui*

• On vérifie si on peut **ajouter** ce groupe de mots **après** *Cela se passe.*

Mon ami cueille des bolets. Cela se passe dans les bois.	*oui*

Quand un groupe de mots répond à toutes ces conditions, il s'agit d'un groupe complément de phrase (GCP).

Mon ami cueille des bolets dans les bois.

↓

GCP

10

RECONNAÎTRE UN GROUPE ATTRIBUT DU SUJET (AS)

Les verbes sur le modèle du verbe être servent à relier deux groupes de mots : le groupe sujet (GS) et le groupe attribut du sujet.

Qu'est-ce que c'est ?

I. Comment se comporte un groupe attribut du sujet (AS) dans la PHRASE MODÈLE ?

• Un groupe attribut du sujet est un groupe de mots qu'on **ne peut pas déplacer**.

Ma grande sœur est <u>professeure d'espagnol</u>.

◊ <u>Professeure d'espagnol</u> ma grande sœur est | *non*

◊ Ma grande sœur <u>professeure d'espagnol</u> est | *non*

• Un groupe attribut du sujet est un groupe de mots qu'on **ne peut pas effacer**.

Ma grande sœur est <u>professeure d'espagnol</u>.

◊ Ma grande sœur est ~~professeure d'espagnol~~. | *non*

• Un groupe attribut du sujet **peut être remplacé** par les pronoms *le* et *l'* placés **devant** le verbe ou par un adjectif placé **après** le verbe.

Pierre paraît <u>sérieux</u>.   →   Il <u>le</u> paraît.

Monique est <u>intelligente</u>.   →   Elle <u>l'</u>est.

Ils sont <u>nos amis</u>.   →   Ils <u>le</u> sont.

➤ p. 7-8, n° 8

2. Quelle est la place du groupe attribut du sujet (AS) ?

- Il est habituellement **à la droite** du verbe *être* si c'est un **adjectif** ou un **groupe du nom**.

Maxime est <u>fier</u>.   Maxime est <u>mon frère</u>.
        ↓   ↓
      adjectif   *groupe du nom*

- S'il s'agit du **pronom personnel** *le* ou *l'*, il est toujours à la **gauche** du verbe *être*.

Je suis <u>belle</u>.   →   Je <u>le</u> suis.

Tu es <u>beau</u>.   →   Tu <u>l'</u>es.

Elle est <u>belle</u>.   →   Elle <u>l'</u>est.

Nous sommes <u>beaux</u>.   →   Nous <u>le</u> sommes.

Vous êtes <u>beaux</u>.   →   Vous <u>l'</u>êtes.

Ils sont <u>beaux</u>.   →   Ils <u>le</u> sont.

➤ p. 159-160, n° 2

3. Avec quels verbes trouve-t-on un groupe attribut du sujet (AS)?

- Des verbes comme *paraître*, *sembler*, *avoir l'air*, *devenir*, *demeurer* ou *rester* se comportent comme le verbe *être*. On peut en effet les remplacer par le verbe *être*.

Mon amie <u>paraît</u> médusée.
↓
est

Jian <u>semble</u> satisfait de son costume d'Halloween.
↓
est

- On appelle verbe **attributif** un verbe qui accompagne un groupe attribut du sujet.

4. Quels groupes de mots peuvent occuper la fonction de groupe attribut du sujet (AS)?

- Le groupe attribut du sujet peut être un **adjectif** seul ou accompagné d'un groupe de mots.

Mon petit frère paraît <u>capricieux</u>.
↓
adjectif seul

Ils sont <u>fatigués de leur journée</u>.
↓
adjectif accompagné d'un groupe de mots

• Le groupe attribut du sujet peut être un **groupe du nom**.

Elle est <u>ma meilleure amie</u>.

• Il peut être aussi un **pronom personnel**. Il remplace alors un autre mot et il est placé **à la gauche** du verbe.

Vous croyez que je suis <u>gourmande</u>? Assurément, je <u>le</u> suis.

➤ p. 159-160, 165-166, n°s 2, 9
➤ p. 447-450, n° 3

5. *Comment s'accorde le groupe attribut du sujet (AS)?*

• Le groupe attribut du sujet est **receveur attribut**. S'il est adjectif, il reçoit le **genre** et le **nombre** du donneur sujet.

Mon petit <u>frère</u> paraît <u>capricieux</u>.

masculin singulier

Les <u>lionnes</u> semblent <u>occupées</u> avec leurs lionceaux.

féminin pluriel

➤ p. 10-11, n° 11

Attention

Quand le donneur sujet est le pronom *on, nous* ou *vous*, on doit porter une attention spéciale à l'orthographe de l'adjectif qui est groupe attribut du sujet. L'accord à faire (féminin singulier, féminin pluriel, masculin singulier ou masculin pluriel) peut varier selon le message exprimé.

Nous sommes <u>fières</u>. On est <u>fières</u>.

deux filles parlent

Vous êtes <u>fières</u>.
↓
une personne parle à plusieurs filles

Vous êtes <u>fière</u>.
↓
. *une personne parle à une femme qu'elle vouvoie*

Nous sommes <u>contents</u>. On est <u>contents</u>.
⌐_____⌐
plusieurs hommes parlent

Vous êtes <u>contents</u>.
↓
une personne parle à plusieurs garçons

Vous êtes <u>content</u>.
↓
une personne parle à un homme qu'elle vouvoie

On est <u>content</u>.
↓
quelqu'un parle au nom de tout le monde, de l'ensemble des personnes

➤ p. 166-168, n° 10

6. À quoi sert le groupe attribut du sujet (AS) ?

• Le groupe attribut du sujet donne des **caractéristiques** au groupe sujet **(GS)** de la phrase.

Ma petite cousine est <u>ballerine</u>.

La table paraît <u>carrée</u>.

Comment trouver un groupe attribut du sujet (AS) dans une phrase ?

- On commence par trouver un **groupe prédicat** (**GP**) ou groupe verbal qui contient le verbe *être* ou un verbe qui peut être **remplacé** par lui.

Phrases   Ma petite cousine deviendra ballerine.
La table est carrée.

C'est ma petite cousine **qui** ⌐deviendra ballerine⌐.
↓
sera

C'est la table **qui** ⌐est carrée⌐.
↓
est

- Dans ce **GP**, on cherche le **groupe de mots** qui suit le verbe.

Ma petite cousine deviendra <u>ballerine</u>.
La table est <u>carrée</u>.

- On vérifie si on peut **remplacer** ce groupe de mots par un **adjectif**.

Ma petite cousine deviendra <u>ballerine</u>.	
Ma petite cousine deviendra <u>douce</u>.	*oui*
La table est <u>carrée</u>.	
La table est <u>immense</u>.	*oui*

Quand un groupe de mots répond à toutes ces conditions, il s'agit d'un groupe attribut du sujet (AS).

Ma petite cousine deviendra <u>ballerine</u>.   La table est <u>carrée</u>.
↓   ↓
AS   *AS*

11

RECONNAÎTRE UN GROUPE COMPLÉMENT DU VERBE

Les verbes ont parfois des compléments. Il existe des compléments directs et des compléments indirects, selon la façon dont ils sont reliés au verbe.

Qu'est-ce que c'est ?

I. Comment se comporte un groupe complément du verbe dans la PHRASE MODÈLE ?

- Un groupe complément du verbe est un groupe de mots qu'on peut **encadrer** par *C'est... que* ou *C'est... qu'*.

Le chien ronge <u>son os</u>.
C'est <u>son os</u> que le chien ronge.

Il préfère <u>les os de bœuf</u>.
C'est <u>les os de bœuf</u> qu'il préfère.

Le chien commence sa journée <u>par une visite chez le voisin</u>.
C'est <u>par une visite chez le voisin</u> que le chien commence sa journée.

J'ai lancé le ballon <u>à Pierre</u>.
C'est <u>à Pierre</u> que j'ai lancé le ballon.

Catherine se rend <u>chez son grand-père</u>.
C'est <u>chez son grand-père</u> que Catherine se rend.

Elle se moque gentiment <u>de lui</u>.

C'est <u>de lui</u> qu'elle se moque gentiment.

Carlos joue <u>avec eux</u>.

C'est <u>avec eux</u> que Carlos joue.

• Il existe d'autres groupes **compléments** du verbe.

Son grand-père marche <u>lentement</u>.

C'est <u>lentement</u> que marche son grand-père.

2. Quels sont les groupes compléments du verbe dans une phrase ?

• Le **groupe complément direct (CD)** est un groupe de mots relié au verbe **sans** l'aide d'une préposition.

Anaïs adore <u>les framboises</u>. Anaïs <u>les</u> adore.

• Le groupe **complément indirect (CI)** est un groupe de mots relié au verbe **par l'intermédiaire** d'une préposition.

J'ai lancé une invitation <u>à Bruno</u>.

Maude revient <u>de l'école</u>.

3. Quelle est la place du groupe complément direct (CD) dans une phrase?

• Le CD est toujours **à la droite** du verbe, si c'est un **groupe du nom**.

Ce pingouin mange <u>des poissons</u>.

Ma grand-mère écrit <u>une pièce de théâtre</u>.

• Il est toujours **à la gauche** du verbe, s'il s'agit des pronoms personnels *me*, *m'*, *te*, *t'*, *le*, *la*, *l'*, *les*, *nous*, *vous*, *en*.

Je <u>me</u> lave.
↓
C'est moi-même que je lave.

Tu <u>t</u>'admires dans le miroir.
↓
C'est toi-même que tu admires dans le miroir.

Ma sœur <u>l</u>'envoie au marché.
↓
C'est lui ou elle que ma sœur envoie au marché.

Nous <u>nous</u> observons.
↓
C'est nous-mêmes que nous observons.

Ils <u>les</u> accueillent. (les gens)
↓
Ce sont les gens qu'ils accueillent.

Tu as de la neige sur tes bottes.
Tu <u>en</u> as sur tes bottes. (de la neige)
↓
C'est de la neige que tu as sur tes bottes.

➤ p. 159-160, 169, n°s 2, 13, 14

4. Quelle est la place du groupe complément indirect (CI) dans une phrase?

• Le CI est toujours placé à la **droite** du verbe et après la préposition, si c'est un **groupe du nom**.

La lionne s'approche lentement <u>de sa proie</u>.

Elle ressemble <u>à mon chat</u>.

• Il peut se trouver **à la gauche** ou **à la droite** du verbe, si c'est un **pronom personnel**.

Le poète parle <u>à sa mère</u>.   Le poète parle <u>de sa mère</u>.

Le poète <u>lui</u> parle.   Le poète parle <u>d'elle</u>.

➤ p. 159-160, 169, nᵒˢ 2, 13, 14

5. Y a-t-il toujours un CD ou un CI dans une phrase?

• Certains verbes **obligent** l'emploi d'un CD ou d'un CI. La phrase ne serait pas bien structurée en l'absence de ce groupe de mots.

Ⓝ Le commis accueille ~~un client~~.

*On ne peut pas utiliser le verbe **accueillir** sans dire qui on accueille.*
*On **accueille** toujours **quelqu'un** ou **quelque chose**.*

Ⓝ Toute la famille va ~~à Saint-Siméon~~.

*On ne peut pas dire **aller** sans dire à quel endroit on va.*
*On va toujours **quelque part**. On dit qu'on **y** va.*

• D'autres verbes **n'ont besoin ni de CD ni de CI.**

La cane dort.

On ne peut pas dire ⦰ **dormir quelqu'un** *ou* ⦰ **dormir quelque chose.**
Le verbe **dormir** *n'a pas besoin de CD.*

On ne peut pas non plus dire ⦰ **dormir à quelqu'un,**
⦰ **dormir à quelque chose,** ⦰ **dormir de quelqu'un,**
⦰ **dormir de quelque chose.** *Le verbe* **dormir** *n'a pas besoin de CI.*

• Des verbes comme *venir*, *rire*, *partir*... s'emploient parfois avec une préposition. Ils ne s'emploient jamais avec un CD.

La tortue vient <u>de</u> quelque part.   La tortue vient.

La tortue ne riait pas <u>du</u> lièvre.   La tortue ne riait pas.

Le lièvre part <u>de</u> son terrier.   Le lièvre part.

Tu peux consulter un dictionnaire pour savoir si un verbe accepte ou non un CD ou un CI. Observe les exemples qui accompagnent la définition d'un verbe. Tu trouveras les possibilités de combinaisons du verbe avec une ou plusieurs prépositions. Il te restera alors à choisir la préposition qui exprime ta pensée avec le plus de précision possible.

• Les verbes qui acceptent un **CD** sont appelés **transitifs directs.**
Les verbes qui acceptent un **CI** sont appelés **transitifs indirects.**

6. Où faut-il placer le CI quand un verbe a aussi un CD?

> • Quand les compléments sont des groupes du nom, **ils suivent le verbe**, et le **CD est placé avant le CI**. Quand ce sont des pronoms, **ils précèdent le verbe**, et le **CD est toujours placé avant le CI**.

La princesse donnera <u>un baiser</u> <u>à un crapaud</u>.
                      ↓   ↓
                      CD   CI

La princesse <u>le</u> <u>lui</u> donnera.
            ↓ ↓
           CD CI

p. 169, n°s 13, 14

➤ p. 169, nᵒˢ 13, 14

7. Quels groupes de mots peuvent occuper la fonction groupe complément direct (CD)?

> • Le CD peut être un **groupe du nom** ou les **pronoms personnels** *me, m', te, t', le, la, l', les, nous, vous, en.*

Josiane soulève <u>Édouard</u>.

Josiane soulève <u>la pile de journaux</u>.

Les pirates <u>m</u>'ont attaqué.

> • Un CD peut être un groupe de mots qui contient un verbe à l'**infinitif**.

Les canetons veulent <u>voler</u>.

Mon frère aimerait <u>participer au tournoi de scrabble</u>.

* C'est parfois une **subordonnée**.

Pour ta punition, je souhaite <u>que ta tête devienne grosse comme une outre</u>.

8. Quels groupes de mots peuvent occuper la fonction groupe complément indirect (CI)?

* Le CI est un groupe formé d'une préposition suivie d'un **groupe du nom** ou des **pronoms** *moi, toi, elle, lui, cela, nous, vous, elles, eux*.

Je me souviens <u>de mon dernier voyage à La Malbaie</u>.

*La préposition **de** est suivie d'un groupe du nom.*

Je me souviens <u>de lui</u>.

*La préposition **de** est suivie d'un pronom.*

* Le CI peut être aussi le **pronom personnel** *lui, nous, vous, leur, en, y*.

Je m'<u>en</u> souviens.   Je <u>lui</u> ai parlé.
   ↓   ↓
  de cela   *à cette personne*

Tu <u>nous</u> donnes des biscuits à l'orange ? Merci !
 ↓
à nous

* Des verbes comme *penser, oublier, se souvenir*... acceptent souvent un CI formé à partir d'un verbe à l'**infinitif**.

Jules <u>pense</u> <u>à partir</u>.

Jules <u>a oublié</u> <u>de prendre sa clé avant de quitter la maison</u>.

9. À quoi servent un CD et un CI?

• Le CD et le CI apportent des **informations essentielles** au verbe.

La princesse donnera <u>un baiser</u> <u>à un crapaud</u>.

Donner est un verbe qui a toujours besoin d'un complément direct.
En effet, on ne peut pas dire « La princesse donnera ». Le sens du verbe
donner implique qu'il y a toujours quelque chose ou quelqu'un (le CD)
qui est donné à quelqu'un ou à quelque chose (le CI). Le groupe de mots
un baiser est le CD du verbe **donnera**. Le groupe de mots **à un crapaud**
est le groupe CI de ce verbe.

Comment trouver un CD ou un CI dans une phrase ?

- On commence par trouver un **groupe prédicat (GP)** ou groupe verbal formé d'un verbe qui ne peut **pas être remplacé** par le verbe *être*.

> **Phrase** La princesse donnera un baiser à un crapaud.

C'est La princesse **qui** [donnera un baiser à un crapaud].

⊘ La princesse [sera un baiser à un crapaud].

- Dans ce **GP**, on cherche un **groupe de mots** qu'on peut **encadrer** par *C'est... que*.

⊘ **C'est** donnera **que** la princesse un baiser à un crapaud.	*non*
C'est un baiser **que** la princesse donnera à un crapaud.	*oui*
C'est à un crapaud **que** la princesse donnera un baiser.	*oui*

- On vérifie si ce **groupe de mots** commence par une **préposition** comme *à, de*. Si c'est le cas, il s'agit d'un **CI**. Sinon, ce n'est pas un **CI**. C'est un **CD**.

La princesse donnera <u>un baiser</u> <u>à un crapaud</u>.

                    CD   *CI*

Quand un groupe de mots répond à toutes ces conditions, il s'agit d'un CD ou d'un CI.

12

ANALYSER
UNE PHRASE

Faire l'analyse d'une phrase, c'est prendre le temps de
l'observer, de la comprendre, de l'interpréter et d'en
parler avec des mots justes et précis.

Une chasse au trésor!

- Quand on analyse une phrase, on participe à une chasse au trésor. On
doit observer, analyser et interpréter tous les indices donnés par la
phrase. En suivant une méthode rigoureuse, on se dirige pas à pas vers
la découverte du trésor.

1. Le premier indice : la ponctuation et le message

- Le **message** est toujours **encadré** par une **ponctuation**. La lettre
majuscule et le signe de ponctuation final – un point d'interrogation,
un point d'exclamation ou un simple point final – doivent correspondre
à ce que l'on veut **communiquer**.

L'année dernière, Léa traversait des contrées⸱

2. Le deuxième indice : les opérations sur les groupes
de mots

- La **structure** de la phrase doit traduire un contenu clair et qui a du
sens. On **ajoute**, on **déplace**, on **remplace** ou on **efface** des groupes
de mots, si nécessaire.

L'année dernière, Léa traversait des contrées <u>inconnues</u>.

↓

ajout

12. Analyser une phrase

3. Le troisième indice : les fonctions GS, GP et GCP

- Les **groupes de mots** dans une phrase sont le **groupe sujet (GS)**, le **groupe prédicat (GP)** et, dans certains cas, les **groupes compléments de phrase (GCP)**. Si on trouve des GCP, on les place à la fin de la phrase.

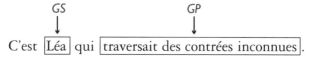

C'est ⌐Léa⌐ qui ⌐traversait des contrées inconnues⌐.

Léa traversait des contrées inconnues. Cela s'est passé
⌐l'année dernière⌐.
           ↓
          GCP

*Dans la phrase **L'année dernière, Léa traversait des contrées inconnues**, on utilise **C'est... qui** pour encadrer le GS et identifier le GP qui le suit. La formule **Cela s'est passé** aide à trouver le GCP.*

4. Le quatrième indice : le noyau du GS et le noyau du GP

- Un **GS** contient un noyau qu'on peut **remplacer** par le pronom personnel *je, tu, elle/il, nous, vous* ou *elles/ils.* C'est le **donneur sujet**.
- Un **GP** contient un noyau qu'on peut **encadrer** par *ne... pas* ou *n'... pas.* C'est le **verbe receveur**.

Léa <u>traversait</u> des contrées inconnues l'année dernière.
↓   ↓
Elle
    ne traversait pas

donneur sujet : **Léa** *(elle), nom féminin singulier, 3ᵉ personne*
verbe receveur : **traversait**, *verbe traverser à l'imparfait*

5. Le cinquième indice : l'accord du GS et du verbe

• Le verbe reçoit la **finale** qui correspond à la **personne** et au **nombre** du donneur sujet.

Léa <u>traversait</u> des contrées inconnues l'année dernière.
↓ ↓
elle *traverser*

finale **t** *: imparfait, 3ᵉ personne du singulier*

6. Le sixième indice : les noyaux des groupes du nom

• Un groupe du nom contient un noyau qu'on peut **remplacer** par *elle/il* ou *elles/ils* ou par un autre nom comme *personne, animal* ou *chose*. C'est le **donneur** dans le groupe du nom.

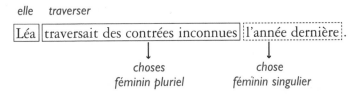

elle *traverser*

Léa | traversait des contrées inconnues | l'année dernière.
↓ ↓
choses *chose*
féminin pluriel *féminin singulier*

groupe du nom : des **contrées** inconnues
contrées : nom, féminin pluriel

groupe du nom : l'année dernière
année : nom, féminin singulier

7. Le septième indice : les accords dans les groupes du nom

• Le **déterminant** et l'**adjectif** reçoivent e, s, x ou les marques spéciales d'accord en **genre** et en **nombre**.

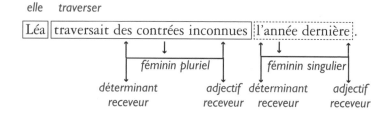

groupe du nom : des **contrées** inconnues
contrées : nom, féminin pluriel
des : déterminant, féminin pluriel
inconnues : adjectif, féminin pluriel

groupe du nom : l'année dernière
année : nom, féminin singulier
l' : déterminant, féminin singulier
dernière : adjectif, féminin singulier

Le trésor !

On le trouve dans la qualité du message : les mots sont écrits correctement et placés dans une bonne structure de phrase. C'est un trésor qui se partage avec quelqu'un et qui se laisse découvrir !

13

RECONNAÎTRE UN NOM

On appelle nom une classe de mots variables qui désignent des choses, des êtres, des sentiments...

Qu'est-ce que c'est ?

I. Comment se comporte un nom ?

- Un nom **peut être remplacé** par **un autre nom**. On ne doit pas toujours chercher un synonyme de ce nom, mais plutôt un autre mot qui respecte la **structure** de la phrase. On peut tout de même s'aider de mots comme *personne*, *animal* ou *chose*.

La <u>princesse</u> était follement amoureuse d'un <u>mendiant</u>.

    personne   *personne*

La <u>tomate</u> était follement amoureuse d'un <u>pois</u>.

    chose   *chose*

- Le nom est un mot qui **ne peut pas être effacé** dans le groupe du nom.

groupe du nom   *groupe du nom*

Tes <u>livres</u> poussiéreux encombrent ma <u>chambre</u>.

    ↓   ↓

   nom   *nom*

Ø Tes ~~livres~~ poussiéreux encombrent ma ~~chambre~~.

groupe du nom
↓
<u>Nadine</u> demande de tout ranger.
↓
nom

◊ <s>Nadine</s> demande de tout ranger.

*Dans le premier groupe du nom, si on enlève le nom **livres**, le groupe n'existe plus. C'est la même chose avec les autres groupes du nom.*

• Le nom est un mot du groupe du nom qui **ne peut pas être déplacé**.

La <u>princesse</u> était follement amoureuse d'un <u>mendiant</u>.

◊ <s>Princesse</s> la était follement amoureuse d'un <u>mendiant</u>.

◊ La <u>princesse</u> était follement amoureuse <s>mendiant</s> d'un.

• Le nom est la seule classe de mots à laquelle on peut **ajouter** un **déterminant**.

<u>Cette</u> <u>architecte</u> dessine <u>un</u> <u>édifice</u> imposant.
↓ ↓ ↓ ↓
déterminant + nom   *déterminant + nom*

➤ p. 7-8, n° 8

2. Quel est le genre d'un nom ?

• Un nom est **masculin** ou **féminin** : c'est son genre. On ne choisit pas le genre d'un nom.

un chien   une chienne   Martin
↓   ↓   ↓
masculin   *féminin*   *masculin*

Isabelle   Nouveau-Brunswick

↓   ↓

féminin   *masculin*

➤ p. 302-304, n° 2

- Un nom qui désigne un individu de sexe masculin ou un animal mâle est souvent de genre **masculin**. S'il désigne un individu de sexe féminin ou un animal femelle, il est souvent de genre **féminin**.

une brebis *(f.)*	un mouton *(m.)*
une chatte *(f.)*	un chat *(m.)*
une couturière *(f.)*	un couturier *(m.)*
une enfant *(f.)*	un enfant *(m.)*

➤ p. 302-304, n° 2

- Le genre des autres noms est fixé dans la **langue**.

Un tableau *(m.)*, une table *(f.)*, un pupitre *(m.)*, une craie *(f.)*, un stylo *(m.)*, une règle *(f.)*, un crayon *(m.)*, un livre *(m.)*, un cahier *(m.)*, une gomme à effacer *(f.)*, une agrafeuse *(f.)*, une calculatrice *(f.)*, un ordinateur *(m.)*, un rétroprojecteur *(m.)*.

➤ p. 302-304, n° 2

On trouve le genre des noms communs dans le **dictionnaire**. Dans certains dictionnaires, on peut trouver également le genre des noms propres d'États, de pays et de provinces.

chirurgienne **n. f.**   Canada **n. m.**

↙   ↘   ↙   ↘

nom *féminin*   *nom*   *masculin*

➤ p. 409, n° 2

3. Quel est le nombre d'un nom?

• Un nom est **singulier** (un) ou **pluriel** (plusieurs).

J'enfourche <u>ma bicyclette</u> et je pars.

↓

*il y a **une** bicyclette*

Je regarde <u>les bicyclettes</u>.

↓

*il y a **plusieurs** bicyclettes*

4. Quelle est la personne d'un nom?

• Le nom est à la **troisième personne**, tout comme le pronom personnel qui peut le remplacer.

<u>Antoine</u> coupe du bois de chauffage.

↓

Il
3e personne

<u>Mélanie</u> prépare des conserves pour l'hiver.

↓

Elle
3e personne

5. À quoi sert un nom?

• Le nom place **une étiquette** sur une personne, un animal, un objet, un lieu, un ensemble, une notion abstraite, quelque chose qu'on peut compter ou quelque chose qu'on ne peut pas compter.

un ébéniste, une policière
↓
une personne

un crocodile
↓
un animal

une boîte, un arbre
↓
un objet concret

une école
↓
un lieu

un kilogramme, une feuille
↓
quelque chose qu'on peut compter

une collection de coquillages
↓
un ensemble

l'amour, la liberté
↓
une notion abstraite

la générosité, du poivre
↓
quelque chose qu'on ne peut pas compter

6. Quels noms désignent les êtres animés ?

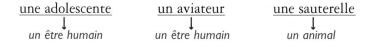

• Certains noms désignent des **êtres humains** ou des **animaux**, qui sont des êtres **animés**, **vivants** et **mobiles**.

une adolescente
↓
un être humain

un aviateur
↓
un être humain

une sauterelle
↓
un animal

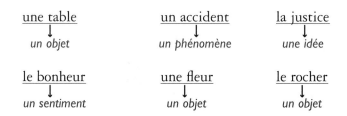

• D'autres noms désignent des **objets**, des **phénomènes**, des **idées** ou des **sentiments**. Ce sont des **non-animés**.

une table
↓
un objet

un accident
↓
un phénomène

la justice
↓
une idée

le bonheur
↓
un sentiment

une fleur
↓
un objet

le rocher
↓
un objet

7. Pourquoi est-il important de distinguer les êtres animés des non-animés ?

• On remplace un nom par un **pronom différent** selon que ce nom désigne un être animé ou un non-animé.

À qui ressemble ce garçon ?
Il ressemble à sa mère.

À quoi ressemble cette plante ?
Elle ressemble à une fougère.

➤ p. 171-172, n° 17

8. Quelle est la différence entre un nom commun et un nom propre ?

• Un nom propre commence toujours par une lettre **majuscule**, peu importe la place qu'il occupe dans la phrase.

Je suis né dans la banlieue de Québec.

          ↓   ↓

   nom commun nom propre

• Les noms propres désignent de **façon unique** des personnes, des animaux, des lieux (villes, pays, régions…).

Kimo	Merlin	Adèle
Ti-Mé	Manitoba	Montréal

Il existe un chien appelé Kimo. Il est unique par son âge, sa taille, la couleur de son poil et de ses yeux, la longueur de ses oreilles et les gestes qu'il fait, les personnes avec qui il vit et le lieu où il habite. Merlin, un autre chien, possède un ensemble de caractéristiques différentes. Il se distingue de Kimo. Ainsi, tous les noms propres désignent un être ou une chose unique.

Grammaire de la phrase

9. Un nom commun est-il toujours précédé d'un déterminant?

• Les noms communs sont **le plus souvent** précédés d'un déterminant.

La confiance nous conduit au-delà de nos capacités.
     ↓   ↓
déterminant + nom   *déterminant + nom*

• Certains noms communs sont utilisés **sans déterminant** lorsqu'ils sont précédés d'une préposition.

J'ai passé une demi-journée à cheval.
                            ↓   ↓
                   préposition nom

10. Un nom propre est-il précédé d'un déterminant?

• Le plus souvent, les noms propres désignant des personnes ou des animaux s'emploient **sans déterminant**.

Lentement, Alcali rampa hors de la caverne, les jumelles se balançant lourdement à son cou.

Alcali

• Beaucoup de noms propres désignant des habitants, des familles, des astres, des pays, des régions, des fleuves sont accompagnés d'un **déterminant**.

Le Nunavik est cosmopolite. On y rencontre des gens de tous les pays attirés par la vie nordique, l'aventure, les Inuits, le travail, les gros salaires.

La Ligne de trappe

Les Morneau, les Cantin, les McLean, les Laliberté et les Lavallée font partie de mon arbre généalogique.

- On utilise une préposition différente pour préciser le lieu selon que le nom désigne un être animé ou un non-animé. On utilise *chez* ou *à*.

Je vais chez mon oncle.

Je vais à la maison de mon oncle.

Elle conserve une copie de sa disquette chez sa mère.

Elle conserve une copie de sa disquette à l'école.

En lisant, tu dois porter une attention spéciale à la préposition qui suit le verbe. La préposition devient un indice important pour bien comprendre la phrase, puisqu'elle peut en changer le sens.

Christian parle à Pascale.

Christian parle de Pascale.

Dans la première phrase, Christian parle avec une personne qui se nomme Pascale. Dans la deuxième phrase, il échange des propos sur une personne qui se nomme Pascale. Ces deux phrases n'ont pas du tout le même sens. Un seul mot fait la différence : la préposition.

11. Les noms propres prennent-ils la marque du pluriel ?

- Les noms propres restent au **singulier** s'ils désignent des personnes, des œuvres ou des marques de commerce.

Mon arrière-grand-mère est une Tremblay.

Les Tremblay sont nombreux au Saguenay et au Lac-Saint-Jean.

- Les noms propres se mettent au **pluriel** s'ils désignent des lieux ou des habitants de villes, de régions ou de pays. Dans ce dernier cas, ils varient aussi en genre.

Les Alpes, les Appalaches et l'Himalaya sont des chaînes de montagnes.

J'ai rencontré des Trifluviennes lors de mon dernier voyage.

12. Comment est construit un groupe du nom (GN)?

- Un groupe du nom (GN) est constitué d'un **nom noyau**. D'autres mots peuvent s'y rattacher.

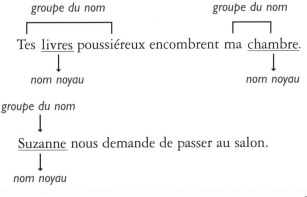

➤ p. 4-6, nᵒˢ 6-7

- Le déterminant est le **premier mot** dans le GN.

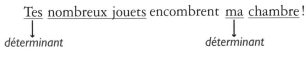

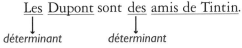

13. Reconnaître un nom **125**

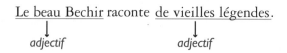
- Un GN peut contenir un **adjectif**.

Le beau Bechir raconte de vieilles légendes.
  ↓   ↓
adjectif   *adjectif*

Emmanuelle porte un pantalon déchiré.
                                    ↓
                              adjectif

*L'adjectif peut être placé devant le nom, comme dans la première phrase,
ou après le nom, comme dans la deuxième. Mais un nom n'est pas
nécessairement accompagné d'un adjectif. L'adjectif peut être effacé.*

- Un GN peut aussi contenir un autre **groupe du nom** précédé d'une **préposition**.

Le poisson de mon amie est rouge et jaune.
              ↓
préposition + groupe du nom

J'ai vu une girafe avec un cou minuscule.
                        ↓
                  préposition + groupe du nom

- Un GN peut contenir également un **adverbe** qui accompagne un adjectif.

Le très petit poisson se trouve seul dans le bocal.
    ↓   ↓   ↓
adverbe + adjectif + nom

- Enfin, un GN peut contenir une **subordonnée**. La subordonnée est placée à la **droite** du groupe du nom.

Le poisson dont mon amie est amoureuse est rouge et jaune.

groupe du nom   +   subordonnée

J'ai vu une girafe coquette qui portait un collier.

groupe du nom   +   subordonnée

➤ p. 171-172, n° 17

13. Quelles fonctions le groupe du nom (GN) occupe-t-il dans la phrase ?

> • Le GN peut occuper la fonction de **groupe sujet (GS)** de la phrase. Son noyau est le **donneur sujet**.

Véronica joue au théâtre.

GS

donneur sujet : Véronica

Les arbres deviennent dénudés à l'automne.

GS

donneur sujet : arbres

➤ p. 79-81, n° 4

> • Le GN peut jouer le rôle de **groupe complément de phrase (GCP)**. Son noyau est un **donneur** à l'intérieur du groupe.

La semaine dernière, Daniel a prononcé un discours.

GCP

donneur : semaine

- Le GN peut aussi jouer le rôle de **groupe complément direct du verbe (CD)**. Le noyau peut être le **donneur CD**.

Daniel a déjà prononcé <u>des discours captivants</u>.
↓
groupe CD

- Le GN **précédé d'une préposition** peut également jouer le rôle de **groupe complément indirect du verbe (CI)**. Son noyau est un **donneur** à l'intérieur du groupe.

Béatrice s'occupe <u>de ces chatons abandonnés</u>.
↓
groupe CI
donneur : chatons

Tous les moutons sur la montagne appartiennent
<u>à ce berger discret</u>.
↓
groupe CI
donneur : berger

➤ p. 203-204, n° 2

- Le GN peut également occuper la fonction de **groupe attribut du sujet (AS)**. Son noyau est un **donneur** à l'intérieur du groupe.

Le café est <u>la boisson préférée de ma mère</u>.
↓
groupe attribut du sujet
donneur : boisson

➤ p. 100-101, n° 4

- Enfin, le GN peut jouer le rôle de **complément du nom**. Il est précédé d'une préposition. Son noyau est un **donneur** à l'intérieur du groupe.

Tous les moutons <u>sur la montagne</u> appartiennent
à ce berger discret.

*groupe du nom complément du nom **moutons***
donneur : montagne

14. Quels mots s'accordent avec le nom ?

- Le **déterminant** et les **adjectifs** d'un groupe du nom reçoivent le genre et le nombre du nom **donneur**.

<u>Cette voyageuse passionnée</u> admire <u>les Laurentides</u>.

voyageuse : féminin singulier   *Laurentides : féminin pluriel*

Cette : déterminant receveur, féminin singulier
passionnée : adjectif receveur, féminin singulier
les : déterminant receveur, féminin pluriel

<u>Un vieux citronnier pousse</u> dans ce lointain verger.

citronnier : masculin singulier

Un : déterminant receveur, masculin singulier
vieux : adjectif receveur, masculin singulier

J'ai rencontré <u>une fillette choquée</u>.

fillette : féminin singulier

une : déterminant receveur, féminin singulier
choquée : adjectif receveur, féminin singulier

Ils habitent dans des maisons spacieuses.

maisons : *féminin pluriel*

des : déterminant receveur, féminin pluriel
spacieuses : adjectif receveur, féminin pluriel

Prends l'habitude de trouver le nom **donneur** dans un groupe du nom.
C'est un **moyen efficace** de réussir les accords dans ce groupe du nom.

• Le **verbe** reçoit la personne et le nombre du nom **donneur sujet**.

Un voyageur admire les Laurentides.

voyageur : *donneur sujet, 3ᵉ personne du singulier, masculin*
admire : *verbe receveur, 3ᵉ personne du singulier*

Les voyageurs admirent les Laurentides.

voyageurs : *donneur sujet, 3ᵉ personne du pluriel, masculin*
admirent : *verbe receveur, 3ᵉ personne du pluriel*

!Attention

Les mots **le, la, l', les** ne précèdent pas toujours des noms. Parfois,
ces mots précèdent un verbe. Ce sont alors des **pronoms**. Ils font un
écran entre le groupe sujet et le verbe. On ne doit pas considérer
un tel pronom comme un noyau donneur d'accord.

Un voyageur ébahi les admire.

Prends l'habitude de trouver le **donneur sujet** dans une phrase. C'est
un **moyen efficace** de réussir l'accord du verbe.

- L'**adjectif** qui joue le rôle de groupe attribut du sujet reçoit le **genre** et le **nombre** du **donneur sujet**.

Les frères sont arrogants.

frères : donneur sujet, 3ᵉ personne du pluriel, masculin
arrogants : adjectif receveur, masculin pluriel

15. Qu'est-ce qu'un nom composé ?

- Un nom composé est formé d'**un ensemble de deux** ou de **plusieurs mots**. Pourtant, il désigne **un seul être, une seule chose** ou **une seule réalité**. Dans un nom composé, les mots peuvent être reliés par un **trait d'union**.

un arc-en-ciel	la basse-cour	la chauve-souris
une extraterrestre	un haut-parleur	le garde-boue
un mille-pattes	le pique-nique	une plate-bande
un terre-plein	le tire-bouchon	un ultrason

> Le Conseil supérieur de la langue française recommande de souder les mots d'un mot composé formé avec **contre, entre, extra, infra, intra, supra, ultra** ou avec **deux noms**, ou avec **un adjectif et un nom**.

bainmarie, bassecour, chauvesouris, entredeux, extrafort, hautparleur, millepattes, piquenique, platebande, sagefemme, tamtam, terreplein, ultrason, ultraviolet…

➤ p. 326, n° 8
➤ p. 387, n° 5

Comment vérifier le nom dans un groupe du nom (GN)?

• On cherche le mot qu'on peut **remplacer** par *elle/il* ou *elles/ils* ou par un autre nom comme **personne**, **animal** ou **chose**.

> **Phrase** Maude aime les énigmes difficiles.

Elle aime les énigmes difficiles.	*oui*
⊘ Maude elle les énigmes difficiles.	*non*
⊘ Maude aime elle énigmes difficiles.	*non*
⊘ Maude aime les elle difficiles.	*non*
⊘ Maude aime les énigmes elle.	*non*
⊘ Maude chose les énigmes difficiles.	*non*
⊘ Maude aime chose énigmes difficiles.	*non*
Maude aime les choses difficiles.	*oui*
⊘ Maude aime les énigmes choses.	*non*

• On vérifie si on peut placer les déterminants *un*, *une* ou *des* **avant le mot** qu'on a pu remplacer par **personne**, **animal** ou **chose**.

Maude aime <u>des</u> énigmes difficiles.	*oui*

Quand un mot répond à toutes ces conditions, il s'agit d'un nom dans un groupe du nom.

• On écrit le **genre** et le **nombre** en dessous. On indique aussi les *e*, *s*, *x* ou les marques spéciales de genre et de nombre.

<u>Maude</u> aime les <u>énigmes</u> difficiles.
    ↓   ↓
féminin singulier   *féminin pluriel*

Quand un groupe du nom porte les marques de genre et de nombre du nom donneur, il est bien écrit.

14

RECONNAÎTRE
UN DÉTERMINANT

On appelle déterminant une classe de petits mots variables qu'on place avant le nom et qui permettent de présenter une personne, un animal ou un objet d'une façon particulière.

Qu'est-ce que c'est ?

1. Comment se comporte un déterminant ?

- Un déterminant **peut être remplacé** par un autre déterminant comme *un, une, des.*

J'aime <u>la</u> salade de thon.
↓
une

Léo a reçu <u>beaucoup de</u> cadeaux à son anniversaire.
↓
des

- Un déterminant **ne peut pas être déplacé**.

J'aime <u>la</u> salade de thon.

⊘ J'aime salade <u>la</u> de thon.

<u>Des</u> amis acadiens nous ont rendu visite.

⊘ Amis acadiens <u>des</u> nous ont rendu visite.

➤ p. 7-8, n° 8

- Un déterminant **ne peut pas être effacé**.

J'aime la salade de thon.

⊘ J'aime ~~la~~ salade de thon.

Des amis acadiens nous ont rendu visite.

⊘ ~~Des~~ amis acadiens nous ont rendu visite.

2. Quelle est la place du déterminant?

- Un déterminant est toujours placé à la **gauche** du nom commun.

Mon idole chante une chanson très populaire.

↓	↓
groupe du nom	*groupe du nom*

Attention

On doit distinguer les déterminants **le, la, l', les** qui se placent avant un nom, et les pronoms **le, la, l', les** qui se placent devant un verbe.

Claire voit la fleur. Elle la cueille.

*Le premier **la** est un déterminant. Le deuxième **la** est un pronom.*

- Un déterminant peut aussi **précéder** un nom propre.

Les Bernier vont souvent au restaurant.

Des Américains ont chanté leur hymne national.

- Un déterminant peut se trouver **à côté** d'un adjectif. Dans ce cas, le déterminant est placé **avant** l'adjectif.

Ils ont préparé un bon dîner.

➤ p. 4-5, n° 6

- C'est le **premier mot** dans un **groupe du nom**.

La fille regardait ses vieux vêtements.

*Dans le groupe du nom **La fille**, le déterminant **La** précède le nom commun* **fille**. ***La** débute le groupe du nom **La fille**. Dans le deuxième groupe du nom,* ***ses vieux vêtements**, le déterminant **ses** est suivi de l'adjectif **vieux** et du nom **vêtements**. Il occupe la première place dans le groupe du nom.*

3. Combien de mots peuvent former un déterminant ?

- **Un seul** mot suffit pour former un déterminant. C'est un déterminant simple.

Le bureau de travail de ma mère abrite un ordinateur.

- **Plusieurs** déterminants peuvent s'ajouter les uns aux autres pour former un **déterminant complexe**.

Les quatre-vingts invités ont participé au cinquantième anniversaire de mariage de mes grands-parents.

Tous mes amis se sont déjà baignés dans ma piscine.

Lucie a mis beaucoup de pâtes dans son assiette.

4. De quel groupe de mots fait partie un déterminant ?

- Un déterminant ne s'emploie **jamais seul**. Il accompagne toujours un nom. Il fait partie d'un **groupe du nom**.

« Allons nous promener dans les bois », dit le guide.

Sur la terrasse, j'ai planté des fleurs et quelques fines herbes.

5. Un groupe du nom contient-il toujours un déterminant?

• Dans certains compléments introduits par une préposition, le nom **n'est pas toujours précédé** d'un déterminant.

Tout semblait s'être figé dans cette plantation située à une demi-journée <u>à cheval</u>, au sud de la grande ville portuaire de Saint-Pierre.

Lygaya à Québec

• Il n'y a pas de déterminant **devant** certains noms propres comme Claude, Genève... Mais il y en a devant des mots comme les Alpes, la Chaudière...

Fabien a remonté <u>la</u> Jacques-Cartier.

C'est <u>un</u> <u>village</u> situé dans <u>les</u> Appalaches.

• Les noms des **jours de la semaine** et des **mois de l'année** s'emploient **avec ou sans** déterminant.

C'est <u>le</u> premier <u>lundi</u> du mois.

<u>Octobre</u> est le plus beau mois de l'automne.

J'irai chez toi <u>samedi</u>.

Nous avons eu <u>un</u> <u>novembre</u> pluvieux.

- Les locutions qui contiennent des **prépositions** comme *avec, en, par...* s'écrivent **sans déterminant**.

Le vent souffle <u>avec force</u>.

Ils se déplacent <u>en train</u>.

➤ p. 123-124, n°s 9, 10

6. *Avec quel mot s'accorde un déterminant?*

- Un déterminant est un mot **receveur**. Il reçoit le **genre** et le **nombre** du nom qui le suit.

<u>Des</u> <u>bateaux</u> s'avancent sur le fleuve.

masculin pluriel

J'ai observé <u>une</u> <u>volière</u> qui accueille des oiseaux blessés.

féminin singulier

7. *Quels sont les principaux déterminants?*

- Il existe des déterminants **articles**, des déterminants **possessifs**, des déterminants **démonstratifs**, des déterminants **numéraux** et d'**autres** déterminants.

Déterminants	Singulier	Pluriel
articles	le, la, l' un, une au, du	les des aux, des
possessifs	mon, ma, ton, ta, son, sa notre, votre, leur	mes, tes, ses nos, vos, leurs
démonstratifs	ce, cet, cette	ces
numéraux	un	deux, trois, quatre…
autres	aucun, chaque, nul, quel, tout…	plusieurs, quelques, quels, tous…

8. À quoi sert un déterminant article ?

• Un déterminant article annonce une **catégorie**, une **espèce** ou un **cas particulier**.

⌐→ <u>Les</u> chiens ont quatre pattes, une fourrure et des canines.

└→ <u>Un</u> chien a mordu le voleur.

*Dans cet exemple, deux déterminants sont utilisés devant le nom **chien** et ils ont un sens différent. Dans la première phrase, on parle de l'espèce des chiens qui se définissent, entre autres, par leur nombre de pattes, par ce qui recouvre leur corps et par leur type de dents. Tous les chiens possèdent ces caractéristiques. Dans la deuxième phrase, on parle d'un chien en particulier. Ce dernier a mordu le voleur. Il ne s'agit donc pas là de tous les chiens.*

9. Comment se forment les déterminants au, aux, du et des?

• Les déterminants articles *le* et *les* se combinent aux prépositions *à* et *de* pour former les déterminants *au, aux* et *du, des*.

à + le ⟶ au   Je vais <u>au</u> marché.

à + les ⟶ aux   C'est pour permettre <u>aux</u> canards de s'envoler.

de + le ⟶ du   Ils parlaient <u>du</u> cheval.

de + les ⟶ des   Méfie-toi <u>des</u> animaux sauvages !

➤ p. 203-204, n° 2

10. Quand utiliser les déterminants articles du, de la, de l'?

• *Du, de la, de l'* se placent devant des **noms** qui décrivent une réalité **qui ne se compte pas**.

C'est l'Horrifiant Engoulesang Casse-Moloch Écrase-Roc !
Il va m'attraper, me sucer le sang, me casser le moloch,
m'écraser le roc et me tailler en petits morceaux, et puis il
me recrachera comme <u>de la</u> fumée et c'en sera fini de moi !

Les Minuscules

11. À quoi sert un déterminant possessif?

• Un déterminant possessif indique qu'une personne, un animal ou un objet **dépend de quelqu'un ou de quelque chose**. Dans certains cas, on peut parler d'une relation de **possession**.

<u>Mon</u> chien jappe sans arrêt.

Je bois du jus de pamplemousse dans <u>mon</u> verre.

Dans la première phrase, quelqu'un parle d'un chien en particulier. Il s'agit d'un chien qui est en lien avec la personne qui parle. Il dépend de cette personne pour sa survie. Voilà pourquoi elle l'appelle « son chien ». Dans la deuxième phrase, la personne qui parle possède un verre. C'est dans ce verre qu'elle boit du jus de pamplemousse.

12. Comment distinguer son et sont?

- On doit distinguer le déterminant possessif *son* du verbe *sont*. Pour le faire, on peut mettre les phrases à l'imparfait: *sont* devient *étaient*, mais *son* ne change pas.

<u>Son</u> train et sa poupée <u>sont</u> rangés dans le coffre à jouets.

<u>Étaient</u> train et sa poupée <u>sont</u> rangés dans le coffre à jouets.	*non*
<u>Son</u> train et sa poupée <u>étaient</u> rangés dans le coffre à jouets.	*oui*

13. À quoi sert un déterminant démonstratif?

- Un déterminant démonstratif sert à **reprendre l'information** précédente, sans répéter les mêmes mots.

Le chat Ulysse
A la jaunisse.
<u>Ce</u> sans-souci
A pris peur
D'une souris
À moteur.

Chats qui riment et rimes à chats

*La première ligne de ce poème nomme le chat **Ulysse**. Dans la troisième, on parle à nouveau du chat, mais sans utiliser ce mot. On choisit plutôt de le traiter de **sans-souci**. Le déterminant **Ce** nous rappelle qu'il s'agit du chat dont on vient tout juste de parler.*

➤ p. 447-450, n° 3

> • Les déterminants démonstratifs ce, cette, ces servent à **désigner**, à **montrer** une personne, un animal ou un objet ou à **attirer l'attention**.

<u>Ce</u> chien jappe sans cesse.

Dans cet exemple, il est question d'un chien qui se trouve à la vue de la personne qui parle. Ce n'est pas son chien à elle.

14. Comment distinguer ce et se ?

> • On doit faire la différence entre ce suivi d'un nom, ce suivi du verbe être et se suivi d'un autre verbe. On peut changer ce et le nom masculin qui le suit par cette et un nom féminin, et l'autre ce par cela. Se reste le même.

Ce <u>chien</u> marche fièrement devant les juges.

Cette <u>chienne</u> marche fièrement devant les juges. | *oui*

Ce n'<u>est</u> pas vrai.

Cela n'<u>est</u> pas vrai. | *oui*

Théo **se** brosse les dents après chaque repas.

⊘ Théo **cette** brosse les dents après chaque repas. | *non*

⊘ Théo **cela** brosse les dents après chaque repas. | *non*

15. Comment distinguer ces et ses?

- On doit distinguer le déterminant démonstratif *ces* du déterminant possessif *ses*. On peut mettre la phrase au singulier : *ces* devient *ce*, *cet* ou *cette*, alors que *ses* devient *sa* ou *son*.

Ces filles participent au tournoi de badminton.

Cette fille participe au tournoi de badminton.

Ces hommes deviendront des champions de l'informatique.

Cet homme deviendra un champion de l'informatique.

Mireille possède un chien et un chat.

Ses animaux parlent aux visiteurs.

Son animal parle aux visiteurs.

16. À quoi sert un déterminant numéral?

- Les déterminants numéraux *un*, *deux*, *trois*... servent à indiquer le **nombre** de personnes, d'animaux, d'objets, de lieux, d'ensembles ou de notions abstraites dont on parle. Les déterminants s'écrivent le plus souvent **en chiffres**, mais on doit parfois les écrire **en lettres**, pour faire un chèque, par exemple.

Dans la ruche, il y a <u>mille</u> abeilles.

Nous avons <u>deux</u> ordinateurs à la maison.

J'ai <u>vingt</u> dollars. J'ai quatre-<u>vingts</u> dollars.

J'ai quatre-<u>vingt</u>-huit dollars.

C'est une collection de <u>cent</u> boutons.

C'est une collection de deux <u>cents</u> boutons.

C'est une collection de deux <u>cent</u> cinquante boutons.

17. Comment s'écrit un déterminant numéral ?

- On place un **trait d'union** entre des déterminants qui forment un nombre inférieur à cent, sauf s'ils sont déjà unis par *et*.

dix-huit   vingt et un   cent deux   quatre-vingt-trois

Le Conseil supérieur de la langue française recommande de placer un trait d'union entre tous les mots d'un déterminant numéral.

vingt-et-un   cent-deux

Comment vérifier un déterminant dans un groupe du nom (GN) ?

- On cherche le mot qu'on peut **remplacer** par un déterminant comme *un*, *une* ou *des*.

    Phrase Maude aime les énigmes difficiles.

des aime les énigmes difficiles.	*non*
Maude des les énigmes difficiles.	*non*
Maude aime des énigmes difficiles.	*oui*
Maude aime les des difficiles.	*non*
Maude aime les énigmes des.	*non*

Quand un mot répond à cette condition, il s'agit d'un déterminant dans un groupe du nom.

- On trouve le nom qui est écrit **après** ce déterminant. Il s'agit du **nom donneur** de groupe du nom.

    Maude aime <u>les</u> énigmes difficiles.

*nom donneur du groupe du nom **les énigmes difficiles**
féminin pluriel*

- On donne le **genre** et le **nombre** du nom donneur au déterminant. On écrit les *e*, *s*, *x* ou les marques spéciales d'accord.

    Maude aime <u>les</u> énigmes difficiles.

Quand un groupe du nom porte les marques de genre et de nombre du nom donneur, il est bien écrit.

RECONNAÎTRE
UN ADJECTIF

On appelle adjectif une classe de mots variables qui décrivent un nom en le qualifiant d'une appréciation ou en le classant selon ses caractéristiques.

Qu'est-ce que c'est ?

1. Comment se comporte un adjectif?

- Un adjectif peut être **remplacé** par un autre adjectif. On ne doit pas nécessairement chercher un synonyme de cet adjectif, mais plutôt un autre mot qui respecte la **structure** de la phrase. On peut tout de même s'aider de mots comme *beau, bon* ou *rond*.

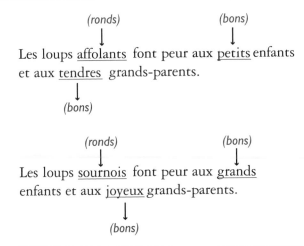

(ronds) *(bons)*

Les loups <u>affolants</u> font peur aux <u>petits</u> enfants et aux <u>tendres</u> grands-parents.

(bons)

(ronds) *(bons)*

Les loups <u>sournois</u> font peur aux <u>grands</u> enfants et aux <u>joyeux</u> grands-parents.

(bons)

- Un adjectif est un mot **qu'on peut effacer**.

Les saltimbanques <u>agiles</u> plaisent au public <u>enchanté</u>.

Les saltimbanques ~~agiles~~ plaisent au public ~~enchanté~~.

p. 7-8, n° 8

❗Attention

On **ne peut pas effacer** un adjectif qui joue le rôle de groupe **attribut du sujet** (AS).

Ils sont <u>agiles</u>.

⌀ Ils sont ~~agiles~~.

2. Quelle est la place d'un adjectif?

- Un adjectif se place le plus souvent **après le nom**. Des adjectifs courts et très utilisés se retrouvent plus souvent **avant le nom**.

des oiseaux <u>migrateurs</u>	un <u>gros</u> rat
des fleurs <u>séchées</u>	une <u>grande</u> dame
une tarte <u>succulente</u>	les <u>petits</u> pieds
une table <u>ronde</u>	mes <u>belles</u> robes

❗Attention

Quand on déplace un adjectif, c'est souvent parce qu'on veut l'employer dans un **autre sens**. Alors, ce n'est plus exactement le même mot. À ce moment, on en trouve deux définitions différentes dans le dictionnaire.

Sébastien vient de traverser une <u>dure</u> épreuve.

Je me méfie de ceux qui ont la tête <u>dure</u>.

*Dans la première phrase, le mot **dure** signifie que l'épreuve dont on parle était difficile ou pénible. Dans la deuxième phrase, le même mot signifie que la personne qui parle se méfie de ceux qui sont entêtés.*

146   *Grammaire de la phrase*

- Un **adjectif de couleur** est placé après le nom.

J'ai croisé dimanche tout près de Saint-Leu une souris
<u>blanche</u> portant un sac <u>bleu</u>.

Enfantasques

- Quand on **énumère** ou **juxtapose** plusieurs adjectifs, on les place **après le nom**.

Il y avait une fois trois petits
pois vêtus de vert qui dormaient
gentiment dans leur cosse. Leur
visage bien rond respirait par les
trous de leurs narines et l'on
entendait leur ronflement <u>doux</u>
et <u>harmonieux</u>.

énumération

Queneau, un poète

Les visages des bébés dans la
pouponnière nous fascinaient.
Ils étaient <u>ronds</u>, <u>joufflus</u>, <u>rosés</u>.

juxtaposition

➤ p. 56-57, n° 6

- Quand on emploie **deux adjectifs**, ils peuvent se suivre ou ils peuvent encadrer le nom.

Ce <u>joli petit</u> collier t'appartient-il ?

Un <u>petit</u> oiseau <u>gris</u> chante tout près.

- Un **adjectif** peut être placé après le verbe *être* ou un autre verbe qui ressemble au verbe *être*.

La soupe <u>est</u> appétissante.

Cette soupe <u>paraît</u> appétissante.

➤ p. 100-101, n° 4

- Enfin, un **adjectif** peut être placé après *très*, ce qui en modifie le sens.

Ma soupe aux betteraves est <u>très</u> appétissante.

➤ p. 198-199, n° 4

3. À quoi sert un adjectif?

- Un adjectif permet de **décrire** un être humain, un animal ou un objet par une **appréciation personnelle**.

J'ai vu un oiseau assez <u>vif</u> pour échapper à notre chat.

*Dans cet exemple, la caractéristique d'être **vif** relève d'une appréciation de la personne qui parle. C'est son jugement. Quelqu'un d'autre pourrait dire que cet oiseau était plutôt chanceux et que c'est pour cette raison qu'il a échappé au chat.*

- Un adjectif peut aussi **décrire** un être humain, un animal ou un objet en précisant des caractéristiques déjà **connues de bien des personnes**.

J'ai vu des oiseaux <u>migrateurs</u>.

*La caractéristique d'être **migrateur** est une façon reconnue par la communauté scientifique pour parler d'une catégorie d'oiseaux. Ce n'est pas l'avis personnel de la personne qui parle.*

> Les adjectifs qui qualifient un nom peuvent être **précédés de** *très*.
> Ceux qui placent le nom dans une catégorie ne s'emploient jamais
> avec *très*.

des cheveux <u>très</u> **roux**	mes <u>très</u> **belles** robes
une tarte <u>très</u> **succulente**	⊘ des oiseaux <u>très</u> **migrateurs**
un <u>très</u> **gros** rat	⊘ un homme <u>très</u> **québécois**
une <u>très</u> **grande** dame	⊘ des femmes <u>très</u> **scientifiques**

➤ p. 197-199, nᵒˢ 2, 4

• L'emploi des adjectifs permet au lecteur ou à la lectrice de **se représenter** avec plus de précision ce qui est raconté, décrit ou expliqué.

Au milieu d'une <u>sombre</u> forêt, dans une caverne <u>humide</u> et <u>grise</u>, vivait un monstre <u>poilu</u>. Il était <u>laid</u> ; il avait une tête <u>énorme</u>, directement posée sur deux <u>petits</u> pieds <u>ridicules</u>, ce qui l'empêchait de courir.

Le Monstre poilu

4. Un adjectif fait-il partie d'un groupe de mots ?

• Avec le déterminant et le nom, un adjectif forme un **groupe du nom**.

Les goélands <u>agités</u> crient quand ils veulent du pain.

déterminant + nom + adjectif
(groupe du nom)

Les touristes s'assoient sur les bancs <u>bleus</u> du parc. La peintre utilise plusieurs <u>bleus</u> dans sa toile.

             ↓   ↓

      nom   *adjectif*

➤ p. 125-127, n° 12

• Avec le verbe *être* ou un verbe semblable, un adjectif peut former un **groupe du verbe**.

Mes cousins sont <u>gâtés</u>.   Mes cousins semblent <u>gâtés</u>.

     ↓   ↓   ↓   ↓

verbe **être** + *adjectif*   **(être)**
(groupe du verbe)   *verbe* **sembler** + *adjectif*

Mes cousins paraissent <u>gâtés</u>.

            ↓   ↓

          (être)
  verbe **paraître** + *adjectif*

➤ p. 185-188, n° 8

5. Quelles fonctions un adjectif occupe-t-il dans la phrase ?

• Un adjectif peut faire partie d'un groupe du nom. Il est un **complément du nom**.

Les marins naviguent sur de <u>gros</u> navires.

                            ↓

             complément du nom **navires**

C'est une course <u>rapide</u> contre la montre.

↓

complément du nom **course**

• Un adjectif peut être séparé d'un groupe du nom ou d'un pronom par les verbes *être, sembler, paraître, devenir…* Il est alors
  attribut du groupe sujet.

Les bateaux sont <u>gros</u>.   Elle semble <u>rapide</u>.

↓   ↓

attribut du GS **Les bateaux**   *attribut du GS* **Elle**

On peut enlever le verbe *être* (ou un verbe semblable) et joindre directement l'adjectif au nom qui fait partie du groupe sujet. Dans certains cas,
on doit déplacer l'adjectif devant le nom. C'est une façon différente de
formuler le même message.

Le livre semble volumineux.   Ce repas est bon.
Le livre ~~semble~~ volumineux.   Ce bon ~~est~~ repas.

Cet enfant paraît espiègle.
Cet enfant ~~paraît~~ espiègle.

6. Avec quels mots s'accorde un adjectif?

• Un adjectif est un mot **receveur**. Il reçoit le **genre** et le **nombre** du
  nom donneur.

---

des <u>gros</u> bateaux

bateaux : *masculin pluriel*
gros :   *adjectif receveur, masculin pluriel*

une course <u>rapide</u>

course : *féminin singulier*
rapide : *adjectif receveur, féminin singulier*

Tu peux t'aider du dictionnaire pour écrire un adjectif. Tu y trouveras l'adjectif écrit au masculin singulier, suivi de sa définition. Les exemples donnent souvent une phrase avec l'adjectif écrit au féminin singulier. Il peut aussi y avoir des exemples où l'adjectif est au pluriel.

- Si un adjectif précise **plusieurs noms du même genre**, il reçoit ce **genre** et la marque du **pluriel**.

J'ai mis une poire et une pêche juteuse<u>s</u> dans ma salade de fruits.

poire : *féminin singulier*
pêche : *féminin singulier*
juteuses : *adjectif receveur, féminin pluriel*

Mon frère et mon père sont gourmand<u>s</u>.

frère : *masculin singulier*
père : *masculin singulier*
gourmands : *adjectif receveur, masculin pluriel*

➤ p. 329-330, n° 3

- Si un adjectif précise **plusieurs noms de genre différent**, il reçoit le genre **masculin** et la marque du **pluriel**.

L'enseignante voit une règle et un cahier blanc<u>s</u> sur le pupitre de Joël.

règle : *féminin singulier*
cahier : *masculin singulier*
blancs : *adjectif receveur, masculin pluriel*

➤ p. 329-330, n° 3

Grammaire de la phrase

- Si un adjectif précise **plusieurs noms de genre et de nombre différents**, il reçoit le genre **masculin** et le nombre **pluriel**.

Dans son sac à dos, il y a des
bas, une chemise et un pantalon secs.

bas : *masculin pluriel*
chemise : *féminin singulier*
pantalon : *masculin singulier*
secs : *adjectif receveur, masculin pluriel*

p. 329-330, n° 3

- Si un adjectif fait partie du groupe attribut du sujet, il reçoit le **genre** et le **nombre** du **donneur sujet** ou du pronom qui remplace le donneur sujet.

Les bateaux sont légers.

bateaux : *donneur sujet, masculin pluriel*
légers : *adjectif receveur, masculin pluriel*

La course paraît ardue.

course : *donneur sujet, féminin singulier*
ardue : *adjectif receveur, féminin singulier*

Elles semblent nerveuses et surexcitées.

Elles : *donneur sujet, féminin pluriel*
nerveuses : *adjectif receveur, féminin pluriel*
surexcitées : *adjectif receveur, féminin pluriel*

- Les noms de **fleurs** ou de **fruits** employés comme adjectifs ne s'accordent ni en genre ni en nombre, sauf *rose* et *mauve*.

15. *Reconnaître un adjectif*   153

Elle a des taches de rousseur
Des yeux <u>pistache</u> et de grands pieds.

Innocentines

Tout à coup l'orage accourt avec ses grosses bottes <u>mauves</u>.

Queneau, un poète

La <u>mauve</u> est une plante à fleur<u>s</u> rose<u>s</u>.

7. À quoi servent les degrés de l'adjectif?

• Quand on veut préciser une qualité attribuée à un nom, on peut la présenter en **comparaison** avec un autre nom qui possède cette même qualité.

Mon père est <u>presque aussi grand qu</u>'un cyclope.

8. Quels sont les degrés de comparaison d'un adjectif?

• Il y a **deux degrés** de comparaison d'un adjectif: le **comparatif** et le **superlatif**. Ils servent à comparer deux noms qui possèdent la même caractéristique.

Le bébé est <u>plus petit que</u> ma sœur.

Le bébé est <u>le plus petit</u> de la famille.

Le bébé est <u>aussi petit que</u> tous les bébés de la Terre.

Le bébé est <u>plus gros que</u> le chaton.

La caractéristique dont il est question ici est la grosseur. On compare la grosseur de certains êtres vivants: un bébé, la sœur de la personne qui parle, les membres d'une famille, l'ensemble des bébés sur la Terre et un chaton.

- Il existe le **comparatif d'infériorité**, le **comparatif d'égalité**, le **comparatif de supériorité**, le **superlatif d'infériorité** et le **superlatif de supériorité**.

Le bébé est <u>plus petit que</u> ma sœur.	*comparatif d'infériorité*
Le bébé est <u>aussi petit que</u> tous les bébés de la Terre.	*comparatif d'égalité*
Le bébé est <u>plus gros que</u> le chaton.	*comparatif de supériorité*

Pour mieux communiquer le sens de l'adjectif qu'on utilise, on peut le placer dans une structure de comparaison. C'est une façon de préciser le message et de permettre au lecteur ou à la lectrice de s'en faire une meilleure image.

Ce livre est <u>volumineux</u>.

Ce livre est <u>plus volumineux qu</u>'un dictionnaire.

Ce livre est <u>moins volumineux qu</u>'une bande dessinée.

9. Comment se forment le comparatif et le superlatif?

- Le comparatif se forme à l'aide de structures comme **plus que**, **moins que**, **autant que**, **aussi que** qui encadrent un adjectif.

Elle est <u>aussi</u> fâchée <u>que</u> ça !

Elle est <u>plus</u> méchante <u>que</u> Gargamel.

Cette reine est <u>moins</u> belle <u>que</u> Blanche-Neige.

- Le superlatif se forme à l'aide de structures comme **le plus, la plus, les plus, le moins, la moins, les moins**…

Cherchez <u>la plus</u> sage.

Trouvez <u>le plus</u> beau.

Ma poule est <u>la moins</u> malade.

- Les adjectifs *bon* et *mauvais* ne construisent pas leur comparatif de supériorité et leur superlatif avec les mots *plus* ou *moins*.

	Comparatif de supériorité	**Superlatif**
bon	meilleur que	le meilleur
mauvais	pire que	le pire

Comment vérifier un adjectif dans un groupe du nom (GN) ?

 • On cherche le mot qu'on peut **remplacer** par un autre adjectif comme *beau, bon* ou *rond*. Il se peut qu'on doive déplacer ce mot.

Phrase Maude aime les énigmes difficiles.

⊘ bonnes aime les énigmes difficiles.	*non*
⊘ Maude bonnes les énigmes difficiles.	*non*
⊘ Maude aime bonnes énigmes difficiles.	*non*
⊘ Maude aime les bonnes difficiles.	*non*
Maude aime les bonnes énigmes (bonnes).	*oui*

• On vérifie si on peut **effacer** ce mot.

Maude aime les énigmes ~~difficiles~~.	*oui*

Quand un mot répond à ces conditions, il s'agit d'un adjectif dans un groupe du nom.

• On trouve le nom qui est écrit **avant ou après** cet adjectif. Il s'agit du **nom donneur** du groupe du nom. Puis, on donne le **genre** et le **nombre** du nom donneur à l'adjectif. On écrit les *e, s, x* ou les marques spéciales d'accord.

Maude aime les énigmes <u>difficiles</u>.
↓
nom donneur du groupe du nom **les énigmes difficiles**
féminin pluriel

Maude aime les énigmes <u>difficiles</u>.
└─────┘↑

Quand un groupe du nom porte les marques de genre et de nombre du nom donneur, il est bien écrit.

16

RECONNAÎTRE UN PRONOM

On appelle pronom une classe de mots variables qui représentent la personne qui parle. Ils peuvent également remplacer des mots ou des groupes de mots dont on a parlé dans les phrases précédentes. Leur emploi évite les répétitions.

Qu'est-ce que c'est ?

Les pronoms personnels

I. Comment se comporte un pronom personnel ?

- Un pronom personnel **peut être remplacé** par un autre pronom, par un groupe du nom ou par plusieurs groupes du nom.

par un autre pronom

Tu iras en France, cet été.
↓
Il ira en France, cet été.

par un groupe du nom

Ils les cachent à l'automne pour se faire des provisions.
↓
Les tamias rayés cachent des graines à l'automne pour se faire des provisions.

par plusieurs groupes du nom

Elles vont à l'école.
Vanessa, Agathe, Rima et Michèle vont à l'école.

Ce sont bien <u>eux</u>.

Ce sont bien <u>Samy</u>, <u>Alain</u>, <u>Julien</u> et <u>Frédéric</u>.

➤ p. 7-8, n° 8

2. Quelle est la place du pronom personnel?

• Un pronom personnel d'un **groupe sujet** est toujours placé à la **gauche** du verbe dans la PHRASE MODÈLE, dans une phrase déclarative, dans une phrase exclamative et dans certaines phrases interrogatives.

<u>Tu</u> respires le bon air de la campagne.

Que <u>vous</u> semblez inquiets !

<u>Nous</u> construirons une niche ?

➤ p. 20-21, 22-26, 31, n°s 1, 3, 9

• Un pronom personnel d'un **groupe sujet** est très souvent placé à la **droite** du verbe dans une phrase interrogative. Il est relié au verbe par un trait d'union, sauf lorsque la phrase contient *est-ce que*, *est-ce qu'*.

Respires-<u>tu</u> le bon air de la campagne ?

Est-ce que <u>nous</u> construirons une niche ?

Qu'est-ce que <u>vous</u> faites ?

➤ p. 22-26, n° 3

• Un pronom personnel d'un groupe **CD** ou **CI** est toujours placé à la **gauche** du verbe. Il remplace un groupe de mots qui se trouve souvent dans la phrase précédente.

Les tamias rayés ramassent des graines.

Ils les cachent à l'automne pour se faire des provisions.

Ces tamias les donnent à leurs petits.

Ils leur donnent ces graines.

➤ p. 104-105, 109-110, n°s 1, 7, 8

- Un pronom personnel d'un **groupe attribut du sujet** est toujours placé à la **gauche** du verbe.

Je me suis dit que Gabrielle devait
être malade. En effet, elle l'était.

➤ p. 98-99, 100-101, n°s 1, 4

3. Quel est le genre d'un pronom personnel?

- Les pronoms *il* et *ils* sont au **masculin**. Les pronoms *elle* et *elles* sont au **féminin**.

Il lance son cerf-volant.   Elle lance son cerf-volant.

- Tous les autres pronoms personnels prennent le **genre** du groupe de mots qu'ils remplacent.

Je (Virginie) suis une championne de natation.

féminin

Je (David) suis un champion de l'orthographe.

masculin

Dans la première phrase, à la page précédente, le ***Je*** *qui parle est une fille alors que dans la deuxième phrase,* ***Je*** *est un garçon. On remarque la différence dans le groupe attribut du sujet. Une fille peut être championne alors qu'un garçon peut être champion.*

4. Quel est le nombre d'un pronom personnel ?

- Les pronoms *je*, *tu*, *elle/il*, *on* sont au **singulier**. Les pronoms *nous*, *vous*, *elles/ils* sont au **pluriel**. Tous les autres pronoms personnels portent le **nombre** du groupe de mots qu'ils remplacent.

Je lui ai demandé de cueillir des fleurs.
↓
singulier

Je leur ai demandé de cueillir des fleurs.
↓
pluriel

➢ p.109-110, n°s 7, 8

5. Quelle est la personne d'un pronom personnel ?

- Un pronom personnel existe à la **première** personne, à la **deuxième** personne ou à la **troisième** personne.

6. À quoi sert un pronom personnel ?

- Certains **pronoms personnels** permettent à des personnes de parler entre elles ou de s'écrire **sans** qu'elles aient besoin de mentionner **leur nom**. On les appelle aussi les **pronoms de conjugaison** parce qu'ils sont placés **avant** le verbe dans les **tableaux de conjugaison**.

➢ p. 218, 224-225, n°s 1, 10

PRONOMS PERSONNELS et PRONOMS DE CONJUGAISON

		fém./masc.		
Singulier	1re pers.	**je**	la personne qui parle ou qui écrit	<u>Je</u> dessine tous les jours.
	2e pers.	**tu**	la personne à qui **je** parle ou j'écris	<u>Tu</u> critiques mes dessins.
	3e pers.	**elle/il**	la personne dont **quelqu'un** parle ou sur qui **il** écrit	<u>Elle</u> suspend nos dessins au mur.
		on	une personne qui parle au nom **d'elle-même**, au nom **de plusieurs personnes** ou au nom **de personnes en particulier**	<u>On</u> me critique toujours. <u>On</u> se baigne en été.
Pluriel	1re pers.	**nous**	les personnes qui parlent ou qui écrivent	<u>Nous</u> dessinons tous les jours.
	2e pers.	**vous**	les personnes à qui **quelqu'un** parle ou écrit	<u>Vous</u> dessinez tous les jours.
			une seule personne qu'on connaît peu ou qu'on ne connaît pas et à qui **quelqu'un** parle ou écrit (le **vous** de politesse, de respect, de distance, qu'on emploie dans le **vouvoiement**)	Monsieur, je <u>vous</u> offre mon dessin.
	3e pers.	**elles/ils**	les personnes dont **quelqu'un** parle ou sur qui **il** écrit	<u>Ils</u> suspendent leurs dessins au mur.

- D'autres pronoms personnels peuvent **remplacer** un groupe de mots dans une phrase. On les appelle des **termes substituts**. Ils permettent de reprendre la même information, mais en utilisant un mot différent.

Et tout à coup <u>la pendule</u> fit tressaillir Donald. On eût dit qu'**elle** cédait à une petite crise de nerfs, mais c'était toujours ainsi quand **elle** s'apprêtait à sonner l'heure, et **elle** sonna dix heures.

<u>La Nuit des fantômes</u>

Le texte parle à plusieurs reprises d'une pendule. L'emploi du pronom **elle** *évite la répétition du mot* **pendule.**

7. Quand peut-on utiliser un pronom personnel qui sert de terme substitut ?

- On utilise un pronom lorsqu'on est certain que la personne à qui l'on s'adresse peut sans difficulté **savoir à qui** ou **à quoi réfère ce pronom** : la personne, l'animal, le lieu, l'ensemble, l'idée ou l'objet.

(**Charles** veut jouer avec mon <u>cerf-volant</u>.) Je **le lui** prêterai.

Si la première phrase n'était pas là, on n'arriverait pas à comprendre la phrase qui suit. On ne saurait pas ce que prête la personne qui parle ni à qui elle le prêtera. Dans **Je le lui prêterai,** *rien n'indique ce que signifie* **le** *et il en est de même pour le pronom* **lui.** *Il faut donc avoir lu la première phrase pour bien comprendre la deuxième.*

- On utilise un pronom quand on veut **éviter la répétition**. Ainsi, on reprend une partie de l'information, mais en employant des mots différents.

Charles veut jouer avec mon <u>cerf-volant</u>. Je **le lui** prêterai.

*La deuxième phrase évite d'utiliser les mêmes mots pour répéter des informations : un cerf-volant qui sera prêté à Charles. Si on n'avait pas utilisé les mots **le** et **lui**, il aurait fallu écrire : « Charles veut jouer avec mon cerf-volant. Je prêterai mon cerf-volant à Charles. »*

➤ p. 447-450, n° 3

8. Qu'est-ce qu'un antécédent ?

- L'antécédent est le mot ou le groupe de mots **auquel réfère** un pronom. Il est généralement placé **avant** le pronom dans le texte.

Charles veut jouer avec mon <u>cerf-volant</u>. Je **le lui** prêterai.

cerf-volant *est l'antécédent de **le** et **Charles**, l'antécédent de **lui**.*
Les antécédents se trouvent dans la phrase précédente.

En lisant, tu comprendras mieux ce que tu lis quand tu auras **trouvé le mot remplacé** par un pronom.

- Un pronom substitut porte le **genre**, le **nombre** et la **personne** de son antécédent.

<u>Barbara</u> et <u>Caroline</u> se passionnent pour l'ornithologie.

<u>Elles</u> observent régulièrement les oiseaux.

*Le pronom **Elles** est féminin pluriel parce qu'il remplace deux prénoms de femmes.*

➤ p. 447-450, n° 3

9. Quelles fonctions un pronom personnel occupe-t-il dans la phrase?

• Un pronom personnel peut occuper la fonction de **groupe sujet** de la phrase. C'est le **noyau** du groupe sujet, donc le **donneur sujet**.

<u>Je</u> joue de la flûte.

<u>Ils</u> jouent à la marelle.

➤ p. 79-81, n° 4
➤ p. 332-333, n° 1

• Un pronom personnel peut aussi occuper la fonction de **groupe complément direct du verbe (CD)**. C'est le **donneur** du groupe CD.

La comédienne joue son rôle. <u>Elle</u> <u>le</u> joue merveilleusement bien.
                                ↓ ↓
                               GS CD

➤ p. 105-106, n°s 2, 3

• Un pronom personnel peut aussi occuper la fonction de **groupe complément indirect du verbe (CI)**.

<u>Nous</u> <u>lui</u> fredonnons un air qu'il aime bien.
  ↓   ↓
  GS CI

➤ p. 105, 107, n°s 2, 4

16. Reconnaître un pronom   **165**

- Enfin, un pronom personnel peut occuper la fonction de **groupe attribut du sujet**.

– Tes parents semblent inquiets.
– Je peux t'affirmer qu'ils le sont !

GS groupe attribut du sujet

➤ p. 99, 100-101, nᵒˢ 2, 4

TABLEAU RÉCAPITULATIF			
		Pronoms personnels et pronoms de conjugaison	**Pronoms personnels (termes substituts)**
Singulier	1ʳᵉ pers.	je	me/m'/moi
	2ᵉ pers.	tu	te/t'/toi
	3ᵉ pers.	elle/il, on	la/le/l', elle/lui, en, y, se/s', soi
Pluriel	1ʳᵉ pers.	nous	nous
	2ᵉ pers.	vous	vous
	3ᵉ pers.	elles/ils	les, leur, elles/eux, en, y, se/s', soi

10. Quels mots s'accordent avec un pronom personnel?

- Le **verbe** reçoit la personne et le nombre du pronom personnel **donneur sujet**.

Je joue de la flûte.

Je : donneur sujet, 1ʳᵉ personne, singulier
joue : verbe, 1ʳᵉ personne, singulier

<u>Ils</u> jouent à la marelle.

Ils : *donneur sujet, 3ᵉ personne, masculin, pluriel*
jouent : *verbe, 3ᵉ personne, masculin, pluriel*

➤ p. 332-333, 334-337, nᵒˢ 1, 3

Habitue-toi à reconnaître les pronoms personnels de conjugaison qui sont les donneurs sujets de la phrase. C'est un **moyen efficace** de réussir l'accord du verbe.

- L'**adjectif** qui joue le rôle de groupe attribut du sujet reçoit le genre et le nombre du **donneur sujet**.

<u>Elles</u> paraissent enchantées.

Elles : *donneur sujet, 3ᵉ personne, féminin, pluriel*
enchantées : *adjectif, 3ᵉ personne, féminin, pluriel*

<u>On</u> est heureux d'assister au spectacle de magie.

On : *donneur sujet, 3ᵉ personne, masculin, singulier*
heureux : *adjectif, 3ᵉ personne, masculin, singulier*

➤ p. 101-102, nᵒ 5

- Le **participe passé** qui suit l'auxiliaire *être* dans une phrase passive se comporte comme l'adjectif dans un groupe attribut du sujet. Il reçoit le genre et le nombre du **donneur sujet**.

<u>Il</u> est déraciné par l'ouragan.

Il : *donneur sujet, 3ᵉ personne, masculin, singulier*
déraciné : *participe passé, 3ᵉ personne, masculin, singulier*

Ils sont arrêtés par les policiers.

Ils : *donneur sujet, 3ᵉ personne, masculin, pluriel*
arrêtés : *participe passé, 3ᵉ personne, masculin, pluriel*

➤ p. 50, n° 5
➤ p. 101-102, n° 5
➤ p. 263-264, n° 4

11. Quels pronoms personnels jouent toujours le rôle de donneur sujet?

- Dans une phrase, les **pronoms de conjugaison** jouent toujours le rôle de donneur sujet.

Elle était très contente de connaître Hubert, le perroquet de sa grand-mère.

12. Comment peut-on distinguer on et ont?

- On peut distinguer le pronom personnel *on* et le verbe *ont* en mettant la phrase à l'**imparfait** : *ont* devient *avaient*; *on* ne change pas.

On oublie souvent, dit Balthazar, que les vieux ont déjà été jeunes.

⊘ avaient oublie souvent, dit Balthazar, que les vieux ont déjà été jeunes.

On oublie souvent, dit Balthazar, que les vieux avaient déjà été jeunes.

**13. Dans quel ordre doit-on placer les pronoms
le, la, l', les et lui, leur employés ensemble ?**

- Les pronoms personnels *le, la, l', les* sont toujours placés **avant** *lui* et *leur*.

Il demande une permission. Je <u>la</u> <u>lui</u> donne.

Il veut mon cerf-volant. Je <u>le</u> <u>lui</u> prête.

Attention

Dans les phrases impératives, les pronoms sont placés dans cet ordre, mais **après** le verbe.

Prête-<u>le</u>-<u>lui</u> pour qu'il l'essaie.

**14. Dans quel ordre doit-on placer les pronoms
me, te et le, la, l', les employés ensemble ?**

- Les pronoms personnels *me, te* sont toujours placés **avant** *le, la, l', les*.

Je <u>te</u> <u>le</u> dis.

Manon <u>te</u> <u>les</u> a apportés.

**15. Quand peut-on remplacer un nom
par le pronom personnel en ?**

- Quand on veut remplacer **un nom** qu'on ne peut pas compter (herbe, soupe) et qui occupe la fonction de **CD** du verbe, on emploie le pronom personnel *en*.

Attends, j'<u>en</u> connais une qui va te faire sécher, dit le lièvre. Qu'est-ce que je peux battre à grands coups sans laisser de trace ?

J'habite à côté et j'<u>en</u> bois, dit la tortue. C'est l'eau.

➤ p. 106, 109-110, n°s 3, 7

• Quand on veut remplacer un **nom** qui occupe la fonction de **CI** du verbe, on emploie le pronom personnel *en*.

Paul l'ours blanc prit un bain dans un geyser fumant. Il trouva cela horrible mais il <u>en</u> ressortit aussi blanc que la neige, et sa famille le regarda avec une grande admiration.

La Conférence des animaux

➤ p. 110, n° 8

16. Quand peut-on remplacer un nom par le pronom personnel y ?

• Le pronom personnel *y* permet de remplacer **un nom** qui occupe la fonction de **CI** du verbe.

— Veux-tu ajouter quelques graines de germe de blé sur ta crème glacée ?

— Je vais goûter <u>au résultat</u> ! Je vais <u>y</u> goûter.

! Attention

Quand le nom est un être animé, on doit utiliser *à lui*, *à moi*, *à toi*...

Autrefois, près du village au bord du fleuve vivait un jaguar très rusé. Quand un problème survenait dans la grande forêt, on faisait toujours appel <u>à lui</u>.

Le Roi des piranhas

170   *Grammaire de la phrase*

Les autres pronoms

17. À quoi sert un pronom relatif?

> • Un pronom relatif introduit **une autre phrase** à l'intérieur d'un groupe du nom ou d'un pronom. Il est placé souvent **en tête de cette autre phrase** qu'on appelle **subordonnée**.

Taisez-vous. C'est moi **qui** parle.

moi qui parle *est un groupe du nom*

Les grosses pommes **que** j'ai cueillies sont sucrées.

Les grosses pommes que j'ai cueillies *est un groupe du nom*

> • Un pronom relatif désigne la même réalité que le nom ou le pronom qu'il remplace.

Pronom relatif	Exemples
qui	Le premier orphelin <u>qui</u> s'est mis à pleurer était un chaton.
que, qu'	Le premier orphelin <u>que</u> j'ai aperçu était un chaton.
quoi	Ce sur <u>quoi</u> tu as marché, c'est le panier du chaton.
dont	Je connais le chaton abandonné <u>dont</u> tu parles.
où	Je connais l'endroit <u>où</u> le chaton a été abandonné.
★	C'est un chat bien sage, <u>lequel</u> fait l'envie de tous les voisins. La personne <u>à laquelle</u> le chaton a été donné adore les animaux. La panier dans <u>lequel</u> on a placé le chaton s'est retrouvé sur le perron de ma porte. Je connais un chat abandonné sur le dos <u>duquel</u> on veut faire passer tous les mauvais coups. Ma tante a recueilli un chat abandonné avec <u>lequel</u> j'aimerais jouer.

18. Où est placé l'antécédent du pronom relatif?

• L'antécédent est toujours placé **avant** un pronom relatif.

Silence ! C'est <u>moi</u> **qui** parle.

<u>Les grosses pommes</u> **que** j'ai cueillies sont délicieuses.

Notre chalet, c'est <u>l'endroit</u> **où** il fait bon se retrouver.

C'est <u>moi</u> **qui** vous le dis !

19. Quelle fonction le pronom relatif *qui* occupe-t-il dans la phrase?

- Le pronom relatif *qui* occupe la fonction de **groupe sujet** d'une **subordonnée**.

C'est lui <u>qui</u> court aussi vite qu'une antilope.

J'ai vu une cigale <u>qui</u> chantait avec une fourmi.

➤ p. 79-81, n° 4
➤ p. 213-214, n° 2

20. À quoi sert un pronom possessif?

- C'est un pronom qui **remplace** un groupe du nom dont la caractéristique est de **dépendre de quelqu'un**.

– Nadine nourrit-elle tous les chatons ?
– Non, elle nourrit <u>les siens</u>.

21. Quelles formes prend un pronom possessif?

- Un pronom possessif change de forme selon **la** ou **les personnes avec lesquelles** il est en rapport.

mon vélo/<u>le mien</u>	ton vélo/<u>le tien</u>
son vélo/<u>le sien</u>	notre vélo/<u>le nôtre</u>
votre vélo/<u>le vôtre</u>	leur vélo/<u>le leur</u>

- Il varie en **genre** et en **nombre**. Il prend le genre et le nombre de son antécédent.

mon vélo/<u>le mien</u>   ma bicyclette/<u>la mienne</u>

PRONOMS POSSESSIFS				
	Singulier		**Pluriel**	
	Masculin	**Féminin**	**Masculin**	**Féminin**
c'est à moi 1re pers.	le mien	la mienne	les miens	les miennes
c'est à toi 2e pers.	le tien	la tienne	les tiens	les tiennes
c'est à elle/lui 3e pers.	le sien	la sienne	les siens	les siennes
c'est à nous 1re pers.	le nôtre	la nôtre	les nôtres	
c'est à vous 2e pers.	le vôtre	la vôtre	les vôtres	
c'est à elles/eux 3e pers.	le leur	la leur	les leurs	

(Singulier : 1re, 2e, 3e pers. — Pluriel : 1re, 2e, 3e pers.)

22. Comment peut-on distinguer *notre* et *(le) nôtre*, *votre* et *(le) vôtre* ?

- On peut distinguer les déterminants possessifs *notre* et *votre* des pronoms possessifs *le nôtre* et *le vôtre* en mettant la phrase au pluriel. *Notre* et *votre* deviennent respectivement *nos* et *vos* ; *nôtre* et *vôtre* deviennent *nôtres* et *vôtres*. De plus, *nôtre* et *vôtre* n'apparaissent jamais sans *le* ou *la* (ou *au*, *aux*, *du*, *des*).

C'est bien <u>votre</u> enfant.　　(Ce sont bien <u>vos</u> enfants.)

C'est le <u>vôtre</u> ?　　(Ce sont les <u>vôtres</u> ?)

Voici <u>notre</u> chien.　　(Voici <u>nos</u> chiens.)

Il ressemble au <u>nôtre</u>.　　(Ils ressemblent aux <u>nôtres</u>.)

23. À quoi sert un pronom démonstratif?

- Il désigne une personne, un animal, un objet ou un événement sans le nommer et en le faisant ressortir **comme si on le montrait du doigt**.

Abasourdie, Wondeur s'arrête. Elle regarde la femme s'éloigner. <u>Celle-ci</u> se retourne plusieurs fois et la menace du poing.

Atterrissage forcé

– Ce sont <u>ceux-là</u>, a dit le directeur, ceux dont je vous ai parlé.

– Ne vous inquiétez pas, Monsieur le Directeur, a dit le docteur, nous sommes habitués ; avec nous, ils marcheront droit.

Le Petit Nicolas et les Copains

24. Quelles formes prend un pronom démonstratif?

- D'autres pronoms démonstratifs comme *ce, c', ceci, cela, ça* **ne changent pas de forme**. Ils ne remplacent pas un nom mais représentent un événement, une opinion.

– [...] Nous serons de retour demain après-midi.
Ton fils sera avec moi !

<u>Cela</u> ne rassura pas vraiment Sanala, qui préférait voir son fils en sécurité, près d'elle, sur la plantation.

Lygaya à Québec

- Les pronoms démonstratifs *celui, ceux, celle, celles...* **changent de forme** selon le **genre** et le **nombre** du nom qu'ils remplacent.

Cet homme n'est pas <u>celui</u> que tu recherches.

- On peut ajouter -ci ou -là à un pronom démonstratif pour distinguer deux objets selon qu'ils sont **proches** ou **éloignés**.

PRONOMS DÉMONSTRATIFS				
Singulier		Pluriel		Invariable
Masculin	Féminin	Masculin	Féminin	
celui	celle	ceux	celles	ce, c'
celui-ci	celle-ci	ceux-ci	celles-ci	ceci
celui-là	celle-là	ceux-là	celles-là	cela, ça

➤ p. 400-401, n° 12

25. Quels sont les autres pronoms?

- Les pronoms numéraux *un, deux, trois...* permettent de nommer un **nombre précis** de personnes, d'animaux ou de choses.

J'ai vu ramper des couleuvres dans le sous-bois.

J'en ai pris <u>une</u> dans mes mains.

- Les pronoms indéfinis *aucun, rien, personne* permettent de ne considérer **aucun des éléments** d'un groupe.

Il était une fois une histoire, une très, très belle histoire, mais que <u>personne</u> n'avait jamais écrite ni racontée, parce que <u>personne</u> ne la connaissait.

Histoire du prince Pipo

- Le pronom indéfini *tous* (*toutes*, *tout*) permet de désigner **tous les éléments** d'un groupe.

Il faisait noir dans le ventre du navire, mais on devinait la présence d'autres prisonniers. Lorsque ses yeux se furent habitués à l'obscurité, Lygaya put discerner d'autres esclaves, <u>tous</u> enchaînés, entassés les uns sur les autres.

Lygaya

- Les pronoms indéfinis *certains* (*certaines*), *les uns* (*les unes*), *les autres*, *quelques-uns* (*quelqu'un, quelques-unes*), *chacun* (*chacune*)... permettent de désigner certains éléments d'un groupe.

Pendant des jours, pendant des semaines, la pauvre histoire chercha en vain quelqu'un qui pût l'écrire ou qui voulût la raconter. Mais aucun ne voulait l'accepter telle quelle. <u>Les uns</u> la trouvaient trop ceci et pas assez cela. <u>Les autres</u>, au contraire, lui reprochaient d'être trop cela et pas assez ceci. <u>Chacun</u> voulait l'améliorer à sa manière, et ne cherchait qu'à la défigurer.

Histoire du prince Pipo

17

RECONNAÎTRE UN VERBE

On appelle verbe une classe de mots variables qui peuvent situer des actions ou des faits dans le temps et servir de lien entre un groupe sujet et le groupe attribut du sujet.

Qu'est-ce que c'est ?

I. Comment se comporte un verbe ?

- Un verbe **peut être remplacé** par **un autre verbe.** On ne doit pas nécessairement chercher un synonyme de ce mot, mais plutôt un autre mot qui respecte la **structure** de la phrase.

La princesse <u>était</u> amoureuse folle d'un mendiant.
↓
La princesse <u>semblait</u> amoureuse folle d'un mendiant.

Le chevalier <u>combat</u> l'ennemi.
↓
Le chevalier <u>salue</u> l'ennemi.

J'aime <u>parler</u> avec mes amis.
↓
J'aime <u>rire</u> avec mes amis.

- Un verbe est un mot qu'on **ne peut pas effacer**.

La princesse <u>était</u> follement amoureuse d'un mendiant.

◊ La princesse <u>~~était~~</u> follement amoureuse d'un mendiant.

*Si on enlève le verbe **était**, la phrase est mal construite.*

- Un verbe est le seul mot auquel on peut **ajouter** *ne... pas, n'... pas.*

Simon coud son pantalon.
Simon <u>ne</u> coud <u>pas</u> son pantalon.

Simon a cousu son pantalon.
Simon <u>n'</u>a <u>pas</u> cousu son pantalon.

Coudre son pantalon.
<u>Ne pas</u> coudre son pantalon.

➤ p. 40-45, nᵒˢ 3, 4, 5

- Dans une phrase, le verbe est le seul mot qui **se conjugue**. Il change de forme avec chaque pronom de conjugaison. Il change aussi de forme au présent, au passé et au futur.

Je donn<u>e</u>.   Tu donn<u>es</u>.

Elle/Il, On donn<u>e</u>.   Nous donn<u>ons</u>.

Vous donn<u>ez</u>.   Elles/Ils donn<u>ent</u>.

Je donne   J'ai donné   Je donnerai
   ↓   ↓   ↓
présent   *passé*   *futur*

➤ p. 161-163, nᵒ 6
➤ p. 218, nᵒ 1
➤ p. 262-263, nᵒˢ 2, 3

2. Combien de mots forment un verbe ?

- Un verbe peut être formé d'**un mot** ou de **plusieurs mots**.

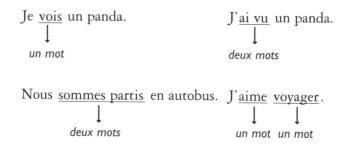

Je <u>vois</u> un panda.
↓
un mot

J'<u>ai vu</u> un panda.
↓
deux mots

Nous <u>sommes partis</u> en autobus.
↓
deux mots

J'<u>aime</u> <u>voyager</u>.
↓   ↓
un mot un mot

- Quand un verbe contient **deux mots**, il est formé à partir de l'auxiliaire *avoir* ou de l'auxiliaire *être* suivi du **participe passé** du verbe.

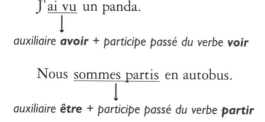

J'<u>ai vu</u> un panda.
↓
*auxiliaire **avoir** + participe passé du verbe **voir***

Nous <u>sommes partis</u> en autobus.
↓
*auxiliaire **être** + participe passé du verbe **partir***

- Quand un verbe contient **trois mots**, il est formé à partir de l'auxiliaire *être* conjugué à un temps composé et du **participe passé** du verbe.

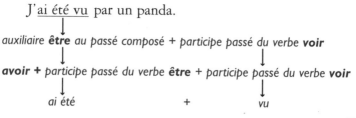

J'<u>ai été vu</u> par un panda.
↓
*auxiliaire **être** au passé composé + participe passé du verbe **voir***

*avoir + participe passé du verbe **être** + participe passé du verbe **voir***
↓   ↓
ai été   +   *vu*

➤ p. 222, n° 6

3. Qu'est-ce qu'un verbe conjugué formé d'un seul mot?

• C'est un verbe **conjugué aux temps simples** (présent, imparfait, futur...).

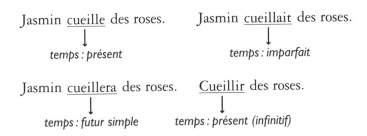

Jasmin <u>cueille</u> des roses.
↓
temps : présent

Jasmin <u>cueillait</u> des roses.
↓
temps : imparfait

Jasmin <u>cueillera</u> des roses.
↓
temps : futur simple

<u>Cueillir</u> des roses.
↓
temps : présent (infinitif)

4. Qu'est-ce qu'un verbe conjugué formé de deux mots?

• C'est un verbe **conjugué** formé à partir de **l'auxiliaire** *avoir* ou *être* et d'un **participe passé**.

Jasmin <u>a</u> cueilli des roses.
↓
auxiliaire **avoir**

Des roses <u>seront</u> cueillies par Jasmin.
↓
auxiliaire **être**

• C'est un verbe **conjugué aux temps composés** (passé composé, plus-que-parfait, futur antérieur...) quand il est formé à partir de **l'auxiliaire** *avoir* et d'un **participe passé**.

Jasmin <u>a cueilli</u> des roses. Jasmin <u>avait cueilli</u> des roses.

↓

temps : *passé composé*
auxiliaire **avoir**
participe passé : *cueilli*

↓

temps : *plus-que-parfait*
auxiliaire **avoir**
participe passé : *cueilli*

Jasmin <u>aura cueilli</u> des roses.

↓

temps : *futur antérieur*
auxiliaire **avoir**
participe passé : *cueilli*

5. Qu'est-ce qu'un verbe conjugué formé de trois mots ?

- C'est un verbe conjugué avec **l'auxiliaire** *être*, lui-même conjugué **à un temps composé** (passé composé, plus-que-parfait, futur antérieur…).

Des roses <u>ont été cueillies</u> par Jasmin.

↓

temps : *passé composé*
auxiliaire **être**
participe passé : *cueillies*

Des roses <u>avaient été cueillies</u> par Jasmin.

↓

temps : *plus-que-parfait*
auxiliaire **être**
participe passé : *cueillies*

Des roses <u>auront été cueillies</u> par Jasmin.

↓

temps : *futur antérieur*
auxiliaire **être**
participe passé : *cueillies*

6. Quel est l'effet du temps sur un verbe ?

- Un verbe est la seule classe de mots qui **change** de forme selon le temps exprimé dans la phrase.

Aujourd'hui, <u>je prête</u> mes casse-têtes de bois à ma petite sœur.	*présent*
Hier, <u>j'ai prêté</u> mes casse-têtes de bois à ma petite sœur.	*passé*
Demain, <u>je prêterai</u> mes casse-têtes de bois à ma petite sœur.	*futur*

7. Quels sont la personne, le genre et le nombre du verbe ?

- Un verbe est un mot **receveur**. Il reçoit la **personne** et le **nombre** du donneur sujet.

Des vacanciers admirent le fjord du Saguenay.

vacanciers (ils) : *donneur sujet, 3ᵉ personne du pluriel*
admirent : *verbe receveur, 3ᵉ personne du pluriel*

➤ p. 332-334, nᵒˢ 1, 2

!Attention

S'il y a plusieurs noms donneurs sujets, on écrit le verbe au pluriel.

Alice et son prince suiv<u>aient</u> l'énorme chat.

➤ p. 5-6, nᵒ 7
➤ p. 79-81, nᵒ 4

- Quand un verbe est formé de deux mots, l'**auxiliaire** du verbe est le mot **receveur**. Il reçoit la **personne** et le **nombre** du donneur sujet.

Des ⎡vacanciers⎤ ont admiré le fjord du Saguenay.

vacanciers (ils) : *donneur sujet, 3ᵉ personne du pluriel*
ont : *auxiliaire **avoir**, receveur, 3ᵉ personne du pluriel*

La ⎡rondelle⎤ de hockey est lancée par le joueur étoile.

rondelle (elle) : *donneur sujet, 3ᵉ personne du singulier*
est : *auxiliaire **être**, receveur, 3ᵉ personne du singulier*

- Quand un verbe est formé de l'auxiliaire *être* et d'un participe passé, le **participe passé** se comporte comme un adjectif attribut. Il reçoit le **genre** et le **nombre** du noyau du groupe sujet.

La rondelle de hockey est lancée par le joueur étoile.

rondelle (elle) : *donneur sujet, 3ᵉ personne du singulier*
est : *auxiliaire **être**, 3ᵉ personne du singulier*
lancée : *participe passé, receveur, féminin, singulier*

- Quand un verbe est formé de l'auxiliaire *avoir* et d'un participe passé, le **participe passé** s'écrit au **masculin singulier** si le groupe CD est placé **après** le verbe.

Anne a entendu plusieurs histoires drôles.

histoires : *noyau du groupe CD placé après le verbe, féminin pluriel*
a : *auxiliaire **avoir**, receveur, 3ᵉ personne du singulier*
entendu : *participe passé, receveur, masculin singulier*

- Quand un verbe est formé de l'auxiliaire *avoir* et d'un participe passé, le **participe passé** est receveur du **genre** et du **nombre** du donneur CD placé **avant** le verbe.

Anne a entendu plusieurs histoires drôles.
Ensuite, elle <u>les</u> a racont<u>ées</u> à son père.

elle :	*donneur sujet, 3ᵉ personne du singulier*
a :	*auxiliaire avoir, receveur, 3ᵉ personne du singulier*
les (histoires ou elles) :	*donneur CD, 3ᵉ personne du pluriel, féminin*
racontées :	*participe passé, receveur, féminin pluriel*

Tu dois toujours chercher le **pronom de conjugaison** qui peut remplacer le donneur sujet. C'est un **moyen efficace** de déterminer la personne, le genre et le nombre à donner au verbe receveur.

➤ p. 218, 223, nᵒˢ 1, 7
➤ p. 263-264, nᵒ 4

8. Comment est construit un groupe du verbe (GV) ?

- Un groupe du verbe (GV) est formé d'un **verbe noyau** auquel d'autres mots peuvent se rattacher.

┌─ *groupe du verbe* ─┐
Le poisson <u>donne</u> des ennuis à Felipe.
↓
verbe noyau

┌─ *groupe du verbe* ─┐
La girafe <u>semble</u> très coquette.
↓
verbe noyau

groupe du verbe
|
L'orignal <u>court</u>.
|
verbe noyau

➤ p. 4-6, n°s 6, 7

• Un GV peut contenir un verbe noyau accompagné d'un **groupe du nom** ou d'un **pronom**.

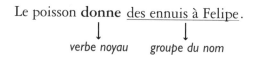

Le poisson **donne** <u>des ennuis à Felipe</u>.
| |
verbe noyau   *groupe du nom*

Il lui <u>en</u> **donne** beaucoup.
| |
pronom *verbe noyau*

➤ p. 105, n° 2
➤ p. 127-129, n° 13
➤ p. 158-159, n° 1

• Un GV peut contenir un verbe noyau accompagné d'une **préposition suivie** d'un **groupe du nom** ou d'un **pronom**.

Ce livre **appartient** <u>à Jonathan</u>.
| |
verbe noyau *préposition + groupe du nom*

Il **est** <u>à lui</u>.
| |
verbe noyau préposition + pronom

➤ p. 110, n° 8
➤ p. 127-129, n° 13
➤ p. 158-159, n° 1

- Un verbe noyau peut être accompagné d'un ou de plusieurs **adverbes**.

La girafe taquine **observait** <u>attentivement</u> le léopard grognon.

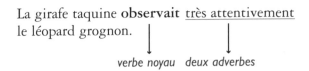

verbe noyau   un adverbe

La girafe taquine **observait** <u>très attentivement</u>
le léopard grognon.

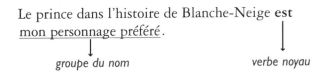

verbe noyau   deux adverbes

➤ p. 197, n° 2

- Les verbes noyaux *être, paraître, sembler, devenir, avoir l'air*… ne s'emploient jamais seuls. Ils sont toujours accompagnés d'un **groupe du nom**, d'un **adjectif** ou d'un **pronom**.

Le prince dans l'histoire de Blanche-Neige **est**
<u>mon personnage préféré</u>.

groupe du nom   verbe noyau

Ce prince **paraît** <u>courageux</u>. Il <u>l'</u>**est**.

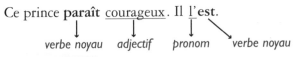

verbe noyau   adjectif   pronom   verbe noyau

➤ p. 100, n° 3
➤ p. 145-146, n° 1
➤ p. 158-159, n° 1

- Un GV peut contenir un verbe noyau **suivi d'un groupe du verbe**. Ce groupe contient un verbe à l'**infinitif** et il est placé à la droite du verbe noyau.

Diane <u>va jouer au parc</u>.

verbe noyau + verbe à l'infinitif

Stéphane préfère lire.

verbe noyau + verbe à l'infinitif

★
• Enfin, un verbe noyau peut être suivi d'une **subordonnée**. La subordonnée
est placée à la droite du verbe.

J'espère que tu pourras venir avec nous.

verbe noyau   subordonnée

9. Quelle fonction un groupe du verbe (GV) occupe-t-il dans la phrase?

• Un groupe du verbe (GV) est le **seul groupe de mots** qui occupe
la fonction de groupe prédicat (GP) ou groupe verbal.

➤ p. 84-86, 88, nos 1, 4

10. À quoi sert un verbe?

• Un verbe sert souvent à exprimer une **action** ou un **fait** en lien avec
une personne, un animal, un objet, un lieu, un ensemble ou une idée.

Les hommes enlèvent la roue brisée de la charrette.

Les filles apprennent à coudre les peaux de castor.

Les plantes souffrent de la sécheresse.

La charrette se retrouve dans le fossé.

Les enfants dorment.

- Un verbe peut aussi **servir de lien** entre un groupe sujet et son attribut. C'est le cas du verbe *être* et des verbes qui se comportent comme lui.

Ces femmes <u>sont</u> des amies.

Ces hommes <u>paraissent</u> inquiets.

11. Comment un verbe est-il construit?

- Un verbe est composé de **deux parties** : un **radical** et une **terminaison**. Le radical porte le **sens** du verbe. La terminaison indique la **personne**, le **nombre** et le **temps** auxquels il est conjugué.

nous chant**ons**

Le radical de **chanter**, **chant-**, *réfère au sens de produire un chant.*
La terminaison **-ons** *indique la première personne du pluriel*
du temps présent.

➤ p. 219-220, n° 2

- Dans les terminaisons d'un verbe, on peut trouver les mêmes dernières lettres. On les appelle les **finales**.

	Personnes	**Finales**
Singulier	1re pers.	e, s, x, ai
	2e pers.	s, x
	3e pers.	e, a, d, t
Pluriel	1re pers.	ons (*sauf* nous sommes)
	2e pers.	ez (*sauf* vous êtes, dites, faites)
	3e pers.	ent, ont

Tu dois porter une attention spéciale à la **finale** d'un verbe. La finale te permet de **vérifier** si le verbe correspond bien à la personne du groupe sujet.

➤ p. 219-220, 224-225, n°s 2, 10

12. Qu'est-ce que la conjugaison du verbe ?

- On appelle conjugaison l'**ensemble des formes** d'un verbe qui varient en fonction du **mode**, du **temps**, de la **personne**, du **nombre** et du **genre**.

AVOIR		
MODE	Indicatif	Indicatif
TEMPS	Présent	Passé composé
	j'ai	j'ai eu
	tu as	tu as eu
	elle/il, on a	elle/il, on a eu
	nous avons	nous avons eu
	vous avez	vous avez eu
	elles/ils ont	elles ont eu/ils ont eu

- Dans un tableau de conjugaison, on peut faire ressortir les **radicaux**, les **terminaisons** et les **finales** des verbes associés à chaque **pronom de conjugaison**.

AVOIR, indicatif imparfait		
Radical	**Terminaison**	**Finale**
j'**av**ais	j'**avai**s	j'avai**s**
tu **av**ais	tu **avai**s	tu avai**s**
elle/il, on **av**ait	elle/il, on **avai**t	elle/il, on avai**t**
nous **av**ions	nous **avi**ons	nous avi**ons**
vous **av**iez	vous **avi**ez	vous avi**ez**
elles/ils **av**aient	elles/ils **avai**ent	elles/ils avai**ent**

➤ p. 280-281, n° 1

13. Qu'est-ce que l'infinitif du verbe ?

- L'infinitif du verbe est une **forme non conjuguée** du verbe. Il ne s'utilise jamais avec un pronom de conjugaison.

marcher   courir   rire   voir

- L'infinitif est aussi le **nom du verbe**. C'est pourquoi les verbes sont présentés à l'infinitif dans les dictionnaires.

Pour éviter de confondre l'infinitif en **-er** et le participe passé qui se termine par é, tu disposes de deux moyens. Tu peux d'abord **remplacer** le verbe en **-er** par un verbe en **-ir, -oir** ou **-re**. Tu peux également faire une nouvelle phrase avec le participe passé ou avec l'infinitif. Pour bâtir une phrase correcte, il faut **ajouter** le participe passé au verbe *être* et **remplacer** l'infinitif par un verbe conjugué.

Il n'était pas rare de <u>croiser</u> sur la plage une crevette
en promenade.

Il n'était pas rare de <u>voir</u> sur la plage une crevette
en promenade. *(remplacement)*

Je me souviens d'un oiseau ↓ blessé.

Je me souviens d'un oiseau. Il <u>était</u> blessé. *(ajout)*

J'ai entendu le chat <u>gratter</u>.

J'ai entendu le chat. Il <u>grattait</u>. *(remplacement)*

➤ p. 259-260, n°s 17, 19

• L'infinitif est un **mode** du verbe.

➤ p. 220-221, n° 3
➤ p. 273, 277, n°s 3, 8

14. Qu'est-ce qu'un verbe pronominal?

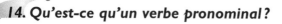

• C'est un verbe qui s'accompagne d'un pronom personnel de la **même
personne** que le **donneur sujet** de la phrase.

<u>Je</u> <u>me</u> <u>lave</u> les mains avant les repas.

1re personne du singulier

<u>Tu</u> <u>t'</u>aperçois des progrès que tu as faits en mathématique.

2e personne du singulier

<u>Hugo</u> <u>se</u> <u>découvre</u> un intérêt pour le tennis.

3e personne du singulier

<u>Elles</u> <u>se</u> <u>sentent</u> respectées dans la classe.

3e personne du pluriel

Comment vérifier un verbe dans un groupe du verbe (GV) ?

• On cherche le mot auquel on peut **ajouter** ne... pas ou n'... pas

> **Phrases** Maude aime les énigmes difficiles.
> Elle a résolu les plus compliquées.
> Cette fille est respectée de tous !

Ne Maude pas aime les énigmes difficiles.	non
Maude n'aime pas les énigmes difficiles.	oui
N'elle pas a résolu les plus compliquées.	non
Elle n'a pas résolu les plus compliquées.	oui
Ne cette pas fille est respectée de tous !	non
Cette ne fille pas est respectée de tous !	non
Cette fille n'est pas respectée de tous !	oui

• Si on trouve le verbe *avoir* suivi d'un participe passé, on vérifie si on peut transformer ces deux mots en un seul verbe au **présent**.

Elle a résolu les plus compliquées.	oui
Elle résout les plus compliquées.	oui

• Si on trouve le verbe *être* ou un verbe qui se comporte comme lui, on considère le participe passé qui le suit comme un **adjectif**.

Cette fille est respectée de tous !	oui

Quand un mot répond à toutes ces conditions, il s'agit d'un verbe dans un groupe du verbe.

• On écrit le nom du verbe, son **infinitif**, au-dessus.

        aimer
        ↑
Maude <u>aime</u> les énigmes difficiles.

     résoudre
     ↑
Elle <u>a résolu</u> les plus compliquées.

        être
        ↑
Cette fille <u>est</u> respectée de tous !

• On trouve le **donneur sujet**. Puis, on écrit le **pronom de conjugaison** correspondant au-dessus.

  Elle   *aimer*
  ↑   ↑
Maude <u>aime</u> les énigmes difficiles.

  Elle   *résoudre*
  ↑   ↑
Elle <u>a résolu</u> les plus compliquées.

  Elle   *être*
  ↑   ↑
Cette fille <u>est</u> respectée de tous !

• Quand le verbe est formé d'un seul mot, on écrit la **finale** qui correspond à la **personne** et au **nombre** du pronom de conjugaison.

  Elle   *aimer*
  ↑   ↑
Maude <u>aime</u> les énigmes difficiles.

*e est la finale du verbe **aimer** à la 3ᵉ personne du singulier (elle)*

- Quand le verbe est formé d'un **auxiliaire** et d'un **participe passé**:
  - on écrit la **finale** de l'**auxiliaire** qui correspond à la **personne** et au **nombre** du pronom de conjugaison.
  - on écrit les e, s, x ou les marques spéciales d'**accord** au **participe passé** accompagné de **l'auxiliaire** être.

Elle   résoudre
  ↑   ↑
Elle a résolu les plus compliquées.

*a est la finale du verbe **avoir** à la 3ᵉ personne du singulier (elle)*

Elle   être
  ↑   ↑
Cette fille est respectée de tous!

*t est la finale du verbe **être** à la 3ᵉ personne du singulier (elle)*
*e est la marque du féminin et du singulier du participe passé **respecté***

- Quand le verbe est formé de **l'auxiliaire** *avoir* et d'un **participe passé**:
  - on écrit la **finale** de l'**auxiliaire** qui correspond à la **personne** et au **nombre** du pronom de conjugaison.
  - on écrit les e, s, x ou les marques spéciales d'**accord** au **participe passé** quand le **CD** est placé **avant le verbe**.

        avoir
          ↑
Elle les a résolues. (les plus compliquées)

*a est la finale du verbe **avoir** à la 3ᵉ personne du singulier (elle)*
*es est la marque du féminin et du pluriel du participe passé **résolu***
*(**les** est féminin pluriel parce qu'il remplace **les énigmes**)*

Quand le verbe et l'auxiliaire d'un groupe du verbe portent les marques d'accord du donneur sujet, ils sont bien écrits.

18

RECONNAÎTRE
UN ADVERBE

On appelle adverbe une classe de mots invariables qui peuvent modifier le sens de certains groupes de mots, ou bien aider à organiser un texte.

Qu'est-ce que c'est ?

1. Comment se comporte un adverbe?

- Un adverbe **peut être effacé**.

La girafe taquine penchait le cou ~~amoureusement~~.

Patrick aime ~~trop~~ les bonbons.

~~Aujourd'hui~~, les hérons s'enfuient au moindre bruit.

! Attention

On ne peut pas effacer un adverbe qui suit *très*.

La girafe taquine penchait le cou très amoureusement.
⊘ La girafe taquine penchait le cou très ~~amoureusement~~.

- On **peut ajouter** un adverbe à un adjectif, à un verbe, à un autre adverbe ou à une phrase.

Je **voyais** bien que la chambre bleue était très **grande**.

adverbe **bien** ajouté au verbe **voyais**
adverbe **très** ajouté à l'adjectif **grande**

Il s'est présenté très poliment.

adverbe **très** ajouté à l'adverbe **poliment**

Aujourd'hui, <u>les hérons s'enfuient au moindre bruit</u>.

*adverbe **aujourd'hui** ajouté à la phrase **les hérons s'enfuient au moindre bruit***

2. Quelle est la place d'un adverbe?

- Un adverbe **long** est placé **généralement** après le verbe. Un adverbe **court** est plus mobile. Il est placé parfois **avant**, parfois **après** l'auxiliaire lorsque le verbe est formé de deux mots.

La girafe taquine penchait le cou <u>amoureusement</u>.

Le chat a grimpé <u>rapidement</u> sur le divan.

Patrick aime <u>trop</u> les bonbons.

J'ai <u>mal</u> compris ton interrogation.

Ils s'expriment <u>bien</u>.

- L'adverbe *très* est placé à la **gauche** d'un autre adverbe ou d'un adjectif.

Le téléphone fonctionne <u>très</u> **mal**.

On entend des bruits <u>très</u> **bizarres**.

Il s'est présenté <u>très</u> **poliment**. Il arrivera <u>très</u> **bientôt**.

3. Sous quelles formes se présente un adverbe?

- Un adverbe peut être formé d'**un** ou de **plusieurs mots**.

un mot : affectueusement, hier, ici, lentement, logiquement, maintenant, mal, rapidement, très, trop...

plusieurs mots : tout à coup, au fur et à mesure, ne... pas, jusque-là...

4. À quoi sert un adverbe?

- Un adverbe peut préciser la **manière**, le **temps**, le **lieu** et la **quantité** de ce qui est exprimé dans la phrase.

<u>Partout</u>, les hérons s'enfuient <u>rapidement</u> au moindre bruit.

Je les ai vus <u>souvent</u> le faire sur le lac.

Dans la première phrase, on trouve un premier adverbe qui exprime le lieu: **Partout***. Le suivant,* **rapidement***, indique la manière dont s'enfuient les hérons. Dans la deuxième phrase, l'adverbe* **souvent** *indique que les hérons se sont enfuis plusieurs fois pendant un certain temps.*

- Un adverbe peut exprimer l'**affirmation** ou la **négation**.

<u>Vraiment</u>, je vous le dis! Je <u>n'</u>avais <u>jamais</u> vu un chêne pareil.

Vraiment: *adverbe d'affirmation*   **n'... jamais:** *adverbe de négation*

➤ p. 40-43, n° 3

- Un adverbe indique aussi le **degré** d'un adjectif ou d'un autre adverbe.

C'était <u>très</u> impressionnant.

L'adverbe **très** *précise que l'impression ressentie est forte, que le degré est élevé.* **Très** *permet de nuancer l'adjectif* **impressionnant***.*

- D'autres adverbes comme *puis, donc, ensuite, enfin, après, finalement, premièrement...* sont des **marqueurs de relation** ou des **connecteurs** dans un texte. Ils aident à structurer la façon de présenter les informations dans le texte.

➤ p. 209, n° 2

Premièrement, l'aspect de mon ami avait changé et tout le monde pouvait le constater. Deuxièmement, être identique ne signifiait pas seulement pour moi avoir les mêmes petits points rouges sur le visage et les mêmes dents en désordre, mais aussi penser et réagir comme lui.

Le Congrès des laids

⭐
• Enfin, des adverbes qu'en appelle aussi **mots de négation**, *ne… pas*, *ne… jamais*, *ne… plus*, expriment un **degré** nul.

Ce n'était pas impressionnant.

*Les mots de négation **ne… pas** précisent que l'impression ressentie est plus que faible, qu'elle n'existe pas du tout. Le degré est nul.*

5. Quelles fonctions un adverbe occupe-t-il dans la phrase ?

• Un adverbe peut occuper la fonction de **complément de phrase**. Il complète ainsi la phrase.

Hier, il a plu toute la journée.

D'abord, mon frère ira se baigner.

Ensuite, il ira rencontrer la voisine.

• Un adverbe peut occuper la fonction de complément du verbe, de l'adjectif ou d'un autre adverbe. Il **complète ainsi le verbe, l'adjectif ou un autre adverbe**.

Le téléphone fonctionne très mal.
↓
*complément de l'adverbe **mal***

On entend des bruits <u>très</u> bizarres.

↓

complément de l'adjectif **bizarres**

Le technicien le réparera <u>rapidement</u>.

↓

complément du verbe **réparera**

➤ p. 146-148, n° 2

6. Comment se forment les adverbes en -ment ?

- La plupart des adverbes qui se terminent par **-ment** sont formés en ajoutant **-ment** au féminin de l'adjectif.

ADJECTIFS AU FÉMININ	ADVERBES	ADJECTIFS AU FÉMININ	ADVERBES
joyeuse	joyeusement	amoureuse	amoureusement
courageuse	courageusement	candide	candidement
affectueuse	affectueusement	rapide	rapidement
première	premièrement	triste	tristement
heureuse	heureusement	aveugle	aveuglément

- Les adjectifs qui se terminent par **-ent** forment leur adverbe en **-emment**.

prud<u>ent</u>   prud<u>emment</u>
impati<u>ent</u>   impati<u>emment</u>

- Les adjectifs qui se terminent par **-ant** forment leur adverbe en **-amment**.

brill<u>ant</u>   brill<u>amment</u>
sav<u>ant</u>   sav<u>amment</u>

7. Quels sont les principaux sens exprimés par les adverbes?

adverbes de lieu	ailleurs, autour, dedans, dehors, ici, là, loin, partout, près…
adverbes de temps	alors, après-demain, aujourd'hui, aussitôt, avant-hier, bientôt, déjà, demain, depuis, encore, enfin, ensuite, hier, jamais, longtemps, maintenant, parfois, puis, quelquefois, soudain, souvent, tard, tôt, toujours…
adverbes de manière	ainsi, bien, comme, debout, ensemble, exprès, mal, mieux, plutôt, si, vite… *et les adverbes en -ment :* doucement, rapidement…
adverbes de quantité	assez, aussi, autant, beaucoup, moins, peu, plus, presque, tout, très…
adverbes d'affirmation et de négation	ne… jamais, ne… pas, ne… plus, ne… rien, non, oui, peut-être, si, vraiment…

19

RECONNAÎTRE UNE PRÉPOSITION

On appelle préposition une classe de mots invariables qui relient des groupes de mots à l'intérieur d'une même phrase.

Qu'est-ce que c'est ?

I. Comment se comporte une préposition ?

- Une préposition **peut être remplacée** par une autre préposition. On ne doit pas nécessairement en chercher un synonyme, mais plutôt un autre mot qui respecte la **structure** de la phrase.

Marco est allé dans une boutique de cadeaux <u>avec</u> son cousin.

Marco est allé dans une boutique de cadeaux <u>sans</u> son cousin.

- Une préposition **ne peut pas être déplacée**.

Le drapeau flotte <u>sur</u> l'édifice.

⊘ Le drapeau <u>sur</u> flotte l'édifice.

- Une préposition **ne peut pas être effacée**.

Le drapeau flotte <u>sur</u> l'édifice.

⊘ Le drapeau flotte ~~sur~~ l'édifice.

Le drapeau <u>flotte sur l'édifice</u>.

$\downarrow$

verbe **flotte** + CI

2. À quoi sert une préposition ?

- Une préposition relie un verbe et un groupe du nom pour former un groupe **complément indirect (CI)**.

Le drapeau <u>flotte</u> sur <u>l'édifice</u>.

verbe **flotte** + préposition **sur** + groupe du nom **l'édifice**
(CI)

➤ p. 185-188, n° 8

- Elle relie un verbe et un groupe du verbe à l'infinitif pour former un groupe **complément indirect (CI)**.

Le chauffeur d'autobus se <u>prépare</u> à <u>freiner</u>.

verbe **prépare** + préposition **à** + verbe **freiner**
(CI)

Attention

On doit penser à écrire un verbe à l'infinitif lorsqu'il suit les prépositions *à*, *de*.

➤ p. 191-192, n° 13

- Elle relie un nom et un autre groupe du nom pour former un groupe **complément du nom**.

Le drapeau flotte sur l'<u>édifice</u> de <u>la municipalité</u>.

nom **édifice** + préposition **de la** + groupe du nom **la municipalité**
(complément du nom **édifice**)

➤ p. 127-129, n° 13

- Elle relie un adjectif et un groupe de mots pour former un groupe **complément de l'adjectif**.

Les fourmis sont <u>tristes</u> de <u>déplacer leur nid</u>.

adjectif **tristes** + *préposition* **de** + *groupe du verbe* **déplacer leur nid**
(complément de l'adjectif **tristes***)*

➤ p. 145-146, n° 1

- Certaines prépositions (*après, chez, sauf…*) expriment un sens **précis, limité** ; d'autres ont de **nombreux sens différents** (*à, de, pour…*).

3. Quelles formes peuvent prendre les prépositions ?

- Les prépositions peuvent compter **un** ou **plusieurs mots**.

un mot : à, dans, de, pour, sans…

plusieurs mots : à cause de, grâce à, loin de, au lieu de…

TABLEAU RÉCAPITULATIF

Préposition	Sens de la préposition
à	la fonction : une tasse à café le lieu : à Ottawa, au café la qualité : une veste à carreaux le temps : à dix heures
après	le temps : après le dîner
avant	le temps : avant midi
avec	l'accompagnement : avec Gabriel la manière : avec douceur le moyen : avec un crayon de couleur
chez	le lieu : chez le coiffeur
dans	le lieu : dans le salon le temps : dans trois jours
de	la cause : vert de peur le contenu : un bol de soupe le lieu : de la plage, du village la manière : de bonne humeur la matière : une boule de neige la possession : le camion de papa le temps : de cinq heures à six heures
depuis	le temps : depuis un mois
derrière	le lieu : derrière le lit
dès	le temps : dès le coucher du soleil
devant	le lieu : devant la fenêtre

Préposition	Sens de la préposition
en	le lieu : en Gaspésie la manière : en avion la matière : un sol en marbre le temps : en trois secondes
entre	le lieu : entre les deux fauteuils
malgré	la concession : malgré ce malentendu
par	l'agent : Il a été surpris par la pluie. le lieu : par là-bas la manière : par les pieds le moyen : par avion
parmi	le lieu : parmi les arbres
pendant	le temps : pendant les vacances
pour	le but : pour courir plus vite le temps : pour la semaine prochaine
sans	l'accompagnement : sans ses parents la manière : sans barbe le moyen : sans marteau
sauf	l'exclusion : sauf Gabriel
sous	le lieu : sous un tas de feuilles mortes
sur	le lieu : sur la terrasse
vers	le lieu : vers le carrefour le temps : vers le milieu de la nuit
à cause de	la cause : à cause du mauvais temps
à condition de	la condition : à condition de vouloir

Préposition	Sens de la préposition
à la manière de	la comparaison : écrire une fable à la manière de La Fontaine
à travers	le lieu : à travers les champs le temps : à travers les siècles
afin de	le but : afin de vous satisfaire
au-delà de	le lieu : au-delà de la vallée le temps : au-delà de l'été
au-dessous de	le lieu : au-dessous de l'arbre
au-dessus de	le lieu : au-dessus du garage
au lieu de	la comparaison : au lieu d'un manteau
dans l'intention de	le but : dans l'intention de vous plaire
de manière à	le but, la conséquence : de manière à éviter les embouteillages
en face de	le lieu : en face de la boulangerie
en raison de	la cause : en raison de la tempête
grâce à	la cause : grâce à ton aide
jusqu'à	le lieu : jusqu'à la Lune le temps : jusqu'à notre retour
loin de	le lieu : loin de toi, loin des maisons
près de	le lieu : près de toi, près des maisons

20

★ RECONNAÎTRE
UN COORDONNANT
ET UN SUBORDONNANT

On appelle coordonnant et subordonnant une classe de mots invariables qui marquent des rapports entre les groupes de mots.

Qu'est-ce que c'est ?

Les coordonnants

I. Comment se comporte un coordonnant ?

> • Un coordonnant **peut être remplacé** par un **autre coordonnant**. On ne doit pas nécessairement en chercher un synonyme, mais plutôt un autre mot qui respecte la **structure** de la phrase.

Les tigres poursuivent leur proie dans les rivières <u>ou</u> entre deux îles.

Les tigres poursuivent leur proie dans les rivières <u>et</u> entre deux îles.

> • Un coordonnant **ne peut pas être déplacé**.

Les tigres poursuivent leur proie dans les rivières <u>ou</u> entre deux îles.

Les tigres poursuivent leur proie dans les rivières entre <u>ou</u> deux îles.

2. À quoi sert un coordonnant?

• Les coordonnants servent à **relier** des **groupes de mots** qui occupent la même fonction (sujet, CD...). On les appelle aussi des **conjonctions de coordination**.

Mon père <u>et</u> ma mère rêvent de voyager.

Véronique visitera la Grèce <u>ou</u> l'Italie.

• Les coordonnants **marquent des rapports** entre les groupes de mots. On les appelle aussi des **marqueurs de relation** ou des **connecteurs** : *et, ou* expriment une relation de coordination.

Cette enseignante était à la fois douce <u>et</u> exigeante.

➤ p. 17, n° 19
➤ p. 54-57, n°s 5, 6

3. Quels sont les principaux coordonnants?

• Les principaux coordonnants sont : *car, et, mais, ni, or, ou*.

Il ne faut pas crier pendant la sieste, <u>car</u> cela réveillerait le bébé.

J'aime la mangue <u>mais</u> je déteste le cantaloup.

!Attention

Un coordonnant peut être suivi d'un adverbe.

Le chat a mangé la souris, <u>et</u> <u>puis</u> il est allé se reposer sous le grand chêne.

        ⬇   ⬇

   coordonnant adverbe

4. *Comment se comporte un subordonnant ?*

- Un subordonnant **peut être remplacé** par **un autre subordonnant**. On ne doit pas nécessairement en chercher un synonyme, mais plutôt un autre mot qui respecte la **structure** de la phrase.

J'ai couru <u>quand</u> un ours m'a surpris.
↓
J'ai couru <u>lorsqu</u>'un ours m'a surpris.

- Un subordonnant **ne peut pas être déplacé**.

J'ai couru <u>quand</u> un ours m'a surpris.

 J'ai couru un ours <u>quand</u> m'a surpris.

5. *À quoi sert un subordonnant ?*

- Les subordonnants servent à **relier** une **subordonnée** à un **verbe** ou à un **adjectif**. On les appelle aussi des **conjonctions de subordination**.

Mon voisin souhaite <u>que</u> nous dînions ensemble.

Mon voisin est heureux <u>que</u> nous dînions ensemble.

➤ p. 212-214, n°s 1, 2

- Les subordonnants marquent des rapports entre les groupes de mots. C'est pourquoi on les appelle aussi des **marqueurs de relation** ou des **connecteurs**. *Parce que* et *puisque* expriment une relation de **cause à effet** et *comme*, un rapport de **comparaison**.

Le jaguar s'approche furtivement de ses proies <u>parce qu</u>'il ne peut courir vite sur de longues distances.

On comprend que le jaguar se fatigue vite à courir sur de longues distances (cause). En raison de cette limite physique, il a besoin de surprendre ses proies afin de pouvoir frapper rapidement (effet). Il s'en approche donc discrètement. Une cause entraîne ici un effet.

Sean joue du violon aujourd'hui <u>comme</u> il l'a fait hier.

Dans cet exemple, on compare deux performances de Sean, celle d'hier et celle d'aujourd'hui. On trouve que les deux sont assez semblables.

21

★ RECONNAÎTRE UNE SUBORDONNÉE

On appelle subordonnée une phrase qui dépend d'une autre phrase.

Qu'est-ce que c'est ?

★ I. Comment se comporte une subordonnée ?

- On peut **ajouter** une subordonnée à une phrase, à un verbe, à un nom, à un pronom ou à un adjectif. La subordonnée joue le rôle de **complément**.

Lorsque vient l'automne, c'est le temps des pommes.

*complément de la phrase **c'est le temps des pommes.***

Je pense que Catherine cueille des pommes dans le verger.

*complément du verbe **pense***

Les grosses pommes qu'elle cueille sont sucrées.

*complément du nom **pommes***

C'est elle qui en cueille le plus grand nombre.

*complément du pronom **elle***

Je suis heureuse qu'Anne-Josée veuille bien l'accompagner.

*complément de l'adjectif **heureuse***

2. Comment se construit une subordonnée?

Une subordonnée est toujours **introduite** par un pronom relatif ou par un subordonnant.

J'aime les chansons <u>qui</u> me font danser.

pronom relatif

Je pense <u>que</u> tu devrais faire tes devoirs.

subordonnant

Je lirai <u>pendant que</u> tu joueras du piano.

subordonnant

Le bébé pleure <u>quand</u> son père le quitte.

subordonnant

➤ p. 171-172, n° 17
➤ p. 210-211, n° 5

• Une subordonnée **dépend** toujours d'une autre phrase. Elle ne peut être dite ni écrite seule.

Je <u>pense</u> que Catherine cueille des pommes dans le verger.

Ø <s>Je pense</s> que Catherine cueille des pommes dans le verger.

Les grosses <u>pommes</u> qu'elle cueille sont sucrées.

Ø <s>Les grosses pommes</s> qu'elle cueille sont sucrées.

C'est <u>elle</u> qui en cueille le plus grand nombre.

Ø <s>C'est elle</s> qui en cueille le plus grand nombre.

Je suis <u>heureuse</u> qu'Anne-Josée veuille bien l'accompagner.

⊘ ~~Je suis heureuse~~ qu'Anne-Josée veuille bien l'accompagner.

3. Quelles fonctions la subordonnée occupe-t-elle dans la phrase?

- Une subordonnée peut occuper la fonction de **complément de phrase**. Le premier mot est un subordonnant.

Quand le soleil se couche, les nuages s'enroulent dans un duvet rosé.

➤ p. 92-93, 94-95, n°s 1, 4
➤ p. 210-211, n° 5

- La **subordonnée** peut aussi occuper la fonction de **complément du verbe**. Le premier mot est un subordonnant. Parfois, la subordonnée forme un complément essentiel au verbe. Elle ne peut alors être effacée.

Il faut <u>que</u> je trouve mon étui à lunettes.

Je t'attendrai <u>parce que</u> tu dois prendre une douche.

*Il **faut** toujours **quelque chose**. Le verbe **falloir** ne s'emploie pas seul, alors qu'**attendre** peut se dire seul.*

➤ p. 104-105, 109-110, n°s 1, 7
➤ p. 210-211, n° 5

- Elle peut occuper la fonction de **complément du nom** ou **du pronom**. Le premier mot est un pronom relatif.

Il ressemble à un crapaud <u>qui</u> tente de fuir devant un chien.

Le poisson que tu as pêché est une truite mouchetée.

Connais-tu mon amie ? C'est celle dont je t'ai déjà parlé.

➤ p. 117-118, 125-127, n°s 1, 12
➤ p. 171-172, n° 17

• Enfin, la subordonnée peut occuper la fonction de **complément de l'adjectif**. Le premier mot est un subordonnant.

Je suis certaine que mes parents seront d'accord.

➤ p. 145-146, n° 1
➤ p. 210-211, n° 5

4. À quoi sert une subordonnée ?

• Une subordonnée apporte des éléments d'**information** supplémentaires à la phrase. Dans certains cas, ces éléments sont **nécessaires** pour compléter le verbe et donner une bonne structure à la phrase.

Mon voisin souhaite que nous dînions ensemble.
↓
complément nécessaire

Je vous attendrai afin que nous dînions ensemble.
↓
complément non nécessaire

Conjugaison

DÉCOMPOSER UN VERBE

Dans un **verbe conjugué**, on trouve un radical suivi d'une terminaison qui contient une finale.

1. Qu'est-ce qu'un verbe conjugué ?

- Un verbe conjugué est un verbe qui **varie selon la personne grammaticale**.

je <u>lisais</u>   ils <u>ont lu</u>   <u>lisons</u>   que tu <u>lises</u>

elle <u>lut</u>   vous <u>lirez</u>   elles <u>liraient</u>

! *Attention*

> Il existe des verbes qui s'emploient uniquement avec le pronom *il*.

<u>il</u> vente, <u>il</u> neige, <u>il</u> pleut, <u>il</u> faut

je vente, elle neige, ils pleuvent, vous fautez

➤ p. 178-179, n° 1

- Un verbe conjugué fait partie d'une phrase. C'est le **noyau** du groupe prédicat (GP) de la phrase.

Nous <u>sortirons nos affaires du salon.</u>
↓   ↓
GS   GP

Dans cette phrase, le noyau du GS est le pronom **Nous**, *alors que le noyau du GP est le verbe conjugué* **sortirons**.

- Un verbe conjugué est un mot **receveur** dans une phrase.

➤ p. 10-11, n° 11
➤ p. 183-185, n° 7

2. Quelles sont les parties d'un verbe conjugué?

- Un verbe conjugué se compose de **deux parties**: un **radical** et une **terminaison** qui contient une **finale**.

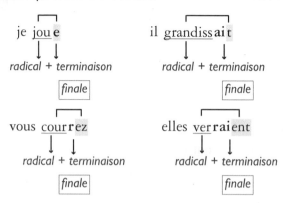

- Le radical est la première partie du verbe. Il porte le **sens** du verbe. Le radical contient des lettres communes aux **mots de même famille**.

➤ p. 391, n° 1

- La terminaison est la deuxième partie du verbe. Elle indique le **mode**, le **temps**, le **nombre** et la **personne** d'un verbe conjugué.

- La fin de la terminaison d'un verbe conjugué s'appelle la **finale**. Elle fait ressortir les distinctions entre les personnes des conjugaisons et entre les verbes. Parfois, c'est une lettre muette, ou alors, un groupe de lettres qui forment un son particulier.

Je li**s**, tu li**s**, elle/il/on li**t**,

nous lis**ons**, vous lis**ez**, elles/ils lis**ent**

- Dans certains cas, la terminaison et la finale sont **identiques**.

je jou**e**

terminaison = finale

vous vo**y ez**

terminaison = finale

j'aim**ais**

terminaison ≠ finale

vous aim**iez**

terminaison ≠ finale

3. Qu'est-ce qu'un verbe non conjugué ?

- Un verbe non conjugué est un verbe qui ne varie pas selon la personne grammaticale. C'est un verbe à l'**infinitif** ou au **participe** présent ou passé.

MARCHER		
Verbe conjugué à l'imparfait de l'indicatif	Verbe non conjugué (infinitif)	Verbe non conjugué (participe présent)
je marchais, tu marchais…	marcher	marchant

AIMER		
Verbe conjugué au subjonctif présent	Verbe non conjugué (infinitif)	Verbe non conjugué (participe présent)
que j'aime, que tu aimes…	aimer	aimant

FINIR		
Verbe conjugué à l'impératif présent	Verbe non conjugué (infinitif)	Verbe non conjugué (participe présent)
finis, finissons, finissez	finir	finissant

4. Quels sont les modes de conjugaison d'un verbe?

• Les modes qui se conjuguent sont l'**indicatif**, le **subjonctif** et l'**impératif**.

AVOIR	JOUER	GRANDIR
Verbe conjugué au mode indicatif temps : présent	Verbe conjugué au mode subjonctif temps : présent	Verbe conjugué au mode impératif temps : présent
j'ai	que je joue	Ø
tu as	que tu joues	grandis
elle a	qu'il joue	Ø
nous avons	que nous jouions	grandissons
vous avez	que vous jouiez	grandissez
ils ont	qu'elles jouent	Ø

➤ p. 272, n° I

5. Quels sont les temps simples du verbe?

- Les temps simples du mode indicatif sont le **présent**, l'**imparfait**, le **futur simple**, le **conditionnel présent** et le **passé simple**.

Mode indicatif

temps : présent	temps : imparfait	temps : futur simple	temps : conditionnel présent	temps : passé simple
j'aime	j'aimais	j'aimerai	j'aimerais	j'aimai

- Le temps simple du mode impératif est le **présent**. Le temps simple du mode subjonctif est aussi le **présent**.

Mode impératif	**Mode subjonctif**
temps : présent	temps : présent
aime	que j'aime

6. Quels sont les temps composés du verbe à l'indicatif?

- Les temps composés les plus utilisés du mode indicatif sont le **passé composé**, le **plus-que-parfait**, le **futur antérieur** et le **conditionnel passé**.

j'ai aimé	j'avais aimé
passé composé	*plus-que-parfait*
j'aurai aimé	j'aurais aimé
futur antérieur	*conditionnel passé*

7. Qu'est-ce qui distingue les temps simples des temps composés?

- Le verbe conjugué aux temps simples est formé d'**un seul mot**. Le verbe conjugué aux temps composés est formé de **deux ou trois mots** : l'auxiliaire *avoir* ou l'auxiliaire *être* suivi d'un participe passé.

Les hommes <u>réparent</u> la roue de la charrette.	*un mot*
Les hommes <u>ont réparé</u> la roue de la charrette.	*deux mots dont le premier est l'auxiliaire* **avoir**
La charrette <u>est réparée</u> par les hommes.	*deux mots dont le premier est l'auxiliaire* **être**
La charrette <u>a été réparée</u> par les hommes.	*trois mots dont l'auxiliaire* **être** *à un temps passé*

8. Qu'est-ce qu'un auxiliaire?

- On appelle auxiliaires les verbes *être* et *avoir* quand ils servent à former les temps composés d'un verbe.

9. Comment se comporte le radical d'un verbe conjugué?

- Le radical d'un verbe peut prendre **différentes formes** quand il est conjugué. Ces formes présentent parfois des **prononciations différentes**.

<u>jou</u>er :　je <u>jou</u>e　　je <u>jou</u>ais 　　　　nous <u>jou</u>erions	*deux formes,* *une prononciation*

mang er : je mang e   je mange ais | *deux formes,*
             nous mange rions | *deux prononciations*

10. Comment se comportent la terminaison et la finale d'un verbe conjugué ?

- La personne à laquelle un verbe est conjugué détermine la terminaison et la finale de ce dernier. Ainsi, le pronom de conjugaison joue le rôle de **donneur sujet**.

j'aim e   tu aim e s   on aim e

nous aim ons   vous aim ez   ils aim ent

j'aim ai s   tu aim ai s   on aim ai t

nous aim i ons   vous aim i ez   ils aim ai ent

j'aime r ai   tu aime ra s   on aime r a

nous aime r ons   vous aime r ez   ils aime r ont

- Les terminaisons et les finales d'un verbe conjugué sont **fixes** en fonction des pronoms de conjugaison qui les accompagnent, à l'**imparfait**, au **futur simple** et au **conditionnel présent**.

Pronom personnel donneur sujet	Mode indicatif		
	temps : imparfait	temps : futur simple	temps : conditionnel présent
je	ais	rai	rais
tu	ais	ras	rais
elle/il, on	ait	ra	rait
nous	ions	rons	rions
vous	iez	rez	riez
elles/ils	aient	ront	raient

- Les terminaisons et les finales des **verbes en -er** sont fixes à l'**indicatif présent**, à l'exception de celles du verbe *aller*, et au **subjonctif présent**, à l'exception du verbe *être*.

Mode indicatif verbe en -er (sauf *aller*) temps : présent	e, es, e, ons, ez, ent
Mode subjonctif (sauf *être*) temps : présent	e, es, e, ions, iez, ent

Verbe **aller** au présent de l'indicatif : je vais, tu vas, il va, nous allons, vous allez, elles vont

Verbe **être** au subjonctif présent : que je sois, que tu sois, qu'il soit, que nous soyons, que vous soyez, qu'elles soient

11. Qu'est-ce qu'un groupe de conjugaison?

- C'est un **ensemble de verbes** qui présentent des **formes semblables** quand ils sont conjugués.

AIMER	JOUER
j'aim e	je jou e
tu aim es	tu jou es
elle/il, on aim e	elle/il, on jou e
nous aim ons	nous jou ons
vous aim ez	vous jou ez
elles/ils aim ent	elles/ils jou ent

FINIR	GRANDIR
je fini s	je grandi s
tu fini s	tu grandi s
elle/il, on fini t	elle/il, on grandi t
nous finiss ons	nous grandiss ons
vous finiss ez	vous grandiss ez
elles/ils finiss ent	elles/ils grandiss ent

12. Qu'est-ce que le premier groupe?

- Le **premier groupe** rassemble les verbes dont l'**infinitif** est en **-er**, à l'exception du verbe *aller*. Tous ces verbes contiennent **les mêmes terminaisons et les mêmes finales**.

   chanter, manger, jouer, rouler, laver, crier, bouger, lancer, avancer, nager…

- Constitué de plus de 10 000 verbes, c'est le groupe **le plus important**. Quand on a besoin de créer un verbe nouveau, c'est sur le modèle de ce groupe qu'on le bâtit.

   téléviser, informatiser…

- Un verbe du premier groupe peut contenir des **variations** de radical même s'il possède toujours les mêmes terminaisons. Son radical peut prendre **différentes formes** et il peut changer de **prononciation**.

   je <u>nettoi</u> e, vous <u>nettoie</u> riez, nous <u>nettoy</u> ons | *trois formes, deux prononciations*

13. Qu'est-ce que le deuxième groupe?

- Le **deuxième groupe** rassemble les verbes dont l'**infinitif** est en **-ir** et le **participe présent** en **-issant**.

   fin<u>ir</u>, grand<u>ir</u>, accompl<u>ir</u>, adouc<u>ir</u>, amoll<u>ir</u>, arrond<u>ir</u>, approfond<u>ir</u>, embell<u>ir</u>…

   fin<u>issant</u>, grand<u>issant</u>, accompl<u>issant</u>, adouc<u>issant</u>, amoll<u>issant</u>, arrond<u>issant</u>, approfond<u>issant</u>, embell<u>issant</u>…

- Beaucoup plus petit que le premier groupe (300 verbes environ), le deuxième groupe rassemble néanmoins presque tous les verbes en **-ir**.

- Le radical d'un verbe conjugué du deuxième groupe peut connaître des variations de **formes** et de **prononciations**.

grand ir : je grandi s, je grandi rai,
       nous grandi rions, nous grandiss ions,
       grand i

     trois formes,
     trois prononciations

14. Qu'est-ce que le troisième groupe ?

- Le **troisième groupe** rassemble **tous les autres verbes**, dont certains que l'on utilise très fréquemment, qui ne sont ni du premier ni du deuxième groupe. Il contient quelque 300 verbes.

Verbe en **-er** : aller

Verbes en **-ir** (participe présent **-ant**) : dormir, sortir, tenir…

Verbes en **-oir** : avoir, pouvoir, voir, vouloir, savoir…

Verbes en **-re** : être, boire, craindre, prendre, entendre, écrire, lire, dire, répondre, mettre…

- Le radical d'un verbe conjugué du troisième groupe connaît toujours plusieurs variations de **formes** et de **prononciations**.

je di s, nous dis ons, vous dit es

je meur s, nous mour ons, elles mour urent

je voi s, nous voy ons, tu ver ras, je vi s

je sai s, nous sav ons, elle sau ra, ils s urent, qu'il sach e

je vai s, tu va s, nous all ons, ils v ont, on i ra, que tu aill es

15. Quelles sont les personnes d'un verbe ?

• Le verbe se conjugue à **trois personnes** : la **première**, la **deuxième** et la **troisième**.

1re personne :	Je <u>suis</u> heureux.	Nous <u>sommes</u> heureux.
2e personne :	Tu <u>es</u> grande.	Vous <u>êtes</u> grandes.
3e personne :	Elle <u>descend</u> la pente.	Elles <u>descendent</u> la pente.

16. Quel est le nombre d'un verbe ?

• Le verbe est au **singulier** ou au **pluriel**.

Je <u>suis</u> heureux.	Nous <u>sommes</u> heureux.
Tu <u>es</u> grande.	Vous <u>êtes</u> grandes.
Elle <u>descend</u> la pente.	Elles <u>descendent</u> la pente.
singulier	*pluriel*

17. Quel est le genre d'un verbe ?

• Le **participe passé** est la seule forme du verbe qui s'écrit au **masculin** ou au **féminin**.

singulier	*singulier*
Il est arriv<u>é</u>.	Elle est arriv<u>ée</u>.
pluriel	*pluriel*
Ils sont arriv<u>és</u>.	Elles sont arriv<u>ées</u>.
masculin	*féminin*

Le radical peut changer de forme en fonction de l'orthographe de la **terminaison**.

I. *Comment écrire les verbes en -er ?*

- Les verbes du premier groupe comme *aimer* ont **deux formes écrites** de radical qui **se prononcent de la même façon** : AIM et AIME. La deuxième forme contient un e muet qu'on place devant la terminaison du futur simple et du conditionnel présent.

  <u>aim</u> er : j'<u>aim</u> e j'<u>aim</u> ais j'<u>aime</u> rai j'<u>aime</u> rais

  ➤ p. 280-282, nᵒˢ I, 2

- Certains verbes du premier groupe comme *manger* ont **deux formes écrites** de radical qui **se prononcent de la même façon**. La deuxième forme contient un e muet qu'on place devant la terminaison du futur simple et du conditionnel présent et devant une terminaison qui commence par **les lettres-voyelles a** et **o** : MANGE.

  <u>mang</u> er : je <u>mang</u> e je <u>mange</u> rai je <u>mange</u> ais

- D'autres verbes du premier groupe ont **trois formes écrites** de radical dont **certaines se prononcent de la même façon**. Une des formes correspond au radical de l'infinitif. Une autre contient un e muet qu'on place devant la terminaison du futur simple et du conditionnel présent. Une troisième est placée devant une terminaison qui commence par un e muet.

  <u>nettoy</u> er : nous <u>nettoy</u> ons elle <u>nettoie</u> ra ils <u>nettoi</u> ent

On **prononce** le e devant la terminaison du conditionnel présent à la 1re et à la 2e personne du pluriel de certains verbes du premier groupe.

nous aim**e** rions

vous jett**e** riez

MAIS

nous essui**e** rions

vous ennui**e** riez

- Enfin, les verbes *envoyer* et *renvoyer* présentent **trois formes écrites de radical** qui se prononcent différemment : ENVOI, ENVOY, ENVER. Elles ne contiennent pas de **e** muet avant la terminaison du futur simple et du conditionnel présent.

envoy er :   j'envoi e   j'envoy ais   j'enver rais

2. Comment écrire les verbes en -cer ?

- La lettre **c** des verbes du premier groupe comme *placer* se change en **ç** devant les lettres-voyelles **a** et **o** : PLAC devient PLAÇ. Les trois formes du radical, PLAC, PLAÇ et PLACE, **se prononcent toutes** avec un **c** doux.

PLACER		
je plac e	je plaç ais	je place rai
tu plac es	tu plaç ais	tu place ras
il plac e	elle plaç ait	il place ra
nous plaç ons	nous plac ions	nous place rons
vous plac ez	vous plac iez	vous place rez
elles plac ent	ils plaç aient	elles place ront

Verbes du type placer :
annoncer, avancer, balancer, bercer, commencer, divorcer, effacer, enfoncer, glacer, grincer, lancer, prononcer

➤ p. 280-282, n°s 1, 2

3. Comment écrire les verbes en -ger?

- La lettre **g** des verbes du premier groupe comme *manger* est toujours suivie d'un **e** devant les lettres-voyelles **a** et **o** et devant la terminaison du futur simple et du conditionnel présent : MANG devient MAN**GE**. Les deux formes du radical se prononcent avec un **g** doux.

MANGER		
je mang e	je mange ais	je mange rais
tu mang es	tu mange ais	tu mange rais
il mang e	elle mange ait	il mange rait
nous mange ons	nous mang ions	nous mange rions
vous mang ez	vous mang iez	vous mange riez
elles mang ent	ils mange aient	elles mange ront

Verbes du type manger :

allonger, arranger, changer, charger, corriger, diriger, encourager, engager, exiger, figer, interroger, juger, loger, mélanger, nager, neiger, partager, plonger, prolonger, ranger, rédiger, ronger, venger, voyager

➤ p. 280-282, nos 1, 2

4. Comment écrire les verbes en -uyer et -oyer?

- La lettre **y** des verbes du premier groupe comme *nettoyer* et *essuyer* se change en **i** devant une terminaison avec **e** muet et en **ei** devant une terminaison du futur simple et du conditionnel présent : NETTOY devient NETTO**I** ou NETTO**IE** et ESSUY devient ESSU**I** ou ESSU**IE**, selon le cas.

ESSUYER		NETTOYER	
j'essui e	j'essuie rai	je nettoi e	je nettoie rai
tu essui es	tu essuie ras	tu nettoi es	tu nettoie ras
il essui e	on essuie ra	elle nettoi e	il nettoie ra
nous essuy ons	nous essuie rons	nous nettoy ons	nous nettoie rons
vous essuy ez	vous essuie rez	vous nettoy ez	vous nettoie rez
ils essui ent	ils essuie ront	elles nettoi ent	elles nettoie ront

Verbes du type essuyer et nettoyer :

aboyer, appuyer, employer, ennuyer, noyer

- Les verbes du premier groupe comme *envoyer* et *renvoyer* ne contiennent pas de *e* muet devant la terminaison du futur simple et du conditionnel présent. La radical de ces verbes connaît donc **trois formes** ENVOI, ENVOY et ENVER ou RENVOI, RENVOY et RENVER qui se **prononcent différemment**.

ENVOYER	RENVOYER
j'enver rai	je renver rais
tu enver ras	tu renver rais
il enver ra	il renver rait
nous enver rons	nous renver rions
vous enver rez	vous renver riez
ils enver ront	ils renver raient

5. Comment écrire les verbes en -é + consonne + er?

- La lettre **é** (accent aigu) des verbes du premier groupe comme *céder* se change en **è** (accent grave) à toutes les personnes du singulier et à la 3ᵉ personne du pluriel, au **présent de l'indicatif** et **du subjonctif**: CÉD devient CÈD. Le radical prend **trois formes**: CÉD, CÉDE ou CÈD, selon le cas.

céd er : nous céd ons   je céde rai   tu cèd es   vous céde riez

Verbes du type céder :

accélérer   (elles accélér aient, il accélére ra, ils accélèr ent)

ébrécher, opérer, protéger, espérer, pécher, régler, compléter, lécher, pénétrer, répéter, digérer, libérer, préférer, sécher

6. Comment écrire les verbes en -e + consonne + er?

- La lettre **t** ou **l** des verbes du premier groupe comme *jeter* et *appeler* devient **tt** ou **ll** devant une syllabe contenant un **e** muet et **tte** ou **lle** devant une terminaison du futur simple ou du conditionnel présent: JET devient JETT ou JETTE et APPEL devient APPELL ou APPELLE, selon le cas.

jet er : je jett e   je jette rai   nous jet ons   vous jette riez

appel er :   ils appell ent   tu appelle ras

vous appelle riez   nous appel ions

Verbes du type *jeter* et *appeler* :

atteler, ensorceler, grommeler, chanceler, épousseter, voleter.

- La lettre **e** des verbes du premier groupe comme *acheter*, *peler* et *semer* devient **è** (accent grave) devant une terminaison commençant par un **e** muet et devant une terminaison du futur simple et du conditionnel présent : ACHET devient ACHÈT ou ACHÈTE, PEL devient PÈL ou PÈLE et SEM devient SÈM ou SÈME, selon le cas.

j'<u>achèt</u>e, j'<u>achète</u>rai, j'<u>achet</u>ais

tu <u>pèl</u>es, tu <u>pèle</u>ras, tu <u>pel</u>ais

elle <u>sèm</u>e, il <u>sème</u>rait, elle <u>sem</u>ait

Verbes du type *acheter*, *peler* ou *semer* :

crever, lever, peser, achever, dégeler, mener, promener, amener, emmener, modeler, ramener, congeler, enlever, soulever

> Le Conseil supérieur de la langue française recommande de conjuguer tous les verbes en **-eler** et en **-eter** sur le modèle des verbes *acheter*, *peler* et *semer* afin de régulariser les conjugaisons. Les verbes *appeler*, *jeter* et leurs dérivés, ainsi que le verbe *interpeller*, font exception.

je harcèle, il ruissèle, je harcèlerai, il ruissèlera,
j'époussète, j'étiquète, il époussètera, il étiquètera,
il appelle, elle jette

7. Comment écrire les verbes en -ir comme finir et grandir ?

• Les verbes du deuxième groupe comme *finir* et *grandir* ont **trois formes écrites** de radical qui **se prononcent différemment** : FIN, FINI ou FINISS et GRAND, GRANDI ou GRANDISS, selon le cas.

fini r : je fini s   je finiss ais   je fini rai   je fini rais
         je fini s   que je finiss e   finiss ant   fin i

grandi r : je grandi s   je grandiss ais   je grandi rai   je grandi rais
           je grandi s   que je grandiss e   grandiss ant   grand i

8. Comment écrire les verbes en -ttre ?

• Les lettres **tt** des verbes du troisième groupe comme *battre* et *mettre* deviennent **t** aux deux premières personnes du singulier du présent de l'indicatif et à la deuxième personne du présent de l'impératif : BA**TT** devient BA**T** et ME**TT** devient ME**T**, selon le cas. À la troisième personne du singulier, les lettres **tt** disparaissent : BA**TT** devient BA et ME**TT** devient ME. Il y a trois formes écrites de radical.

Présent	Imparfait	Futur
je bat s	je batt ais	je mett rai
tu bat s	tu batt ais	tu mett ras
elle ba t	il batt ait	elle mett ra
nous batt ons	nous batt ions	nous mett rons

Verbes du type battre et mettre :

combattre, rabattre, admettre, commettre, permettre, promettre, soumettre, transmettre

9. Comment écrire les verbes en -aître ?

- La lettre î des verbes du troisième groupe comme *connaître* perd son accent circonflexe si elle n'est pas suivie d'un **t** : CONNAÎ devient CONNAI ou CONNAISS, selon le cas.

connaît re : je connai s   il connaî t   il connaiss ait   il conn ut

Verbes du type *connaître* :

disparaître, paraître, reconnaître

> Le Conseil supérieur de la langue française recommande de conjuguer les verbes en **-aître** sans ajouter d'accent circonflexe sur le **i**. On doit quand même conserver l'accent circonflexe quand le verbe est à l'infinitif.

connaître/elle connait   naître/il nait   paraître/on parait

RECONNAÎTRE LES FINALES ET LES TERMINAISONS DU VERBE

Les verbes ont des finales et des terminaisons qui varient en fonction de la personne et du nombre du donneur sujet.

Les finales

1. Quelles sont les finales du verbe à la première personne du pluriel?

- La finale habituelle est **-ons**, sauf pour le verbe *être*, dont la finale est **-es**.

Nous	ons
Indicatif	• tous les verbes au **présent**, à l'exception du verbe *être* Nous port**ons** un costume particulier. • tous les verbes à l'**imparfait**, au **futur simple** et au **conditionnel présent** Nous haïssi**ons** le piment fort. Nous sortir**ons** dehors. Nous couvriri**ons** ses épaules.
Subjonctif	• tous les verbes Il faut que nous sachi**ons** comment faire fonctionner l'ordinateur.
Impératif	• tous les verbes Chass**ons** les moustiques. Soy**ons** généreux.

Nous	es
Indicatif	• le verbe *être* au **présent** Nous somm<u>es</u> bien ici.
Subjonctif	∅
Impératif	∅

2. Quelles sont les finales du verbe à la deuxième personne du pluriel?

• La finale habituelle est **-ez**, sauf pour les verbes *être*, *dire* et *faire*, dont la finale est **-es**.

Vous	ez
Indicatif	• tous les verbes au **présent**, à l'exception des verbes *dire*, *être* et *faire* Vous port<u>ez</u> un costume particulier. • tous les verbes à l'**imparfait**, au **futur simple** et au **conditionnel présent** Vous haïssi<u>ez</u> le piment fort. Vous sortir<u>ez</u> dehors. Vous couvriri<u>ez</u> ses épaules.
Subjonctif	• tous les verbes Il faut que vous soy<u>ez</u> à l'arrêt d'autobus demain matin.
Impératif	• tous les verbes, à l'exception des verbes *dire* et *faire* Soy<u>ez</u> à l'arrêt d'autobus demain matin, à sept heures trente.

Vous	-es
Indicatif	• les verbes *être*, *dire* et *faire* au **présent** Vous êt<u>es</u> les bienvenues. Vous dit<u>es</u> des paroles encourageantes. Vous fait<u>es</u> un excellent travail.
Subjonctif	∅
Impératif	• les verbes *dire* et *faire* Dit<u>es</u>-nous comment faire. Fait<u>es</u> vos valises.

3. **Quelles sont les finales du verbe à la troisième personne du pluriel?**

• Ce sont les finales **-ent** ou **-ont**, qui se prononcent différemment. On y observe la forme commune **-nt**.

Elles/Ils	ent
Indicatif	• tous les verbes au **présent**, à l'exception des verbes *avoir*, *être*, *faire* et *aller* Ils pleur<u>ent</u> le départ de leur ami. • tous les verbes à l'**imparfait**, au **conditionnel présent** et au **passé simple** Ils étai<u>ent</u> les meilleurs chanteurs. Ils ferai<u>ent</u> volontiers un bon feu de camp. Ils fur<u>ent</u> les premiers arrivés au relais de ski.
Subjonctif	• tous les verbes Il faut qu'ils arrêt<u>ent</u> de jouer.
Impératif	Ø

Elles/Ils	ont
Indicatif	• tous les verbes au **futur simple** Elles fer<u>ont</u> le tour du monde. • les verbes *aller*, *avoir*, *être* et *faire* au **présent** Ils v<u>ont</u> au Mexique. Elles <u>ont</u> mal au cœur. Elles s<u>ont</u> des artistes célèbres. Ils f<u>ont</u> du dessin le mercredi après-midi.
Subjonctif	Ø
Impératif	Ø

4. Quelles sont les finales du verbe à la première personne du singulier?

- Ce sont les finales **-e**, **-ai**, **-x** et **-s**.

Je	e (muet)
Indicatif	• les verbes en **-er** au **présent** Je croqu<u>e</u> dans une pomme. • d'autres verbes : *assaillir, couvrir, cueillir, défaillir, offrir, ouvrir, souffrir* et *tressaillir* Je me couvr<u>e</u> les yeux. J'ouvr<u>e</u> la porte.
Subjonctif	• tous les verbes, à l'exception du verbe *être* Il se peut que je rang<u>e</u> ma chambre.
Impératif	Ø

Je	ai
Indicatif	• le verbe *avoir* au **présent** J'<u>ai</u> une casquette. • tous les verbes au **futur simple** J'aur<u>ai</u> un billet d'avion. Je voyager<u>ai</u> la semaine prochaine.
Subjonctif	Ø
Impératif	Ø

Je	x
Indicatif	• les verbes *pouvoir*, *valoir*, *vouloir* au **présent** Je peu<u>x</u> te croire. Je veu<u>x</u> bien te croire.
Subjonctif	∅
Impératif	∅

Je	s
Indicatif	• tous les autres verbes au **présent** Je voi<u>s</u> les oiseaux s'envoler. • tous les verbes à l'**imparfait** et au **conditionnel présent** J'allai<u>s</u> à la plage. J'irai<u>s</u> à la plage si mes parents le voulaient.
Subjonctif	• le verbe *être* Il faut que je soi<u>s</u> à l'école avant huit heures.
Impératif	∅

5. Quelles sont les finales du verbe à la deuxième personne du singulier?

• Ce sont les finales **-s**, **-x**, **-e** et **-a**.

Tu	s (généralement muet)
Indicatif	• tous les verbes au **présent**, à l'exception des verbes *pouvoir*, *valoir*, *vouloir* Tu aime<u>s</u> manger des épinards ? • tous les verbes à l'**imparfait**, au **futur simple** et au **conditionnel présent** Tu finissai<u>s</u> tes devoirs. Tu recevra<u>s</u> un cadeau. Tu boirai<u>s</u> un verre de lait. Voudrai<u>s</u>-tu me prêter ton livre ?
Subjonctif	• tous les verbes Je veux que tu vienne<u>s</u> avec nous.
Impératif	• tous les verbes en **-ir**, **-oir** et **-re**, à l'exception de *assaillir*, *avoir*, *couvrir*, *cueillir*, *offrir*, *ouvrir*, *savoir* et *souffrir* Vien<u>s</u> avec nous ! Assied<u>s</u>-toi. Écri<u>s</u>-moi !

Tu	x
Indicatif	• les verbes *pouvoir*, *valoir* et *vouloir* au **présent** Peu<u>x</u>-tu me donner un coup de main ?
Subjonctif	∅
Impératif	∅

Tu	e
Indicatif	Ø
Subjonctif	Ø
Impératif	• les verbes en **-er**, à l'exception du verbe *aller* Apport<u>e</u> tes patins. • d'autres verbes : *assaillir, avoir, couvrir, cueillir, offrir, ouvrir, savoir* et *souffrir* Offr <u>e</u>-lui ton chandail.

Tu	a
Indicatif	Ø
Subjonctif	Ø
Impératif	• le verbe *aller* V<u>a</u> chez la mère-grand.

6. Quelles sont les finales du verbe à la troisième personne du singulier?

- Ce sont les finales **-e**, **-a**, **-d** et **-t**.

Elle/Il, On	e (muet)
Indicatif	• tous les verbes en **-er** au **présent**, à l'exception du verbe *aller* Elle pens<u>e</u> à ses amis. • d'autres verbes : *assaillir, couvrir, cueillir, défaillir, offrir, ouvrir, souffrir* et *tressaillir* Il tressaill<u>e</u> de joie à la vue de son chien.
Subjonctif	• tous les verbes, à l'exception des verbes *avoir* et *être* Il faut qu'elle cour<u>e</u> et rattrap<u>e</u> le renard.
Impératif	∅

Elle/Il, On	a
Indicatif	• les verbes *aller* et *avoir* au **présent** Il v<u>a</u> au cinéma. Elle <u>a</u> un trophée. • tous les verbes au **futur simple** On croir<u>a</u> ses paroles. • tous les verbes en **-er** au **passé simple** Elle affich<u>a</u> un air triomphant.
Subjonctif	∅
Impératif	∅

Elle/Il, On	d
Indicatif	• tous les verbes en **-dre** au **présent**, à l'exception de ceux qui se terminent par **-indre** et **-soudre** à l'**infinitif** Il mou_d_ le grain. Elle décou_d_ son pantalon.
Subjonctif	∅
Impératif	∅

Elle/Il, On	t
Indicatif	• tous les autres verbes (ceux qui ne se terminent pas par **e, a, d**) Il résou_t_ son problème. Elle pein_t_ à l'acrylique. • tous les verbes en **-ir**, en **-oir** et en **-re** au **passé simple** Il se fi_t_ remarquer par la reine.
Subjonctif	• les verbes *avoir* et *être* Je veux qu'il soi_t_ revenu avant cinq heures.
Impératif	∅

7. À quelles personnes trouve-t-on le plus de variation dans les conjugaisons au mode indicatif ?

- Les finales de la **première** et de la **troisième** personne du singulier **varient** plus que toutes les autres finales.

j'a<u>i</u>   je veu<u>x</u>   je vien<u>s</u>   je vai<u>s</u>

je résou<u>s</u>   je perd<u>s</u>

elle <u>a</u>   elle veu<u>t</u>   elle vien<u>t</u>   elle v<u>a</u>

elle résou<u>t</u>   elle per<u>d</u>

8. Quelle est la personne à surveiller dans les conjugaisons à l'impératif ?

- On doit faire attention à la **deuxième personne du singulier**, car plusieurs finales sont possibles.

jou<u>e</u>, vien<u>s</u>, cueill<u>e</u>, v<u>a</u>

9. Quelles régularités peut-on observer dans les verbes conjugués au présent ?

- Au présent de l'indicatif, les verbes en **-er** (**sauf** *aller*) se conjuguent sur le modèle du verbe *aimer*. Bon nombre de verbes en **-ir** se conjuguent sur le modèle du verbe *finir*.

Mode : indicatif						Temps : présent
Terminaisons						Finales
Verbe en **-er** (sauf *aller*)	Verbe en **-ir** (issant)	Autres verbes				
jouer	**finir**	**venir**	**croire**	**voir**	**Exceptions**	
je jou**e**	je fini**s**	je vien**s**	je croi**s**	je voi**s**	j'**ai**, je peu**x**, je vau**x**, je veu**x**	**ai, e, s, x**
tu jou**es**	tu fini**s**	tu vien**s**	tu croi**s**	tu voi**s**	tu peu**x**, tu vau**x**, tu veu**x**	**s, x**
on jou**e**	il fini**t**	elle vien**t**	il croi**t**	on voi**t**	on **a**, on v**a**, on ten**d**	**e, a, t, d**
nous jou**ons**	nous finiss**ons**	nous ven**ons**	nous croy**ons**	nous voy**ons**	nous somm**es**	**ons, es**
vous jou**ez**	vous finiss**ez**	vous ven**ez**	vous croy**ez**	vous voy**ez**	vous dit**es**, vous êt**es**, vous fait**es**	**ez, es**
elles jou**ent**	ils finiss**ent**	ils vienn**ent**	elles croi**ent**	ils voi**ent**	ils f**ont**, ils s**ont**, ils v**ont**	**ent, ont**

10. Quelles régularités peut-on observer dans les verbes conjugués à l'imparfait ?

- Tous les verbes ont les mêmes terminaisons : **-ais, -ais, -ait, -ions, -iez, -aient**.

Mode : indicatif					Temps : imparfait
Terminaisons					Finales
Verbe en **-er** (sauf *aller*)	Verbe en **-ir** (issant)	Autres verbes			
jouer	**finir**	**venir**	**croire**	**voir**	
je jou**ais**	je finiss**ais**	je ven**ais**	je croy**ais**	je voy**ais**	**s**
tu jou**ais**	tu finiss**ais**	tu ven**ais**	tu croy**ais**	tu voy**ais**	**s**
on jou**ait**	elle finiss**ait**	il ven**ait**	il croy**ait**	elle voy**ait**	**t**
nous jou**ions**	nous finiss**ions**	nous ven**ions**	nous croy**ions**	nous voy**ions**	**ons**
vous jou**iez**	vous finiss**iez**	vous ven**iez**	vous croy**iez**	vous voy**iez**	**ez**
elles jou**aient**	ils finiss**aient**	elles ven**aient**	ils croy**aient**	elles voy**aient**	**ent**

11. Quelles régularités peut-on observer dans les verbes conjugués au futur simple?

- Tous les verbes ont les mêmes terminaisons: **-rai**, **-ras**, **-ra**, **-rons**, **-rez**, **-ront**.

Mode: indicatif					Temps: futur simple
Terminaisons					Finales
Verbe en **-er** (sauf *aller*)	Verbe en **-ir** (issant)	Autres verbes			
jouer	**finir**	**venir**	**croire**	**voir**	
je joue**rai**	je fini**rai**	je viend**rai**	je croi**rai**	je ver**rai**	**ai**
tu joue**ras**	tu fini**ras**	tu viend**ras**	tu croi**ras**	tu ver**ras**	**s**
on joue**ra**	elle fini**ra**	il viend**ra**	elle croi**ra**	il ver**ra**	**a**
nous joue**rons**	nous fini**rons**	nous viend**rons**	nous croi**rons**	nous ver**rons**	**ons**
vous joue**rez**	vous fini**rez**	vous viend**rez**	vous croi**rez**	vous ver**rez**	**ez**
elles joue**ront**	ils fini**ront**	elles viend**ront**	ils croi**ront**	elles ver**ront**	**ont**

12. Quelles régularités peut-on observer dans les verbes conjugués au conditionnel présent?

- Tous les verbes ont les mêmes terminaisons: **-rais, -rais, -rait, -rions, -riez, -raient**.

Mode: indicatif				Temps: conditionnel présent	
Terminaisons					Finales
Verbe en **-er** (sauf *aller*)	Verbe en **-ir** (issant)	Autres verbes			
jouer	**finir**	**venir**	**croire**	**voir**	
je joue**rais**	je fini**rais**	je viend**rais**	je croi**rais**	je ver**rais**	**s**
tu joue**rais**	tu fini**rais**	tu viend**rais**	tu croi**rais**	tu ver**rais**	**s**
il joue**rait**	elle fini**rait**	on viend**rait**	il croi**rait**	elle ver**rait**	**t**
nous joue**rions**	nous fini**rions**	nous viend**rions**	nous croi**rions**	nous ver**rions**	**ons**
vous joue**riez**	vous fini**riez**	vous viend**riez**	vous croi**riez**	vous ver**riez**	**ez**
elles joue**raient**	ils fini**raient**	elles viend**raient**	ils croi**raient**	elles ver**raient**	**ent**

13. Quel lien peut-on faire entre certaines terminaisons du verbe avoir et celles des autres verbes?

- Plusieurs verbes en **-er** comme *aimer* et plusieurs verbes en **-ir** forment leur **futur simple** et leur **conditionnel présent** à l'aide de leur infinitif suivi des terminaisons du verbe *avoir*.

AVOIR à l'indicatif présent	AIMER + terminaison du verbe *avoir* au présent	AIMER au futur simple
j'ai	aimer + **ai**	j'aime**rai**
tu as	aimer + **as**	tu aime**ras**
on a	aimer + **a**	il aime**ra**
nous avons	aimer + **ons**	nous aime**rons**
vous avez	aimer + **ez**	vous aime**rez**
elles ont	aimer + **ont**	elles aime**ront**

AVOIR à l'imparfait	AIMER + terminaison du verbe *avoir* à l'imparfait	AIMER au conditionnel présent
j'avais	aimer + **ais**	j'aime**rais**
tu avais	aimer + **ais**	tu aime**rais**
on avait	aimer + **ait**	elle aime**rait**
nous avions	aimer + **ions**	nous aime**rions**
vous aviez	aimer + **iez**	vous aime**riez**
ils avaient	aimer + **aient**	ils aime**raient**

AVOIR à l'indicatif présent	FINIR + terminaison du verbe *avoir* au présent	FINIR au futur simple
j'ai	finir + **ai**	je fini **rai**
tu as	finir + **as**	tu fini **ras**
on a	finir + **a**	il fini **ra**
nous avons	finir + **ons**	nous fini **rons**
vous avez	finir + **ez**	vous fini **rez**
elles ont	finir + **ont**	elles fini **ront**

AVOIR à l'imparfait	FINIR + terminaison du verbe *avoir* à l'imparfait	FINIR au conditionnel présent
j'avais	finir + **ais**	je fini **rais**
tu avais	finir + **ais**	tu fini **rais**
on avait	finir + **ait**	elle fini **rait**
nous avions	finir + **ions**	nous fini **rions**
vous aviez	finir + **iez**	vous fini **riez**
ils avaient	finir + **aient**	ils fini **raient**

- Des verbes comme *acheter, aller, appeler, avoir, céder, courir, devenir, devoir, envoyer, essayer, être, faire, falloir, jeter, mourir, nettoyer, peler, pouvoir, recevoir, revenir, savoir, semer, souvenir, tenir, valoir, venir, voir* et *vouloir* forment leur futur et leur conditionnel différemment.

aller	j'<u>i</u> rai, j'<u>i</u> rais
voir	je <u>ver</u> rai, je <u>ver</u> rais
jeter	je <u>jette</u> rai, je <u>jette</u> rais
semer	je <u>sème</u> rai, je <u>sème</u> rais
savoir	je <u>sau</u> rai, je <u>sau</u> rais
pouvoir	je <u>pour</u> rai, je <u>pour</u> rais
tenir	je <u>tiend</u> rai, je <u>tiend</u> rais
conclure	je <u>conclu</u> rai, je <u>conclu</u> rais
mourir	je <u>mour</u> rai, je <u>mour</u> rais
recevoir	je <u>recev</u> rai, je <u>recev</u> rais
valoir	je <u>vaud</u> rai, je <u>vaud</u> rais

14. Quel lien peut-on faire entre les terminaisons du verbe *aimer* à l'indicatif présent et celles du subjonctif présent des verbes?

- On peut utiliser les terminaisons du verbe *aimer* à l'indicatif présent pour former le subjonctif présent de tous les verbes, à l'exception des verbes *avoir* et *être*. On ajoute **i** devant **ons** et **ez**, les terminaisons des première et deuxième personnes du pluriel : **i + ons → ions** ; **i + ez → iez**.

Terminaisons et finales			
AIMER	Tous les verbes (sauf *avoir* et *être*)		
indicatif présent	subjonctif présent		
j'aim**e**	que j'aim**e**	que je finiss**e**	que je fass**e**
tu aim**es**	que tu aim**es**	que tu finiss**es**	que tu fass**es**
elle aim**e**	qu'elle aim**e**	qu'elle finiss**e**	qu'elle fass**e**
nous aim**ons**	que nous aim**ions**	que nous finiss**ions**	que nous fass**ions**
vous aim**ez**	que vous aim**iez**	que vous finiss**iez**	que vous fass**iez**
ils aim**ent**	qu'ils aim**ent**	qu'ils finiss**ent**	qu'ils fass**ent**

15. Quelles régularités peut-on observer dans les verbes au présent du subjonctif ?

- Tous les verbes (sauf *avoir* et *être*) ont les mêmes terminaisons : **-e, -es, -e, -ions, -iez, -ent**.

Mode : subjonctif				Temps : présent	
Terminaisons			Finales	Exceptions	
Verbe en **-er** jouer	Verbe en **-ir** (issant) finir	Autres verbes **venir**		*avoir*	*être*
que je jou**e**	que je finiss**e**	que je vienn**e**	**e**	que j'ai**e**	que je soi**s**
que tu jou**es**	que tu finiss**es**	que tu vienn**es**	**s**	que tu ai**es**	que tu soi**s**
qu'il jou**e**	qu'elle finiss**e**	qu'on vienn**e**	**e**	qu'il ai**t**	qu'elle soi**t**
que nous jou**ions**	que nous finiss**ions**	que nous ven**ions**	**ons**	que nous ay**ons**	que nous soy**ons**
que vous jou**iez**	que vous finiss**iez**	que vous ven**iez**	**ez**	que vous ay**ez**	que vous soy**ez**
qu'elles jou**ent**	qu'ils finiss**ent**	qu'elles vienn**ent**	**ent**	qu'ils ai**ent**	qu'elles soi**ent**

16. Quelles régularités peut-on observer dans les verbes au présent de l'impératif?

- On conjugue les verbes en **-er** (sauf *aller*) sur le modèle du verbe *aimer* et tous les autres sur le modèle du verbe *finir*.

Mode : impératif			Temps : présent	
Terminaisons			Finales	Exceptions
Verbe en **-er** et **avoir**, **assaillir, couvrir, cueillir, offrir, ouvrir, souffrir, savoir**	Verbe en **-ir** (issant) **finir**	Autres verbes **venir**		*aller*
∅	∅	∅	∅	∅
jou**e**	fini**s**	vien**s**	**e, s**	v**a**
∅	∅	∅	∅	∅
jou**ons**	finiss**ons**	ven**ons**	**ons**	all**ons**
jou**ez**	finiss**ez**	ven**ez**	**ez**	all**ez**
∅	∅	∅	∅	∅

Les terminaisons des modes infinitif et participe

17. Quelles sont les terminaisons des verbes à l'infinitif?

- On trouve quatre terminaisons à l'infinitif : **-er**, **-ir**, **-oir** et **-re**.

  aim<u>er</u>   ouvr<u>ir</u>   v<u>oir</u>   prend<u>re</u>

18. Quelle est la terminaison du participe présent d'un verbe ?

- Tous les participes présents se terminent par **-ant**.

  dis<u>ant</u>   écriv<u>ant</u>   offr<u>ant</u>   souhait<u>ant</u>

19. Quelles sont les terminaisons du participe passé d'un verbe ?

- Il existe **plusieurs terminaisons** pour les participes passés.

Terminaisons	Verbes	Exemples
é	les verbes en **-er** et *naître*	abandonné, marié, né…
i	la plupart des verbes en **-ir**	agi, ébloui, farci, fini, grandi, pourri, vomi…
u	les verbes en **-oir** et des verbes comme *courir, tenir, venir, vêtir*…	couru, échu, fallu, pu, tenu, valu, vêtu, vu…
s	des verbes comme *acquérir, asseoir, conquérir, dissoudre, inclure, mettre, remettre, prendre, surprendre*…	acquis, assis, conquis, dissous, inclus, mis, remis, pris, surpris…
t	des verbes comme *couvrir, cuire, dire, écrire, faire, frire, mourir, nuire, offrir, ouvrir, peindre, souffrir*…	couvert, cuit, dit, écrit, fait, frit, mort, nuit, offert, ouvert, peint, souffert…

Tu peux t'aider du féminin d'un participe passé pour trouver son orthographe, ou encore, tu peux consulter un tableau de conjugaison.

assis   assise   ⊘ et non assi<u>e</u> ou assi<u>t</u>e

couvert   couverte ⊘ et non couvèr<u>e</u> ou couver<u>s</u>e

fini   finie   ⊘ et non fini<u>s</u>e ou fini<u>t</u>e

pourri   pourrie   ⊘ et non pourri<u>s</u>e ou pourri<u>t</u>e

EMPLOYER LES TEMPS

Le temps est une forme du verbe. Il sert à exprimer le moment d'une action.

I. À quoi correspond le temps dans une phrase ?

- Dans une communication orale, le temps d'une phrase précise le moment où les événements ou les faits que l'on raconte ont lieu. C'est **au moment où l'on parle** (maintenant) ou encore **à un autre moment** (avant ou après).

Maintenant (au moment où l'on parle)	Avant (avant le moment où l'on parle)	Après (après le moment où l'on parle)
Aujourd'hui, je lis…	Hier, j'ai lu…	Demain, je lirai…

- Dans un récit, le temps précise **un moment** où les événements ou les faits ont lieu. C'est un moment différent du moment où l'on parle.

Ils allaient hiverner dans cette nouvelle contrée et devaient donc travailler dur. Et vite ! Philippe avait été choisi pour faire partie du contingent des cinquante matelots qui partiraient en expédition vers la source du fleuve.

Le Moussaillon de la Grande-Hermine

On comprend que cet événement, le fait de partir en expédition, aura lieu plus tard. Aussi, le verbe **partiraient** n'indique pas que l'expédition des cinquante matelots se déroulera maintenant, au moment où on lit, mais plutôt qu'elle aura lieu à un temps futur, dans le récit.

⭐
- Le temps permet aussi parfois de marquer **le début et la fin** des événements ou des faits. Il indique si la chose **est en train de se faire** ou si **c'est déjà fait**.

Isabelle <u>a mangé</u> sa soupe aux fruits de mer.

Puis, son chat <u>a englouti</u> la pizza végétarienne.

Les temps employés permettent de comprendre que l'action est complètement terminée : la soupe est mangée et la pizza, engloutie.

2. Quels mots expriment un temps dans une phrase ?

- C'est toujours le verbe qui **exprime** le temps dans une phrase. Il **change de forme** en fonction du temps exprimé.

je <u>lis</u>	j'<u>ai lu</u>	je <u>lirai</u>
↓	↓	↓
présent	passé	futur

➤ p. 183, n° 6

- Certains **adverbes** ou des **groupes du nom** contribuent parfois dans une phrase à situer les événements dans le temps.

<u>Aujourd'hui</u>, j'écris une lettre.	adverbe
<u>La semaine dernière</u>, j'ai écrit une lettre.	groupe du nom
<u>Plus tard</u>, j'écrirai une lettre.	adverbe

➤ p. 94-95, 96, nos 4, 7
➤ p. 127-129, n° 13
➤ p. 198-199, n° 4

3. Qu'est-ce qu'un temps de conjugaison?

- Un temps de conjugaison désigne un **ensemble de formes** du verbe qui accompagnent les pronoms *je, tu, elle/il, on, nous, vous, elles/ils*.

présent de l'indicatif   passé composé   imparfait

futur simple   conditionnel présent

subjonctif présent   impératif présent

➤ p. 280-282, n°s 1, 2

4. Quelles sont les deux grandes catégories de temps?

- Il y a les **temps simples**. Ils sont formés d'**un seul mot**: le verbe.

Je <u>lance</u> la balle.

- Il y a les **temps composés**. Ils sont formés de **plusieurs mots**: l'auxiliaire *avoir* ou *être* suivi du participe passé du verbe.

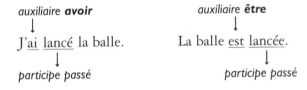

auxiliaire **avoir**
↓
J'<u>ai</u> <u>lancé</u> la balle.
↓
participe passé

auxiliaire **être**
↓
La balle <u>est</u> <u>lancée</u>.
↓
participe passé

En lisant ou en rédigeant un texte, il est important de comprendre la différence entre un verbe employé à un temps simple et un verbe employé à un temps composé. Un temps simple exprime une action qui est en train de s'accomplir, alors qu'un temps composé signifie qu'elle est accomplie.

Les hommes <u>réparent</u> la roue de la charrette.

↓

Les hommes ont commencé à réparer la roue, mais on ne sait pas quand ils termineront. L'action est en train de s'accomplir.

Les hommes <u>ont réparé</u> la roue de la charrette.

↓

La roue a été réparée ; la réparation est terminée. L'action est accomplie.

5. Quel temps de conjugaison exprime le présent ?

- Le temps de conjugaison qui exprime le présent est l'**indicatif présent**.

Je <u>lance</u> la balle.

↓

un fait présent : il se produit au moment où l'on parle

6. Quels temps de conjugaison expriment le passé ?

- Les temps de conjugaison qui expriment le passé sont le **passé composé**, l'**imparfait** et le **passé simple**.

J'<u>ai lancé</u> la balle.   Je <u>lançais</u> la balle.   Je <u>lançai</u> la balle.

↓   ↓   ↓

un fait passé : il s'est produit avant le moment où l'on parle

Lorsqu'on raconte une histoire et que l'on évoque un événement passé, on peut utiliser le passé composé plutôt que le passé simple afin de rendre le texte moins lourd.

- Il existe aussi le **plus-que-parfait**.

J'<u>avais lancé</u> la balle à Alexis.

7. Quels temps de conjugaison expriment le futur?

- Les temps de conjugaison qui expriment le futur sont le **futur simple** et le **conditionnel présent**.

Je te <u>lancerai</u> la balle tantôt.

↓

un fait futur : il se produira après le moment où l'on parle

Je te <u>lancerais</u> la balle si tu me faisais signe.

↓

un fait possible : s'il se produit, ce sera après le moment où l'on parle

★ Il existe aussi le **futur antérieur** et le **conditionnel passé**.

Quand j'<u>aurai lancé</u> la balle, tu seras contente !

↓

un fait futur : il se produira après le moment où l'on parle

8. À quoi sert le présent de l'indicatif?

- Le présent exprime ce qui se passe **au moment où l'on parle**.

Sur un miroir sans tain,
Un gros matou <u>patine</u>.
Il <u>patine</u>, <u>patine</u>,
<u>Patine</u> sans patins.

La patinoire
Du gros matou
<u>Est</u> un miroir
De savon mou.

<u>Chats qui riment et rimes à chats</u>

- Le présent peut aussi évoquer une action qui ne se déroule pas sous les yeux de celui ou de celle qui parle, mais qui est **habituelle**, ou se répète de façon régulière.

Toutes les nuits, <u>il sort</u> chasser les souris.

<u>Il pleut</u> tous les jours depuis une semaine.

- On peut utiliser le présent pour parler de **faits considérés comme vrais, ou des proverbes**, quel que soit le moment où l'on en parle.

Indifférent aux lamentations de son épouse,
Boris déplie son journal :

– <u>Voyons, Magda, il faut bien que jeunesse se passe</u>.
  Je suis sûr que ce n'est pas si grave.
  Tu te fais du souci pour rien.

Anatole le vampire

9. À quoi sert l'imparfait ?

- L'imparfait peut exprimer une situation, un événement ou un fait **passés**.

Je <u>comptais</u> sur mes doigts quand j'<u>étais</u> petite.

- Le verbe à l'imparfait qui suit un **si** exprime une **hypothèse**.

Si tu <u>voulais</u> goûter à ce couscous, tu le trouverais sans doute délicieux.

10. À quoi sert le passé composé?

- On utilise le passé composé pour constater les résultats d'un événement **terminé**, qui s'est déroulé **juste avant** que l'on parle.

> – C'est mon ami qui a gagné !

Quelqu'un constate que son ami a gagné. Cet événement, qui est terminé, s'est déroulé juste avant qu'il parle.

- On emploie aussi le **passé récent**, c'est-à-dire la tournure *venir* + *de* + **infinitif**, lorsqu'on veut dire qu'un événement s'est déroulé **tout juste avant** que l'on parle.

> Martin vient de frapper la balle.

11. À quoi servent le futur simple et le futur proche?

- On emploie le futur proche, c'est-à-dire la tournure *aller* + **infinitif**, lorsqu'on veut dire qu'un événement est **sur le point** de se produire ou que l'on va immédiatement se mettre à faire quelque chose.

> – Puisque c'est comme ça, je vais souffler, pouffer, pousser mille bouffées, et je démolirai votre maison !
> dit le cochon.

Les Trois Petits Loups et le Grand Méchant Cochon

- Le futur simple et le futur proche sont utilisés lorsqu'on veut parler de projets qui paraissent **certains** et qui se dérouleront après le moment où l'on parle.

> « Écoutez-moi bien et faites ce que je vous demande.
> Je vais lancer ces perles dans l'herbe. Cherchez-les, et celui de vous trois qui retrouvera la plus belle deviendra roi. »

Trois princes et une limace

12. À quoi sert le conditionnel présent?

- Le conditionnel présent exprime un futur qui nous apparaît **incertain**, tout en étant **possible, imaginable** ou **souhaitable**.

En devenant pompier, je <u>sauverais</u> la vie à bien des gens.

- Dans certains cas, on utilise le conditionnel présent quand on suppose un fait ou une action **imaginaires** et qu'ils peuvent se réaliser si une **condition** est d'abord **remplie**. La condition est formulée par un verbe à l'**imparfait** précédé de *si*.

J'<u>aurais</u> une grosse collection de papillons si je pouvais aller plus souvent au chalet de ma grand-mère.

La personne qui parle déclare qu'elle croit être capable de rassembler une collection de papillons importante, à condition d'aller plus souvent chez sa grand-mère.

- Pour exprimer une situation future par rapport à un point du **passé**, on utilise le conditionnel présent.

Hier, Jean-Félix a annoncé qu'il <u>déménagerait</u> demain.

L'action de Jean-Félix est terminée. Cette action, le fait d'annoncer qu'il déménage, s'est déroulée hier, avant le moment où la personne parle. Quant au déménagement, il aura lieu demain, après le moment où l'on parle. Quand Jean-Félix parlait de déménager demain, il annonçait une situation qui n'avait pas encore eu lieu.

- On peut aussi utiliser le **conditionnel présent** pour formuler poliment une demande, un conseil ou un reproche.

—Je ne <u>crains</u> rien des tigres, mais j'<u>ai</u> horreur des courants d'air. Vous n'<u>auriez</u> pas un paravent ?

Le Petit Prince

13. À quoi sert le passé simple ?

- On emploie le passé simple surtout à l'écrit. Il sert à exprimer le passé dans un **conte**, dans une **histoire** qui se déroule **à une époque lointaine** ou, parfois, lorsqu'on décrit une scène ou qu'on raconte des **événements historiques**.

> La poule brune <u>tendit</u> le cou et <u>becqueta</u> la potion.
> Une pleine becquée de potion.
>
> L'effet <u>fut</u> électrique.
>
> Ouiche ! <u>caqueta</u> la poule, en bondissant droit
> dans le ciel comme une fusée.
>
> La Potion magique de Georges Bouillon

- Le passé simple exprime une action **en train de se dérouler** dans le passé et dont **on ne connaît pas la durée**.

> La poule brune <u>tendit</u> le cou et <u>becqueta</u> la potion.

Cet événement s'est passé hier, ou il y a un certain temps. La poule a tendu le cou et becqueté la potion pendant un temps indéterminé.

14. Comment employer le passé simple et l'imparfait dans un récit ?

- L'imparfait et le passé simple expriment tous les deux des événements passés dans un récit. Dans certaines phrases, l'imparfait présente un événement **en train de se dérouler**. Dans d'autres phrases, il sert à **dresser un décor** qui sert de toile de fond aux actions exprimées par le passé simple.

> Ce soir-là, tous les chiens <u>jappaient</u> lorsque la princesse <u>arriva</u>. Elle compara cette situation à un concert sans chef d'orchestre.

Les chiens sont en train de japper lorsque la princesse arrive. Le texte ne dit pas à quel moment les chiens ont commencé à japper, ni quand ils ont arrêté.

Le bruit des sabots <u>décrut</u> dans le lointain. Ils <u>laissaient</u> derrière eux, ces sabots, une scène de désolation : les devoirs <u>étaient</u> éparpillés sur le sol ; les canards <u>pleuraient</u> de grosses larmes ; la princesse <u>restait</u> muette de saisissement ; le chien <u>aboyait</u> courageusement sous la table.

La Princesse Hoppy

*Le verbe **décrut** est au passé simple. Les verbes **laissaient, étaient, pleuraient, restait, aboyait** sont à l'imparfait et permettent de décrire la scène.*

➤ p. 468-469, n° 7

15. Dans quelles situations doit-on faire attention à la concordance des temps ?

- Une condition suivie d'un verbe au **conditionnel présent** est toujours écrite avec un verbe à l'**imparfait de l'indicatif**.

  Si tu <u>voulais</u> jouer avec moi, je te <u>prêterais</u> des billes.

- Une condition exprimée par un verbe au **présent de l'indicatif** est toujours suivie d'un verbe au **futur**.

  Si tu <u>joues</u> avec moi, je te <u>prêterai</u> des billes.

  Si tu <u>refuses</u>, je <u>vais</u> les <u>prêter</u> à Nicolas.

- On utilise aussi le **futur simple** quand on veut parler d'un futur certain qui se réalisera si une condition est d'abord remplie. La condition est introduite par **si** et suivie d'un verbe au **présent de l'indicatif**.

J'<u>aurai</u> une grosse collection de papillons <u>si</u> je <u>peux</u> aller plus souvent au chalet de ma grand-mère.

La personne qui parle affirme qu'elle aura une grosse collection de papillons, à l'avenir. Il existe cependant une condition : cette personne doit aller plus souvent chez sa grand-mère.

★ EMPLOYER LES MODES

Le mode est une forme du verbe. Il sert à exprimer une façon de s'adresser à quelqu'un et de présenter une idée.

★ 1. Comment exprime-t-on les faits et les idées?

- Dans une communication, on s'adresse à quelqu'un de **différentes façons** : en affirmant des choses ou en les niant, en posant une question, en exprimant une émotion ou un souhait, en faisant une demande, en imposant une interdiction, en émettant une hypothèse. Il s'agit du **mode** de la phrase.

Exemples	S'adresser à autrui pour...
Il a vraiment vu une horloge avec des pattes.	Affirmer une chose.
Il n'a jamais vu une horloge avec des pattes.	Nier une chose.
A-t-il vu une horloge avec des pattes ?	Poser une question.
Quelle horloge il a vue !	Exprimer une émotion.
Va voir cette horloge avec des pattes.	Faire une demande.
Arrête de dire qu'il a vu une horloge avec des pattes !	Imposer une interdiction.
Il est possible qu'il voie une horloge avec des pattes.	Poser une hypothèse.

2. Quel mot exprime le mode dans une phrase?

• C'est le **verbe** qui **exprime toujours** le mode dans une phrase.

Je <u>chantais</u> ma chanson préférée.
affirmer quelque chose

<u>Chante</u> ta chanson préférée.
faire une demande

Je ne crois pas que tu <u>chantes</u> ta chanson préférée.
poser une hypothèse

3. Quels sont les modes de conjugaison?

• L'**indicatif**, l'**impératif**, le **subjonctif**, l'**infinitif** et le **participe** sont les modes de conjugaison du verbe.

Je <u>chantais</u> ma chanson préférée.
mode indicatif : affirmer quelque chose

<u>Chante</u> ta chanson préférée.
mode impératif : faire une demande

Je ne crois pas que tu <u>chantes</u> ta chanson préférée.
mode subjonctif : poser une hypothèse

<u>Chanter</u>, c'est mon bonheur !
mode infinitif : affirmer quelque chose

Je m'amuse en <u>chantant</u> ma chanson préférée.
mode participe : affirmer quelque chose

4. À quoi sert l'indicatif?

• L'indicatif sert à **rapporter un fait ou un événement**. C'est le mode qui traduit le **moment** où un fait ou un événement a lieu : le **présent** (le moment où l'on parle), le **passé** (avant le moment où l'on parle), le **futur** (après le moment où l'on parle).

> Je <u>joue</u> au hockey. J'<u>ai joué</u> au hockey. Je <u>jouerai</u> au hockey.
> *présent*   *passé*   *futur*

• L'indicatif est généralement le mode des phrases **déclaratives**, des phrases **interrogatives** et des phrases **exclamatives**.

> Tu joues au hockey.
> Tu ne joues pas au hockey. | *déclaratives*
>
> Est-ce que tu joues au hockey ? | *interrogative*
>
> Comme tu joues bien au hockey ! | *exclamative*

5. À quoi sert l'impératif?

• L'impératif sert à exprimer une **demande**, un **souhait** ou une **interdiction**. Ce n'est pas un mode qui sert à rapporter un fait ou un événement.

Demande, interdiction, souhait	Fait ou événement exprimé
<u>Prête</u>-moi ta plume.	Tu me <u>prêtes</u> ta plume.
<u>Sors</u> de ma chambre !	Tu <u>sors</u> de ma chambre.
<u>Faites</u> bon voyage.	Vous <u>faites</u> un bon voyage.

- L'impératif est le mode des phrases dites **impératives**.

  <u>Aide</u>-moi, s'il te plaît.

- Dans une **consigne**, on utilise généralement un verbe à l'impératif.

  <u>Transforme</u> cette phrase positive en phrase négative.

6. À quoi sert le subjonctif ?

- Le mode subjonctif sert à exprimer ce que l'on **pense**, **ressent** ou **souhaite** à propos d'une action. Il ne s'agit pas de rapporter un fait ou un événement.

Pensée, sentiment ou souhait	Fait ou événement exprimé
Je demande que tu <u>remplisses</u> ce questionnaire.	Tu <u>remplis</u> ce questionnaire.
Je suis content que tu <u>remplisses</u> ce questionnaire.	
Je souhaite que tu <u>remplisses</u> ce questionnaire.	

- On utilise le subjonctif pour **faire une demande** ou **imposer une interdiction à quelqu'un**. Un **ordre** exprimé par le mode subjonctif peut aussi viser quelqu'un de façon indirecte.

  Faites entrer le chien et qu'il se <u>tienne</u> assis sur le tapis !

- On le voit également dans des **contes** ou dans des **énoncés mathé-
matiques,** où il exprime une supposition. Cet usage est toutefois
considéré comme vieilli.

Soient trois rois parmi nous quatre : le premier roi,
le deuxième roi, le troisième roi.

La Princesse Hoppy

7. *Comment se construisent les phrases avec un verbe au subjonctif ?*

- Généralement, un verbe au subjonctif accompagne une expression
comme : *il faut que, il est possible que, aimer que, craindre que,
demander que, douter que, exiger que, défendre que, détester que,
désirer que, falloir que, souhaiter que, vouloir que...*

Je désire que tu remplisses ce questionnaire avant de
le remettre à tes parents.

- Le verbe au subjonctif est dans une phrase **subordonnée.**

Il faut que je fasse mes devoirs.
|
subordonnée

Après, il faut que je m'entraîne au judo.
|
subordonnée

➤ p. 213-214, n° 2

8. À quoi sert l'infinitif?

- L'infinitif est le **nom** du verbe. Il ne donne pas de renseignement sur le moment où l'on parle.

> Dans le dictionnaire, tu trouveras les verbes inscrits au mode infinitif.

9. À quoi servent le participe présent et le participe passé?

- Le **participe présent** se termine par **-ant**. Il ne donne pas de renseignement sur le moment où l'on parle.

Il est sorti vainqueur de cette course <u>sachant</u> que le défi devenait de plus en plus grand.

> Pour distinguer le participe présent du verbe d'un adjectif, cherche le mot que tu peux encadrer de **ne... pas**. C'est le participe présent.

Je me suis sauvée en <u>courant</u>. Je me suis sauvée en ne <u>courant</u> pas.	*participe présent*
J'ai vu des objets très <u>courants</u>. ⊘ J'ai vu des objets très ne <u>courants</u> pas.	*adjectif*

➤ p.145-146, n° 1

- Le **participe passé** sert à former les **temps composés** des verbes conjugués. Il est alors toujours accompagné de l'**auxiliaire** *avoir* **ou** *être*. Avec l'auxiliaire, il peut donner des renseignements sur le moment où l'on parle.

Ils <u>ont</u> transporté les sacs de perles.	*passé : avant le moment où l'on parle*
Ils n'<u>ont</u> pas transporté les sacs de perles.	*passé : avant le moment où l'on parle*

Ils <u>seront</u> partis en direction de la caverne.	*futur : après le moment où l'on parle*
Ils ne <u>seront</u> pas partis en direction de la caverne.	*futur : après le moment où l'on parle*

10. *Quand utilise-t-on l'infinitif et le participe ?*

- On peut utiliser le mode infinitif et le mode participe dans **tous les types** de phrases.

Je veux <u>danser</u> en <u>écoutant</u> ma musique préférée.

Que faites-vous pour bien <u>réussir</u> le tracé du dessin à l'ordinateur ?

Pense à nous en <u>écrivant</u> ton récit.

Vive les soirées où tout le monde a envie de <u>danser</u> !

Quel rêve il a fait en <u>dormant</u> !

➤ p. 20-21, 22-26, 31, 33-35, n°s 1, 3, 9, 13

11. *Peut-on utiliser plusieurs modes dans une même phrase ?*

- Dans une phrase **déclarative**, on peut utiliser tous les modes sauf l'impératif.

Je <u>souhaite</u> que tu te <u>rendes</u> au marché en <u>revenant</u> de l'école pour nous <u>acheter</u> des pêches.

Je <u>reviens</u> de l'école en <u>souhaitant</u> que tu te <u>rendes</u> au marché pour nous <u>acheter</u> des pêches.

Dans ces phrases, les mêmes verbes reviennent. Par contre, ils sont conjugués à des modes différents. Cela donne des structures de phrases différentes et des messages dont le contenu varie.

- Dans une phrase **interrogative**, on peut utiliser tous les modes sauf l'impératif.

  Peux-tu ranger ta chambre en écoutant la musique ?

  Souhaiterais-tu qu'il grandisse jusqu'à ressembler à un géant ?

- Dans une phrase **exclamative**, on peut utiliser tous les modes.

  Cessez de vous chamailler tout de suite !

  Je prendrai une collation en corrigeant mes devoirs.

  Que je ne vous revoie plus jamais ici !

- Dans une phrase **impérative**, on peut aussi utiliser plusieurs modes.

  Arrête de crier en sortant de ta chambre, que je puisse te parler !

  Crie en sortant de ta chambre et je ne te parlerai plus !

➤ p. 33-35, n° 13

LIRE LES TABLEAUX DE CONJUGAISON

Un tableau de conjugaison est un outil de référence qui réunit l'ensemble des formes que peut prendre un verbe.

1. Comment lire un tableau de conjugaison ?

- Un tableau de conjugaison est conçu de façon que l'on trouve rapidement quelle **forme** prend le verbe à une **personne**, un **temps** et un **mode** demandés.

- Le **nom** du verbe, l'**infinitif**, est suivi des différents modes. À droite, on trouve les différentes formes écrites du **radical**.

---

1 Avoir [A-, AV-, AU-, AI-, AY-, E-]

| Indicatif |
| Subjonctif |
| Impératif |
| Infinitif |
| Participe |

- Le mode indicatif est présenté en six temps regroupés sous la catégorie des **temps simples** ou sous celle des **temps composés**. Les autres modes sont présentés au présent ou au passé.

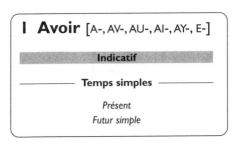

I Avoir [A-, AV-, AU-, AI-, AY-, E-]

Indicatif

———— Temps simples ————

Présent
Futur simple

• Les pronoms de conjugaison sont suivis du verbe. Dans les tableaux suivants, le radical de chaque verbe conjugué est en **bleu**, suivi de la terminaison en **noir**. La finale est surlignée en **jaune** à l'intérieur de la terminaison.

I Avoir [A-, AV-, AU-, AI-, AY-, E-]

Indicatif

———— Temps simples ————

Présent				*Futur simple*			
j'	ai	nous	avons	j'	aurai	nous	aurons
tu	as	vous	avez	tu	auras	vous	aurez
elle/il, on	a	elles/ils	ont	elle/il, on	aura	elles/ils	auront
Imparfait				*Conditionnel présent*			
j'	avais	nous	avions	j'	aurais	nous	aurions
tu	avais	vous	aviez	tu	aurais	vous	auriez
elle/il, on	avait	elles/ils	avaient	elle/il, on	aurait	elles/ils	auraient

➤ p. 161-163, n° 6
➤ p. 229, n° 15

2. Comment est construit un tableau de conjugaison?

- Un tableau de conjugaison regroupe les **catégories** qui font varier la forme d'un verbe : le **mode**, le **temps**, la **personne**.

mode : *indicatif*   temps : *présent*   personne : *1re*

- On regroupe les formes du verbe en mettant en évidence les **régularités** dans les **terminaisons**, les **finales** et les **radicaux**.

AIMER				MANGER			
j'	aimais	nous	aimions	je	mangeais	nous	mangions
tu	aimais	vous	aimiez	tu	mangeais	vous	mangiez
elle/il, on	aimait	elles/ils	aimaient	elle/il, on	mangeait	elles/ils	mangeaient

➤ p. 161-163, n° 6

MANGER							
Présent				**Futur simple**			
je	mange	nous	mangeons	je	mangerai	nous	mangerons
tu	manges	vous	mangez	tu	mangeras	vous	mangerez
elle/il, on	mange	elles/ils	mangent	elle/il, on	mangera	elles/ils	mangeront
Imparfait				**Conditionnel présent**			
je	mangeais	nous	mangions	je	mangerais	nous	mangerions
tu	mangeais	vous	mangiez	tu	mangerais	vous	mangeriez
elle/il, on	mangeait	elles/ils	mangeaient	elle/il, on	mangerait	elles/ils	mangeraient

3. Comment sont présentés les tableaux de conjugaison ?

- Les deux premiers tableaux donnent les conjugaisons des **auxiliaires** *avoir* et *être*. Le tableau suivant est consacré au verbe *aller*. C'est le verbe qui est employé pour former le futur proche : *aller* **+ infinitif d'un verbe.**

avoir : *tableau 1*   aller : *tableau 3*

➤ p. 267, n° 11

- Les verbes du premier groupe sont représentés par le verbe *aimer* (tableau n° 4a). Les tableaux suivants (n⁰ˢ 4b, 4c, 4d) présentent le verbe *aimer* comme il se conjugue lorsqu'il est employé dans des phrases différentes : de forme négative, de type interrogatif et de forme passive.

aimer, phrase de type interrogatif : *tableau 4c*

- Les autres verbes sont classés par ordre alphabétique. Ainsi, on peut trouver le verbe *finir* au tableau n° 8. C'est le verbe qui représente les verbes du deuxième groupe.

devoir   finir   pouvoir   prendre

> Tu peux consulter un tableau de conjugaison lorsque tu t'interroges sur la forme d'un verbe conjugué à une personne, un temps et un mode donnés.

4. Comment trouver le modèle de conjugaison désiré ?

• Pour trouver l'un des verbes qui sont parmi les plus utilisés à l'écrit, on se réfère à la liste suivante ou à la liste des verbes fournie dans l'**index**. Les verbes sont classés par ordre alphabétique et associés à un verbe modèle.

Verbe	Verbe modèle	Tableau de conjugaison
aimer	AIMER	4
aller	ALLER	3
arriver	AIMER	4
AVOIR	AVOIR	1
chercher	AIMER	4
comprendre	PRENDRE	10
demander	AIMER	4
devenir	VENIR	11
devoir	DEVOIR	5
dire	DIRE	6
donner	AIMER	4
entrer	AIMER	4
ÊTRE	ÊTRE	2
faire	FAIRE	7
finir	FINIR	8
parler	AIMER	4
penser	AIMER	4
porter	AIMER	4
pouvoir	POUVOIR	9
prendre	PRENDRE	10
regarder	AIMER	4
revenir	VENIR	11
tenir	VENIR	11
trouver	AIMER	4
venir	VENIR	11
voir	VOIR	12
vouloir	VOULOIR	13

1 Avoir [A-, AV-, AU-, AI-, AY-, E-]

Indicatif	Subjonctif

Indicatif

———— **Temps simples** ————

Présent

j'	ai	nous	av ons
tu	a s	vous	av ez
elle/il, on	a	elles/ils	ont

Imparfait

j'	av ai s	nous	av i ons
tu	av ai s	vous	av i ez
elle/il, on	av ai t	elles/ils	av ai ent

Futur simple

j'	au r ai	nous	au r ons
tu	au r a s	vous	au r ez
elle/il, on	au r a	elles/ils	au r ont

Conditionnel présent

j'	au rai s	nous	au ri ons
tu	au rai s	vous	au ri ez
elle/il, on	au rai t	elles/ils	au rai ent

Passé simple

j'	e u s	nous	e ûm es
tu	e u s	vous	e ût es
elle/il, on	e u t	elles/ils	e ur ent

———— **Temps composés** ————

Passé composé

j'ai	e u	nous avons	e u
tu as	e u	vous avez	e u
elle/il, on a e u		elles/ils ont e u	

Subjonctif

Présent

que j'	ai e	que nous	ay ons
que tu	ai e s	que vous	ay ez
qu'elle/il, qu'on	ai t	qu'elles/ils	ai ent

Impératif

Présent

ai e	ay ons
	ay ez

Infinitif

Présent	Passé
av oir	av oir e u

Participe

Présent	Passé
ay ant	e u, e us,
	e ue, e ues

On forme le **plus-que-parfait** en ajoutant le participe passé à l'auxiliaire conjugué à l'imparfait.

j'avais e u

On forme le **futur antérieur** en ajoutant le participe passé à l'auxiliaire conjugué au futur simple.

j'aurai e u

On forme le **conditionnel passé** en ajoutant le participe passé à l'auxiliaire conjugué au conditionnel présent.

j'aurais e u

2 Être [SUI-, E-, ES-, SOM-, Ê-, S-, ÉT-, SE-, SOI-, SOY-, F-]

Indicatif

——— Temps simples ———

Présent

je	**sui** s	nous	**som m** es
tu	**e** s	vous	**ê** t es
elle/il, on	**es** t	elles/ils	**s** ont

Imparfait

j'	**ét** ai s	nous	**ét** i ons
tu	**ét** ai s	vous	**ét** i ez
elle/il, on	**ét** ai t	elles/ils	**ét** ai ent

Futur simple

je	**se** r ai	nous	**se** r ons
tu	**se** ra s	vous	**se** r ez
elle/il, on	**se** r a	elles/ils	**se** r ont

Conditionnel présent

je	**se** rai s	nous	**se** ri ons
tu	**se** rai s	vous	**se** ri ez
elle/il, on	**se** rai t	elles/ils	**se** rai ent

Passé simple

je	**f** u s	nous	**f** û m es
tu	**f** u s	vous	**f** û t es
elle/il, on	**f** u t	elles/ils	**f** u r ent

——— Temps composés ———

Passé composé

j'ai	**ét** é	nous avons	**ét** é
tu as	**ét** é	vous avez	**ét** é
elle/il, on a	**ét** é	elles/ils ont	**ét** é

Subjonctif

Présent

que je	**soi** s	que nous	**soy** ons
que tu	**soi** s	que vous	**soy** ez
qu'elle/il, qu'on	**soi** t	qu'elles/ils	**soi** ent

Impératif

Présent

soi s		**soy** ons
		soy ez

Infinitif

Présent	Passé
ê t re	avoir **ét** é

Participe

Présent	Passé
ét ant	**ét** é

On forme le **plus-que-parfait** en ajoutant le participe passé à l'auxiliaire conjugué à l'imparfait.

j'avais   **ét** é

On forme le **futur antérieur** en ajoutant le participe passé à l'auxiliaire conjugué au futur simple.

j'aurai   **ét** é

On forme le **conditionnel passé** en ajoutant le participe passé à l'auxiliaire conjugué au conditionnel présent.

j'aurais   **ét** é

3 Aller [VAI-, VA-, V-, ALL-, I-, AILL-]

Indicatif

——— **Temps simples** ———

Présent

je	**vai** s	nous	**all** ons
tu	**va** s	vous	**all** ez
elle/il, on	**v** a	elles/ils	**v** ont

Imparfait

j'	**all** ai s	nous	**all** i ons
tu	**all** ai s	vous	**all** i ez
elle/il, on	**all** ai t	elles/ils	**all** ai ent

Futur simple

j'	**i** r ai	nous	**i** r ons
tu	**i** r a s	vous	**i** r ez
elle/il, on	**i** r a	elles/ils	**i** r ont

Conditionnel présent

j'	**i** rai s	nous	**i** ri ons
tu	**i** rai s	vous	**i** ri ez
elle/il, on	**i** rai t	elles/ils	**i** rai ent

Passé simple

j'	**all** ai	nous	**all** âm es
tu	**all** a s	vous	**all** ât es
elle/il, on	**all** a	elles/ils	**all** èr ent

——— **Temps composés** ———

Passé composé

je suis	**all** é, **all** ée	nous sommes	**all** és, **all** ées
tu es	**all** é, **all** ée	vous êtes	**all** és, **all** ées
elle/il, on est	**all** ée, **all** é, **all** ées, **all** és	elles/ils sont	**all** ées, **all** és

Subjonctif

Présent

que j'	**aill** e	que nous	**all** i ons
que tu	**aill** e s	que vous	**all** i ez
qu'elle/il, qu'on	**aill** e	qu'elles/ils	**aill** ent

Impératif

Présent

| **v** a | **all** ons |
| | **all** ez |

Infinitif

| Présent | Passé |
| **all** er | être **all** é, **all** ée, **all** és, **all** ées |

Participe

| Présent | Passé |
| **all** ant | **all** é, **all** és, **all** ée, **all** ées |

On forme le **plus-que-parfait** en ajoutant le participe passé à l'auxiliaire conjugué à l'imparfait.

j'étais **all** é, **all** ée

On forme le **futur antérieur** en ajoutant le participe passé à l'auxiliaire conjugué au futur simple.

je serai **all** é, **all** ée

On forme le **conditionnel passé** en ajoutant le participe passé à l'auxiliaire conjugué au conditionnel présent.

je serais **all** é, **all** ée

4a **Aimer** [AIM-, AIME-] forme active – dans une phrase de forme positive

Indicatif				Subjonctif			

Temps simples

Présent

j'	aim e	nous	aim ons	que j'	aim e	que nous	aim i ons
tu	aim e s	vous	aim ez	que tu	aim e s	que vous	aim i ez
elle/il, on	aim e	elles/ils	aim ent	qu'elle/il, qu'on	aim e	qu'elles/ils	aim ent

Imparfait

j'	aim ai s	nous	aim i ons
tu	aim ai s	vous	aim i ez
elle/il, on	aim ai t	elles/ils	aim ai ent

Impératif

Présent

aim e	aim ons
	aim ez

Futur simple

j'	aime r ai	nous	aime r ons
tu	aime ra s	vous	aime r ez
elle/il, on	aime r a	elles/ils	aime r ont

Infinitif

Présent	Passé
aim er	avoir **aim** é

Participe

Conditionnel présent

j'	aime rai s	nous	aime ri ons
tu	aime rai s	vous	aime ri ez
elle/il, on	aime rai t	elles/ils	aime rai ent

Présent	Passé
aim ant	aim é, aim és,
	aim ée, aim ées

On forme le **plus-que-parfait** en ajoutant le participe passé à l'auxiliaire conjugué à l'imparfait.

j'avais **aim** é

On forme le **futur antérieur** en ajoutant le participe passé à l'auxiliaire conjugué au futur simple.

Passé simple

j'	aim ai	nous	aim âm es
tu	aim a s	vous	aim ât es
elle/il, on	aim a	elles/ils	aim èr ent

j'aurai **aim** é

On forme le **conditionnel passé** en ajoutant le participe passé à l'auxiliaire conjugué au conditionnel présent.

Temps composés

j'aurais **aim** é

Passé composé

j'ai	aim é	nous avons	aim é
tu as	aim é	vous avez	aim é
elle/il, on a	aim é	elles/ils ont	aim é

Les verbes **arriver, chercher, demander, donner, entrer, laisser, montrer, parler, passer, penser, porter, regarder, rester, sembler, tomber** et **trouver** se conjuguent sur le même modèle. Le verbe **arriver** se conjugue obligatoirement avec l'auxiliaire **être**.

4b Aimer [AIM-, AIME-] forme active – dans une phrase de forme négative

Indicatif				Subjonctif		

────────── **Temps simples** ──────────

Présent

je	n'**aim** e pas	nous	n'**aim** ons pas	que je	n'**aim** e pas	que nous n'**aim** i ons pas
tu	n'**aim** e s pas	vous	n'**aim** ez pas	que tu	n'**aim** e s pas	que vous n'**aim** i ez pas
elle/il, on	n'**aim** e pas	elles/ils	n'**aim** ent pas	qu'elle/il, qu'on n'**aim** e pas		qu'elles/ils n'**aim** ent pas

Présent

Imparfait

je	n'**aim** ai s pas	nous	n'**aim** i ons pas
tu	n'**aim** ai s pas	vous	n'**aim** i ez pas
elle/il, on	n'**aim** ai t pas	elles/ils	n'**aim** ai ent pas

Impératif

Présent

n'**aim** e pas n'**aim** ons pas

n'**aim** ez pas

Futur simple

je	n'**aime** r ai pas	nous	n'**aime** r ons pas
tu	n'**aime** r a s pas	vous	n'**aime** r ez pas
elle/il, on	n'**aime** r a pas	elles/ils	n'**aime** r ont pas

Infinitif

Présent	*Passé*
ne pas **aim** er	n'avoir pas **aim** é

Conditionnel présent

je	n'**aime** rai s pas	nous	n'**aime** ri ons pas
tu	n'**aime** rai s pas	vous	n'**aime** ri ez pas
elle/il, on	n'**aime** rai t pas	elles/ils	n'**aime** rai ent pas

Participe

Présent	*Passé*
n'**aim** ant pas	(pas) **aim** é

Passé simple

je	n'**aim** ai pas	nous	n'**aim** âm es pas
tu	n'**aim** a s pas	vous	n'**aim** ât es pas
elle/il, on	n'**aim** a pas	elles/ils	n'**aim** èr ent pas

On forme le **plus-que-parfait** en ajoutant le participe passé à l'auxiliaire conjugué à l'imparfait.

je n'avais pas **aim** é

On forme le **futur antérieur** en ajoutant le participe passé à l'auxiliaire conjugué au futur simple.

────────── **Temps composés** ──────────

je n'aurai pas **aim** é

Passé composé

On forme le **conditionnel passé** en ajoutant le participe passé à l'auxiliaire conjugué au conditionnel présent.

je	n'ai pas **aim** é	nous	n'avons pas **aim** é
tu	n'as pas **aim** é	vous	n'avez pas **aim** é
elle/il, on	n'a pas **aim** é	elles/ils	n'ont pas **aim** é

je n'aurais pas **aim** é

4c [AIM-, AIME-] **forme active – dans une phrase de type interrogatif**

Indicatif

─────────────── **Temps simples** ───────────────

Présent

Aim é -je ?
Aim e s -tu ?
Aim e -t-elle/il, on ?

Aim ons -nous ?
Aim ez -vous ?
Aim ent -elles/ils ?

Conditionnel présent

Aime rai s -je ?
Aime rai s -tu ?
Aime rai t -elle/il, on ?

Aime ri ons -nous ?
Aime ri ez -vous ?
Aime rai ent -elles/ils ?

Imparfait

Aim ai s -je ?
Aim ai s -tu ?
Aim ai t -elle/il, on ?

Aim i ons -nous ?
Aim i ez -vous ?
Aim ai ent -elles/ils ?

Passé simple

Aim ai -je ?
Aim a s -tu ?
Aim a -t-elle/il, on ?

Aim âm es -nous ?
Aim ât es -vous ?
Aim èr ent -elles/ils ?

Futur simple

Aime r ai -je ?
Aime r a s -tu ?
Aime r a -t-elle/il, on ?

Aime r ons -nous ?
Aime r ez -vous ?
Aime r ont -elles/ils ?

On forme le **plus-que-parfait** en ajoutant le participe passé à l'auxiliaire conjugué à l'imparfait.

Avais-je   aim é ?

On forme le **futur antérieur** en ajoutant le participe passé à l'auxiliaire conjugué au futur simple.

Aurai-je   aim é ?

─────────── **Temps composés** ───────────

Passé composé

Ai-je aim é ?
As-tu aim é ?
A-t-elle/il, on aim é ?

Avons-nous aim é ?
Avez-vous aim é ?
Ont-elles/ils aim é ?

On forme le **conditionnel passé** en ajoutant le participe passé à l'auxiliaire conjugué au conditionnel présent.

Aurais-je   aim é ?

4d Aimer [AIM-, AIME-] **dans une phrase de forme passive**

Indicatif

	Temps simples —				Temps composés —	
	Présent				*Passé composé*	
je	suis	aim é, aim ée		j'ai été		aim é, aim ée
tu	es	aim é, aim ée		tu as été		aim é, aim ée
elle/il, on	est	aim ée, aim é, aim ées, aim és		elle/il, on a été		aim ée, aim é, aim ées, aim és
nous	sommes	aim és, aim ées,		nous avons été		aim és, aim ées,
vous	êtes	aim é, aim ée, aim és, aim ées		vous avez été		aim é, aim ée, aim és, aim ées
elles/ils	sont	aim ées, aim és		elles/ils ont été		aim ées, aim és

	Imparfait	
j'	étais	aim é, aim ée
tu	étais	aim é, aim ée
elle/il, on	était	aim ée, aim é, aim ées, aim és
nous	étions	aim és, aim ées,
vous	étiez	aim é, aim ée, aim és, aim ées
elles/ils	étaient	aim ées, aim és

Subjonctif

	Présent	
que je sois		aim é, aim ée
que tu sois		aim é, aim ée
qu'elle/il, qu'on soit		aim ée, aim é, aim ées, aim és
que nous soyons		aimés, aimées
que vous soyez		aim é, aim ée, aim és, aim ées
qu'elles/ils soient		aim ées, aim és

	Futur simple	
je	serai	aim é, aim ée
tu	seras	aim é, aim ée
elle/il, on	sera	aim ée, aim é, aim ées, aim és
nous	serons	aim és, aim ées,
vous	serez	aim é, aim ée, aim és, aim ées
elles/ils	seront	aim ées, aim és

Impératif

	Présent	
sois		aim é, aim ée
soyons		aim és, aim ées
soyez		aim é, aim ée, aim és, aim ées

	Conditionnel présent	
je	serais	aim é, aim ée
tu	serais	aim é, aim ée
elle/il, on	serait	aim ée, aim é, aim ées, aim és
nous	serions	aim és, aim ées,
vous	seriez	aim é, aim ée, aim és, aim ées
elles/ils	seraient	aim ées, aim és

Infinitif

	Présent	
être		aim é, aim ée, aim és, aim ées

	Passé	
avoir été		aim é, aim ée, aim és, aim ées

	Passé simple	
je	fus	aim é, aim ée
tu	fus	aim é, aim ée
elle/il, on	fut	aim ée, aim é, aim ées, aim és
nous	fûmes	aim és, aim ées,
vous	fûtes	aim é, aim ée, aim és, aim ées
elles/ils	furent	aim ées, aim és

Participe

	Présent	
étant		aim é, aim ée, aim és, aim ées

	Passé	
ayant été		aim é, aim ée, aim és, aim ées

5 Devoir [DOI-, DEV-, DOIV-, D-]

Indicatif

———————— **Temps simples** ————————

Présent

je	**doi** s	nous	**dev** ons
tu	**doi** s	vous	**dev** ez
elle/il, on	**doi** t	elles/ils	**doiv** ent

Imparfait

je	**dev** ai s	nous	**dev** i ons
tu	**dev** ai s	vous	**dev** i ez
elle/il, on	**dev** ai t	elles/ils	**dev** ai ent

Futur simple

je	**dev** r ai	nous	**dev** r ons
tu	**dev** ra s	vous	**dev** r ez
elle/il, on	**dev** r a	elles/ils	**dev** r ont

Conditionnel présent

je	**dev** rai s	nous	**dev** ri ons
tu	**dev** rai s	vous	**dev** ri ez
elle/il, on	**dev** rai t	elles/ils	**dev** rai ent

Passé simple

je	**d** us	nous	**d** ûm es
tu	**d** us	vous	**d** ût es
elle/il, on	**d** ut	elles/ils	**d** ur ent

———————— **Temps composés** ————————

Passé composé

j'ai	**d** û	nous avons	**d** û
tu as	**d** û	vous avez	**d** û
elle/il, on a	**d** û	elles/ils ont	**d** û

Subjonctif

Présent

que je	**doiv** e	que nous	**dev** i ons
que tu	**doiv** e s	que vous	**dev** i ez
qu'elle/il, qu'on	**doiv** e	qu'elles/ils	**doiv** ent

Impératif

Présent

| **doi** s | | **dev** ons |
| | | **dev** ez |

Infinitif

| Présent | Passé |
| **dev** oir | avoir **d** û |

Participe

Présent	Passé
dev ant	**d** û, **d** us,
	d ue, **d** ues

On forme le **plus-que-parfait** en ajoutant le participe passé à l'auxiliaire conjugué à l'imparfait.

j'avais **d** û

On forme le **futur antérieur** en ajoutant le participe passé à l'auxiliaire conjugué au futur simple.

j'aurai **d** û

On forme le **conditionnel passé** en ajoutant le participe passé à l'auxiliaire conjugué au conditionnel présent.

j'aurais **d** û

6 Dire [DI-, DIS-, D-]

Indicatif

———— **Temps simples** ————

Présent

je	**di** s	nous	**dis** ons
tu	**di** s	vous	**di** tes
elle/il, on	**di** t	elles/ils	**dis** ent

Imparfait

je	**dis** ai s	nous	**dis** i ons
tu	**dis** ai s	vous	**dis** i ez
elle/il, on	**dis** ai t	elles/ils	**dis** ai ent

Futur simple

je	**di** r ai	nous	**di** r ons
tu	**di** ra s	vous	**di** r ez
elle/il, on	**di** r a	elles/ils	**di** r ont

Conditionnel présent

je	**di** rai s	nous	**di** ri ons
tu	**di** rai s	vous	**di** ri ez
elle/il, on	**di** rai t	elles/ils	**di** rai ent

Passé simple

je	**di** s	nous	**d** îm es
tu	**di** s	vous	**d** ît es
elle/il, on	**di** t	elles/ils	**d** ir ent

———— **Temps composés** ————

Passé composé

j'ai	**di** t	nous avons	**di** t
tu as	**di** t	vous avez	**di** t
elle/il, on a	**di** t	elles/ils ont	**di** t

Subjonctif

Présent

que je	**dis** e	que nous	**dis** i ons
que tu	**dis** e s	que vous	**dis** i ez
qu'elle/il, qu'on	**dis** e	qu'elles/ils	**dis** ent

Impératif

Présent

| **di** s | **dis** ons |
| | **di** t es |

Infinitif

| Présent | Passé |
| **di** re | avoir **di** t |

Participe

Présent	Passé
dis ant	**di** t, **di** ts,
	di te, **di** tes

On forme le **plus-que-parfait** en ajoutant le participe passé à l'auxiliaire conjugué à l'imparfait.

j'avais **di** t

On forme le **futur antérieur** en ajoutant le participe passé à l'auxiliaire conjugué au futur simple.

j'aurai **di** t

On forme le **conditionnel passé** en ajoutant le participe passé à l'auxiliaire conjugué au conditionnel présent.

j'aurais **di** t

7 **Faire** [FAI-, FAIS-, F-, FE-, FASS-]

Indicatif				Subjonctif			

Temps simples

Présent

je	**fai s**	nous	**fais ons**	que je	**fass e**	que nous	**fass i ons**
tu	**fai s**	vous	**fai t es**	que tu	**fass e s**	que vous	**fass i ez**
elle/il, on	**fai t**	elles/ils	**f ont**	qu'elle/il, qu'on	**fass e**	qu'elles/ils	**fass ent**

Imparfait

Impératif			

je	**fais ai s**	nous	**fais i ons**
tu	**fais ai s**	vous	**fais i ez**
elle/il, on	**fais ai t**	elles/ils	**fais ai ent**

Présent

fai s	**fais ons**	
	fai t es	

Futur simple

Infinitif		

je	**fe r ai**	nous	**fe r ons**
tu	**fe r a s**	vous	**fe r ez**
elle/il, on	**fe r a**	elles/ils	**fe r ont**

Présent — **fai re**

Passé — avoir **fai t**

Conditionnel présent

Participe		

je	**fe rai s**	nous	**fe ri ons**
tu	**fe rai s**	vous	**fe ri ez**
elle/il, on	**fe rai t**	elles/ils	**fe rai ent**

Présent — **fais ant**

Passé — **fai t, fai ts, fai te, fai tes**

Passé simple

je	**f i s**	nous	**f îm es**
tu	**f i s**	vous	**f ît es**
elle/il, on	**f i t**	elles/ils	**f ir ent**

On forme le **plus-que-parfait** en ajoutant le participe passé à l'auxiliaire conjugué à l'imparfait.

j'avais **fai t**

On forme le **futur antérieur** en ajoutant le participe passé à l'auxiliaire conjugué au futur simple.

j'aurai **fai t**

Temps composés

Passé composé

j'ai	**fai t**	nous avons	**fai t**
tu as	**fai t**	vous avez	**fai t**
elle/il, on a	**fai t**	elles/ils ont	**fai t**

On forme le **conditionnel passé** en ajoutant le participe passé à l'auxiliaire conjugué au conditionnel présent.

j'aurais **fai t**

8 Finir [FINI-, FINISS-, FIN-]

Indicatif

———— **Temps simples** ————

Présent

je	fini s	nous	finiss ons
tu	fini s	vous	finiss ez
elle/il, on	fini t	elles/ils	finiss ent

Imparfait

je	finiss ai s	nous	finiss i ons
tu	finiss ai s	vous	finiss i ez
elle/il, on	finiss ai t	elles/ils	finiss ai ent

Futur simple

je	fini r ai	nous	fini r ons
tu	fini r a s	vous	fini r ez
elle/il, on	fini r a	elles/ils	fini r ont

Conditionnel présent

je	fini rai s	nous	fini ri ons
tu	fini rai s	vous	fini ri ez
elle/il, on	fini rai t	elles/ils	fini rai ent

Passé simple

je	fin i s	nous	fin îm es
tu	fin i s	vous	fin ît es
elle/il, on	fin i t	elles/ils	fin ir ent

———— **Temps composés** ————

Passé composé

j'ai	fin i	nous avons	fin i
tu as	fin i	vous avez	fin i
elle/il, on a fin i		elles/ils ont	fin i

Subjonctif

Présent

que je	finiss e	que nous	finiss i ons
que tu	finiss e s	que vous	finiss i ez
qu'elle/il, qu'on	finiss e	qu'elles/ils	finiss ent

Impératif

Présent

fini s	finiss ons
	finiss ez

Infinitif

Présent	Passé
fin ir	avoir fin i

Participe

Présent	Passé
finiss ant	fin i, fin is,
	fin ie, fin ies

On forme le **plus-que-parfait** en ajoutant le participe passé à l'auxiliaire conjugué à l'imparfait.

j'avais	fin i

On forme le **futur antérieur** en ajoutant le participe passé à l'auxiliaire conjugué au futur simple.

j'aurai	fin i

On forme le **conditionnel passé** en ajoutant le participe passé à l'auxiliaire conjugué au conditionnel présent.

j'aurais	fin i

9 Pouvoir [PEU- (PUI-), POUV-, PEUV-, POUR-, P-, PUISS-]

Indicatif			

————————— **Temps simples** —————————

Présent

je	**peu** x / **pui** s	nous	**pouv** ons
tu	**peu** x	vous	**pouv** ez
elle/il, on	**peu** t	elles/ils	**peuv** ent

Imparfait

je	**pouv** ai s	nous	**pouv** i ons
tu	**pouv** ai s	vous	**pouv** i ez
elle/il, on	**pouv** ai t	elles/ils	**pouv** ai ent

Futur simple

je	**pour** r ai	nous	**pour** r ons
tu	**pour** ra s	vous	**pour** r ez
elle/il, on	**pour** r a	elles/ils	**pour** r ont

Conditionnel présent

je	**pour** rai s	nous	**pour** ri ons
tu	**pour** rai s	vous	**pour** ri ez
elle/il, on	**pour** rai t	elles/ils	**pour** rai ent

Passé simple

je	**p** u s	nous	**p** ûm es
tu	**p** u s	vous	**p** ût es
elle/il, on	**p** u t	elles/ils	**p** ur ent

————————— **Temps composés** —————————

Passé composé

j'ai	**p** u	nous avons	**p** u
tu as	**p** u	vous avez	**p** u
elle/il, on a	**p** u	elles/ils ont	**p** u

Subjonctif			

Présent

que je	**puiss** e	que nous	**puiss** i ons
que tu	**puiss** e s	que vous	**puiss** i ez
qu'elle/il, qu'on	**puiss** e	qu'elles/ils	**puiss** ent

Infinitif	

Présent	Passé
pouv oir	avoir **p** u

Participe	

Présent	Passé
pouv ant	**p** u

On forme le **plus-que-parfait** en ajoutant le participe passé à l'auxiliaire conjugué à l'imparfait.

j'avais **p** u

On forme le **futur antérieur** en ajoutant le participe passé à l'auxiliaire conjugué au futur simple.

j'aurai **p** u

On forme le **conditionnel passé** en ajoutant le participe passé à l'auxiliaire conjugué au conditionnel présent.

j'aurais **p** u

10 Prendre [PREND-, PREN-, PR-, PRI-, PRENN-]

Indicatif

————— **Temps simples** —————

Présent

je	**prend** s	nous	**pren** ons
tu	**prend** s	vous	**pren** ez
elle/il, on	**pren** d	elles/ils	**prenn** ent

Imparfait

je	**pren** ai s	nous	**pren** i ons
tu	**pren** ai s	vous	**pren** i ez
elle/il, on	**pren** ai t	elles/ils	**pren** ai ent

Futur simple

je	**prend** r ai	nous	**prend** r ons
tu	**prend** r as	vous	**prend** r ez
elle/il, on	**prend** r a	elles/ils	**prend** r ont

Conditionnel présent

je	**prend** rai s	nous	**prend** ri ons
tu	**prend** rai s	vous	**prend** ri ez
elle/il, on	**prend** rai t	elles/ils	**prend** rai ent

Passé simple

je	**pr** i s	nous	**pr** îm es
tu	**pr** i s	vous	**pr** ît es
elle/il, on	**pr** i t	elles/ils	**pr** ir ent

————— **Temps composés** —————

Passé composé

j'ai	**pri** s	nous avons	**pri** s
tu as	**pri** s	vous avez	**pri** s
elle/il, on a	**pri** s	elles/ils ont	**pri** s

Subjonctif

Présent

que je	**prenn** e	que nous	**pren** i ons
que tu	**prenn** e s	que vous	**pren** i ez
qu'elle/il, qu'on	**prenn** e	qu'elles/ils	**prenn** ent

Impératif

Présent

prend s	**pren** ons
	pren ez

Infinitif

Présent	*Passé*
prend re	avoir **pri** s

Participe

Présent	*Passé*
pren ant	**pri** s, **pri** s,
	pri se, **pri** ses

On forme le **plus-que-parfait** en ajoutant le participe passé à l'auxiliaire conjugué à l'imparfait.

j'avais   **pri** s

On forme le **futur antérieur** en ajoutant le participe passé à l'auxiliaire conjugué au futur simple.

j'aurai   **pri** s

On forme le **conditionnel passé** en ajoutant le participe passé à l'auxiliaire conjugué au conditionnel présent.

j'aurais   **pri** s

11 **Venir** [VIEN-, VEN-, VIEND-, V-, VIENN-]

Indicatif			

———— Temps simples ————

Présent

je	vien s	nous	ven ons
tu	vien s	vous	ven ez
elle/il, on	vien t	elles/ils	vienn ent

Imparfait

je	ven ai s	nous	ven i ons
tu	ven ai s	vous	ven i ez
elle/il, on	ven ai t	elles/ils	ven ai ent

Futur simple

je	viend r ai	nous	viend r ons
tu	viend ra s	vous	viend r ez
elle/il, on	viend r a	elles/ils	viend r ont

Conditionnel présent

je	viend rai s	nous	viend ri ons
tu	viend rai s	vous	viend ri ez
elle/il, on	viend rai t	elles/ils	viend rai ent

Passé simple

je	v in s	nous	v înm es
tu	v in s	vous	v înt es
elle/il, on	v in t	elles/ils	v inr ent

———— Temps composés ————

Passé composé

je suis	ven u, ven ue	nous sommes	ven us, ven ues
tu es	ven u, ven ue	vous êtes	ven us, ven ues
elle/il, on est	ven ue, ven u,	elles/ils sont	ven us, ven ues
	ven ues, ven us		

Subjonctif			

Présent

que je	vienn e	que nous	ven i ons
que tu	vienn e s	que vous	ven i ez
qu'elle/il, qu'on	vienn e	qu'elles/ils	vienn ent

Impératif	

Présent

vien s	ven ons
	ven ez

Infinitif	

Présent	Passé
ven ir	être ven u, ven us,
	ven ue, ven ues

Participe	

Présent	Passé
ven ant	ven u, ven us,
	ven ue, ven ues

On forme le **plus-que-parfait** en ajoutant le participe passé à l'auxiliaire conjugué à l'imparfait.

j'étais	ven u, ven ue

On forme le **futur antérieur** en ajoutant le participe passé à l'auxiliaire conjugué au futur simple.

je serai	ven u, ven ue

On forme le **conditionnel passé** en ajoutant le participe passé à l'auxiliaire conjugué au conditionnel présent.

je serais	ven u, ven ue

12 **Voir** [VOI-, VOY-, VER-, V-]

	Indicatif		

_____ **Temps simples** _____

Présent

je	voi s	nous	voy ons
tu	voi s	vous	voy ez
elle/il, on	voi t	elles/ils	voi ent

Imparfait

je	voy ai s	nous	voy i ons
tu	voy ai s	vous	voy i ez
elle/il, on	voy ai t	elles/ils	voy ai ent

Futur simple

je	ver r ai	nous	ver r ons
tu	ver r a s	vous	ver r ez
elle/il, on	ver r a	elles/ils	ver r ont

Conditionnel présent

je	ver rai s	nous	ver ri ons
tu	ver rai s	vous	ver ri ez
elle/il, on	ver rai t	elles/ils	ver rai ent

Passé simple

je	v i s	nous	v îm es
tu	v i s	vous	v ît es
elle/il, on	v i t	elles/ils	v ir ent

_____ **Temps composés** _____

Passé composé

j'ai	v u	nous avons	v u
tu as	v u	vous avez	v u
elle/il, on a	v u	elles/ils ont	v u

Subjonctif			

Présent

que je	voi e	que nous	voy i ons
que tu	voi e s	que vous	voy i ez
qu'elle/il, qu'on	voi e	qu'elles/ils	voi ent

Impératif	

Présent

voi s	voy ons
	voy ez

Infinitif	

Présent	Passé
v oir	avoir v u

Participe	

Présent	Passé
voy ant	v u, v us,
	v ue, v ues

On forme le **plus-que-parfait** en ajoutant le participe passé à l'auxiliaire conjugué à l'imparfait.

j'avais	v u

On forme le **futur antérieur** en ajoutant le participe passé à l'auxiliaire conjugué au futur simple.

j'aurai	v u

On forme le **conditionnel passé** en ajoutant le participe passé à l'auxiliaire conjugué au conditionnel présent.

j'aurais	v u

13 Vouloir [VEU-, VOUL-, VEUL-, VOUD-, VEUILL-]

Indicatif

────── **Temps simples** ──────

Présent

je	**veu** x	nous	**voul** ons
tu	**veu** x	vous	**voul** ez
elle/il, on	**veu** t	elles/ils	**veul** ent

Imparfait

je	**voul** ai s	nous	**voul** i ons
tu	**voul** ai s	vous	**voul** i ez
elle/il, on	**voul** ai t	elles/ils	**voul** ai ent

Futur simple

je	**voud** r ai	nous	**voud** r ons
tu	**voud** ra s	vous	**voud** r ez
elle/il, on	**voud** r a	elles/ils	**voud** r ont

Conditionnel présent

je	**voud** rai s	nous	**voud** ri ons
tu	**voud** rai s	vous	**voud** ri ez
elle/il, on	**voud** rai t	elles/ils	**voud** rai ent

Passé simple

je	**voul** u s	nous	**voul** ûm es
tu	**voul** u s	vous	**voul** ût es
elle/il, on	**voul** u t	elles/ils	**voul** ur ent

────── **Temps composés** ──────

Passé composé

j'ai	**voul** u	nous avons	**voul** u
tu as	**voul** u	vous avez	**voul** u
elle/il, on a	**voul** u	elles/ils ont	**voul** u

Subjonctif

Présent

que je	**veuill** e	que nous	**voul** i ons
que tu	**veuill** e s	que vous	**voul** i ez
qu'elle/il, qu'on	**veuill** e	qu'elles/ils	**veuill** ent

Impératif

Présent

veuill e	**veuill** ons
	veuill ez

Infinitif

Présent	Passé
voul oir	avoir **voul** u

Participe

Présent	Passé
voul ant	**voul** u, **voul** us,
	voul ue, **voul** ues

On forme le **plus-que-parfait** en ajoutant le participe passé à l'auxiliaire conjugué à l'imparfait.

j'avais **voul** u

On forme le **futur antérieur** en ajoutant le participe passé à l'auxiliaire conjugué au futur simple.

j'aurai **voul** u

On forme le **conditionnel passé** en ajoutant le participe passé à l'auxiliaire conjugué au conditionnel présent.

j'aurais **voul** u

Orthographe grammaticale

UTILISER LE GENRE
ET LE NOMBRE

Un groupe du nom et un pronom possèdent un genre masculin ou féminin, ainsi qu'un nombre singulier ou pluriel. Ils s'écrivent différemment selon leur genre et leur nombre.

1. Qu'est-ce que le genre?

- Le genre est une **caractéristique** des mots variables. On distingue les genres **masculin** et **féminin**.

2. Comment reconnaître le genre d'un nom ou d'un pronom?

- Un nom qui peut être **précédé** des déterminants *un* ou *le* est **masculin**. Celui qui peut être **précédé** de *une* ou *la* est **féminin**.

<u>un</u> garçon	<u>un</u> lapin	<u>le</u> bureau	<u>le</u> lac
<u>une</u> fille	<u>une</u> lapine	<u>la</u> table	<u>la</u> forêt

➤ p.118-119, n° 2

- Un pronom qui peut **remplacer un nom masculin** est masculin. Celui qui peut **remplacer un nom féminin** est féminin.

<u>Il</u> (<u>un</u> garçon)	<u>le mien</u> (<u>un</u> bureau)
<u>celui</u> (<u>un</u> lac)	<u>un</u> lac <u>qui</u> est profond
<u>Elle</u> (<u>une</u> fille)	<u>la mienne</u> (<u>une</u> lapine)

Le genre d'un nom est toujours indiqué dans le dictionnaire.

➤ p. 181, n° 3
➤ p. 450-451, n° 4

- Un nom qui désigne un individu de **sexe masculin** ou un animal **mâle** est souvent de genre **masculin**. S'il désigne un individu de **sexe féminin** ou un animal **femelle**, il est souvent de genre **féminin**.

Personne		Animal	
Masculin	**Féminin**	**Masculin**	**Féminin**
Roberto David Frédéric	Adèle Marie-Andrée Catherine	Ulysse Merlin Alfred	Délicate Princesse Athénée
un père un frère un parrain un roi	une mère une sœur une marraine une reine	un cheval un cerf un coq un singe	une jument une biche une poule une guenon
un ami un berger un pompier un auteur un danseur un chercheur un directeur un gamin un voisin un cousin	une amie une bergère une pompière une auteure une danseuse une chercheure une directrice une gamine une voisine une cousine	un lion un lapin un pigeon un poulain un loup un ours un chien un chat un tigre un dindon	une lionne une lapine une pigeonne une pouliche une louve une ourse une chienne une chatte une tigresse une dinde
un concierge un secrétaire un artiste un touriste un graphiste un élève	une concierge une secrétaire une artiste une touriste une graphiste une élève	un mâle un phoque mâle un éléphant mâle une perruche mâle	une femelle un phoque femelle un éléphant femelle une perruche femelle

- Le genre d'un nom désignant une personne ou un animal peut aussi n'avoir **aucun lien** avec le **sexe**.

Personne		Animal	
Masculin	**Féminin**	**Masculin**	**Féminin**
un individu	une personne	un homard	une crevette
un bébé	une nourrice	un martin-pêcheur	une tourterelle
un valet	une sentinelle	un orignal	une baleine
un tyran	une chipie	un caribou	une perdrix
un elfe	une fée	un moineau	une corneille
un monstre	une sorcière	un corbeau	une fourmi
un bandit	une brute	un lézard	une sauterelle
un assassin	une victime	un bison	une coccinelle

Autres	
Masculin	**Féminin**
un mur, un gymnase	une fenêtre, une bibliothèque
un manteau, un chapeau, un soulier	une cape, une casquette, une chaussure
un train, un voyage	une voiture, une visite
un pissenlit	une rose
un atlas, un livre	une mappemonde, une revue
un squelette	une ossature
un chou, un kiwi	une carotte, une poire
un soleil	une lune

➤ p. 121, n° 6

3. Comment reconnaître le genre d'un mot qui peut être employé dans un genre ou dans l'autre ?

- Certains mots **changent de sens** selon leur **genre**.

Masculin	Féminin
un manche *(une partie d'un outil)*	une manche *(une partie d'un vêtement)*
un mode d'emploi *(une façon de se servir de quelque chose)*	une mode *(une manière de s'habiller)*
un mousse *(un jeune garçon qui apprend le métier de marin)*	une mousse *(des petites bulles très serrées)*
un page *(un jeune noble)*	une page *(un côté d'une feuille de papier)*
un voile *(un morceau de tissu qui cache quelque chose)*	une voile *(un morceau de toile qui fait partie d'un bateau)*

Un mot qui change de sens selon qu'il est employé au masculin ou au féminin a **deux entrées distinctes** dans le dictionnaire.

4. Quelles classes de mots sont influencées par le genre ?

- Le genre masculin ou féminin influence les classes de mots qu'on dit **variables** : les **noms**, les **déterminants**, les **adjectifs**, les **pronoms** et les **participes passés**.

Masculin	Féminin
Nom un informaticien	un<u>e</u> informaticie<u>nne</u>
Déterminant le, un, mon	l<u>a</u>, un<u>e</u>, m<u>a</u>
Adjectif grand, petit	grand<u>e</u>, petit<u>e</u>
Pronom il, ils	elle, elles
Participe passé ils sont parti<u>s</u>	elles sont parti<u>es</u>

p. 120, n° 3

➤ p. 120, n° 3
➤ p. 137, n° 6
➤ p. 164, n° 8
➤ p. 183-185, n° 7

5. Quel est le genre d'un groupe du nom?

• Un groupe du nom prend le genre du **nom noyau**. Le nom noyau **donne son genre** au déterminant et à l'adjectif.

<u>Un petit</u> garçon mangeait de la crème glacée.

nom noyau masculin

<u>Une petite</u> fille mangeait de la crème glacée.

nom noyau féminin

<u>Des petits</u> garçons mangeaient des fraises.

nom noyau masculin

<u>Des petites</u> filles mangeaient des fraises.

nom noyau féminin

➤ p. 5-6, n° 7
➤ p. 125-127, n° 12

6. Qu'est-ce que le nombre ?

• Le nombre est une **caractéristique** des mots variables. On distingue les nombres **singulier** et **pluriel**. On utilise le singulier pour désigner **un** élément et le pluriel pour en désigner **plusieurs** : **deux et plus (2, 3...)**.

Singulier (1)	Pluriel (2, 3...)
une bicyclette	quatre bicyclettes quatre-vingt-huit bicyclettes cent bicyclettes beaucoup de bicyclettes des milliards de bicyclettes
un vélo	deux vélos vingt-cinq vélos mille vélos plusieurs vélos des millions de vélos

7. Comment reconnaître le nombre d'un nom ou d'un pronom ?

• Un nom qui peut être **précédé** des déterminants *un, une, le* ou *la* est **singulier**. Celui qui peut être **précédé** de *des* ou *les* est **pluriel**.

un garçon   la fille

des lapins   les tables

- Un **pronom** qui **remplace un nom singulier** est singulier. Celui **qui remplace un nom pluriel** est pluriel.

Ils – eux – ceux (un garçon et un lapin)

des lacs qui sont dégelés

Elles – celles (une fille et une lapine)

des truites qui sont énormes

- Les **pronoms** personnels ou pronoms de conjugaison *je, tu, elle/il, on* sont employés au **singulier**. *Nous, vous, elles/ils* sont employés au **pluriel**.

Je suis intéressé par les petits poissons.

Ils lisent de gros bouquins.

Attention

On doit s'assurer de bien reconnaître le pronom *vous* du vouvoiement : il amène un groupe attribut du sujet au **singulier**. Quant au pronom *on*, il peut représenter plusieurs personnes, ce qui commande un groupe attribut du sujet au **pluriel**.

Vous êtes taquine !

On est toujours très actifs pendant les récréations.

8. Quelles classes de mots sont influencées par le nombre ?

- Le nombre singulier ou pluriel influence les classes de mots qu'on dit **variables** : les **noms**, les **déterminants**, les **adjectifs**, les **pronoms** et les **verbes**.

Singulier	Pluriel
Nom une informaticienne, l'orignal	des informaticienne**s**, les orign**aux**
Déterminant le/la, un/une, mon/ma…	les, des, mes…
Adjectif grand, grande	grand**s**, grande**s**
Pronom je, tu, elle/il, on	nous, vous, elles/ils
Verbe je chant**e**	nous chant**ons**

➤ p. 120, n° 3
➤ p. 137, n° 6
➤ p. 164, n° 8
➤ p. 183-185, n° 7

9. Quel est le nombre d'un groupe du nom?

• Un groupe du nom prend le nombre du **nom noyau.** Le nom noyau **donne son nombre** au déterminant et à l'adjectif.

Un petit homme se promenait avec son caniche.
nom noyau singulier

Une petite dame se promenait avec son chihuahua.
nom noyau singulier

Des grands garçons jouaient dans l'équipe des Bleus.
nom noyau pluriel

Des grandes filles jouaient dans l'équipe des Rouges.
nom noyau pluriel

➤ p. 5-6, n° 7
➤ p. 120, n° 3
➤ p. 151-154, n° 6

I. Utiliser le genre et le nombre   **309**

10. Quels sont les mots qui n'ont ni genre ni nombre?

- Les **prépositions**, les **coordonnants/subordonnants**, les **adverbes** et certains **mots interrogatifs** n'ont aucun genre et aucun nombre. Ils sont **invariables**.

à	de	chez	pour	et
où	dont	parce que	merveilleusement	
beaucoup	très	pourquoi	comment	

➤ p. 26-27, n° 4
➤ p. 196-197, n° 1
➤ p. 202, n° 1
➤ p. 208, n° 1

!Attention

Les mots interrogatifs *quel* et *lequel* sont variables : *quel, quelle, quels, quelles, lequel, laquelle, lesquels, lesquelles.*

11. Peut-on dire qu'une fonction a un genre et un nombre?

- Une fonction **n'a** en soi ni **genre** ni **nombre**. C'est le groupe de mots qui remplit la fonction qui possède un genre et un nombre. Ce genre et ce nombre proviennent du **noyau**. Un groupe du nom, par exemple, ou le pronom qui peut remplacer ce groupe du nom, peut occuper la fonction de groupe sujet.

Hier, <u>la grosse chatte grise</u> s'est prélassée au soleil.

*Le groupe du nom **la grosse chatte grise** occupe la fonction de groupe sujet. Il donne son genre (féminin) et son nombre (singulier) au participe passé qui suit le verbe **être**.*

Fonction	Noyau d'un groupe	Pronom (remplace le noyau d'un groupe)	Exemples	Genre et nombre
groupe sujet	nom m. s.		Maxime joue au hockey.	m. s.
		pronom m. s.	Il joue au hockey. Il pleut.	
		pronom relatif **qui** m. s.	C'est Maxime qui joue au hockey.	
	verbe à l'infinitif		Jouer est mon activité préférée.	
	nom f. s.		Anna joue au hockey.	f. s.
		pronom f. s.	Elle joue au hockey.	
		pronom relatif **qui** f. s.	C'est Anna qui joue au hockey.	
	nom m. p.		Mes amis jouent au hockey.	m. p.
		pronom m. p.	Ils jouent au hockey.	
		pronom relatif **qui** m. p.	Ce sont mes amis qui jouent au hockey.	

* m.: genre masculin   f.: genre féminin   s.: nombre singulier   p.: nombre pluriel

Fonction	Noyau d'un groupe	Pronom (remplace le noyau d'un groupe)	Exemples	Genre et nombre
groupe sujet	nom f. p.		Mes amies jouent au hockey.	f. p.
		pronom f. p.	Elles jouent au hockey.	
		pronom relatif **qui** f. p.	Ce sont mes amies qui jouent au hockey.	
groupe prédicat	Le noyau du groupe prédicat est un verbe conjugué.			
groupe complément de phrase	nom m. s.		L'hiver dernier, nous skiions.	m. s.
	nom f. s.		La semaine prochaine, nous skierons.	f. s.
	nom m. p.		Dans les temps anciens, les chevaliers défendaient les dames.	m. p.
	nom f. p.		Dans les années à venir, l'ordinateur servira de téléphone.	f. p.
groupe attribut du sujet (adjectif)	adjectif m. s.		Le jeu est excellent.	m. s.
	adjectif f. s.		La joute est excellente.	f. s.
	adjectif m. p.		Les jeux sont excellents.	m. p.
	adjectif f. p.		Les joutes sont excellentes.	f. p.

* m. : genre masculin   f. : genre féminin   s. : nombre singulier   p. : nombre pluriel

Fonction	Noyau d'un groupe	Pronom (remplace le noyau d'un groupe)	Exemples	Genre et nombre
★ groupe CD	nom m. s.		J'ai donné le <u>bâton</u> de hockey.	m. s.
		pronom m. s.	Je l'ai donné.	
	nom f. s.		J'ai donné la <u>rondelle</u> de hockey.	f. s.
		pronom f. s.	Je l'ai donnée.	
	nom m. p.		J'ai donné les <u>bâtons</u> de hockey.	m. p.
		pronom m. p.	Je les ai donnés.	
	nom f. p.		J'ai donné mes <u>citrouilles</u>.	f. p.
		pronom f. p.	Je les ai données.	

* m. : genre masculin   f. : genre féminin   s. : nombre singulier   p. : nombre pluriel

➤ p. 26-27, n° 4
➤ p. 74, n° 1
➤ p. 84-86, n° 1
➤ p. 101-102, n° 5

1. Utiliser le genre et le nombre

2 FORMER LE FÉMININ DES ADJECTIFS

Il suffit généralement d'ajouter un e à l'adjectif masculin pour former le féminin. Dans certains cas, toutefois, le féminin peut être formé autrement.

1. Comment se forme en général le féminin d'un adjectif?

- En général, on forme le féminin d'un adjectif en **ajoutant** un e à la fin de l'adjectif masculin.

un bourgeon délicat	une montre délicat<u>e</u>
un passage étroit	une rue étroit<u>e</u>
un arbre nu	une plaine nu<u>e</u>

Tu peux consulter une grammaire pour trouver les règles de formation du féminin et les exceptions à ces règles. Tu peux aussi consulter un **dictionnaire**. La forme **féminine** d'un **adjectif** y est habituellement donnée à l'intérieur du paragraphe consacré à l'adjectif **masculin**.

▶ **chaleureux** adj. Plein d'enthousiasme, de chaleur. *Un accueil chaleureux.* ‖ contr. **froid** ‖ — Au fém. *chaleureuse.*

Le Robert Junior illustré

2. Comment se forme le féminin d'un adjectif masculin qui se termine déjà par -e ?

• L'orthographe de l'adjectif reste **la même** au féminin.

un animal carnivor<u>e</u>   une plante carnivor<u>e</u>

un clown trist<u>e</u>   une ballerine trist<u>e</u>

3. Comment se forme le féminin d'un adjectif masculin qui se termine par -in ou par -un ?

• La plupart des adjectifs qui se terminent par **-in** ou par **-un** forment leur féminin d'après la règle générale. On **ajoute** un e à la fin de l'adjectif masculin.

un lieu commun   une partie commun<u>e</u>

un garçon coquin   une fille coquin<u>e</u>

Exception :

-in change en **-igne** : béni<u>n</u> (bén<u>igne</u>), malin (mal<u>igne</u>)

> Le féminin d'un adjectif peut parfois te servir d'indice pour trouver la **lettre-consonne muette** qui termine ce mot au masculin. La consonne s'entend lorsque l'on prononce l'adjectif au féminin.

bru<u>ne</u> (bru<u>n</u>)   mesqui<u>ne</u> (mesqui<u>n</u>)

Exception :

-se change en **-x** : jalou<u>se</u> (jalou<u>x</u>)

4. *Comment se forme le féminin d'un adjectif masculin qui se termine par -eil, -el, -en, -et, -il, -on, -ot, -s, -ul ?*

- On double la **consonne finale** et on ajoute un **e muet** à la fin du mot.

eil → eille	deux jouets par<u>eils</u>	deux poupées par<u>eilles</u>	
el → elle	un coup accident<u>el</u>	une blessure accident<u>elle</u>	
en → enne	un homme bohém<u>ien</u>	une femme bohém<u>ienne</u>	
et → ette	un plancher n<u>et</u>	une douche n<u>ette</u>	
il → ille	un garçon gent<u>il</u>	une fille gent<u>ille</u>	
on → onne	un b<u>on</u> steak	une b<u>onne</u> salade	
ot → otte	un gamin pâl<u>ot</u>	une gamine pâl<u>otte</u>	
s → sse	un livre épai<u>s</u>	une glace épai<u>sse</u>	
ul → ulle	un spectacle n<u>ul</u>	une partie n<u>ulle</u>	

Exceptions :

-et change en **-ète** : complet (compl<u>ète</u>), incomplet (incompl<u>ète</u>), concret (concr<u>ète</u>), discret (discr<u>ète</u>), indiscret (indiscr<u>ète</u>), désuet (désu<u>ète</u>), inquiet (inqui<u>ète</u>), secret (secr<u>ète</u>)

-ot change en **-ote** : idiot (idi<u>ote</u>)

-s change en **-se** : concis (conci<u>se</u>), confus (confu<u>se</u>), gris (gri<u>se</u>), imprécis (imprécis<u>e</u>), précis (préci<u>se</u>)

Le féminin des adjectifs qui se terminent par **-eille, -elle, -enne, -ette, -ille, -onne, -otte, -sse** ou **-ulle** peuvent parfois te servir d'indice pour trouver la graphie du mot au masculin. Lorsqu'on les écrit au masculin, ces adjectifs féminins perdent les **deux dernières lettres**. L'adjectif masculin se termine alors par **une lettre-consonne parfois muette**.

pareille ⟶ pareil   partielle ⟶ partiel

ancienne ⟶ ancien   coquette ⟶ coquet

gentille ⟶ gentil   poltronne ⟶ poltron

pâlotte ⟶ pâlot   basse ⟶ bas

nulle ⟶ nul

Exceptions :

    -sse change en **-x** : fausse (faux), rousse (roux)

    -elle change en **-eau** : belle (beau), nouvelle (nouveau),
                            jumelle (jumeau)

5. Comment se forme le féminin d'un adjectif masculin qui se termine par -er ?

• Les adjectifs qui se terminent par **-er** changent leur finale pour **-ère**.

amère (amer), chère (cher), coutumière (coutumier),
dernière (dernier), fière (fier), légère (léger),
première (premier)

Certains adjectifs féminins se terminent par **-ère** ou **-ète**. Au masculin, ils changent le è pour un e devant la consonne et perdent le e muet final : **-ère** devient **-er**, **-ète** devient **-et**.

étrangère (étranger), fière (fier), ménagère (ménager), passagère (passager), complète (complet), incomplète (incomplet), concrète (concret), discrète (discret), désuète (désuet), inquiète (inquiet), secrète (secret)

6. Comment se forme le féminin d'un adjectif masculin qui se termine par -eur ou par -eux?

- Plusieurs adjectifs qui se terminent par **-eur** ou **-eux** changent leur finale pour **-euse** au féminin: amour**euse** (amour**eux**), audaci**euse** (audaci**eux**), curi**euse** (curi**eux**), joy**euse** (joy**eux**), heur**euse** (heur**eux**), merveill**euse** (merveill**eux**), moqu**euse** (moqu**eur**), vend**euse** (vend**eur**)...

un trapéziste audaci<u>eux</u>   une idée audaci<u>euse</u>

un air moqu<u>eur</u>   une mimique moqu<u>euse</u>

- Certains adjectifs qui se terminent par **-eur** acceptent un **e** à la fin: antérieur**e**, extérieur**e**, inférieur**e**, intérieur**e**, meilleur**e**, majeur**e**, mineur**e**, postérieur**e**, supérieur**e**.

un jardin intéri<u>eur</u>   une piscine intéri<u>eure</u>

7. Comment se forme le féminin d'un adjectif masculin qui se termine par -teur?

- Certains adjectifs masculins qui se terminent par **-teur** changent leur finale pour **-teuse** au féminin: men**teuse**, promet**teuse**...

un avenir promet<u>teur</u>   une situation promet<u>teuse</u>

- D'autres adjectifs qui se terminent par **-teur** changent leur finale pour **-trice** au féminin : créa**trice**, destruc**trice**, imita**trice**, protec**trice**.

un clown imita<u>teur</u>   une fille imita<u>trice</u>

8. Comment se forme le féminin d'un adjectif masculin qui se termine par -f?

- Le **-f** final se change en **-ve**.

un véhicule neu<u>f</u>   une automobile neu<u>ve</u>

9. Comment se forme le féminin d'un adjectif masculin qui se termine par -g ou -gu?

- On doit ajouter **-ue** à la fin du mot pour former le féminin des adjectifs en **-g**.

un long tunnel   une manche long<u>ue</u>

- On doit ajouter **-ë** à la fin des adjectifs en **-gu**. Le féminin et le masculin de l'adjectif ont la **même prononciation**.

ambig<u>u</u> (ambig<u>uë</u>)   aig<u>u</u> (aig<u>uë</u>)

> Le Conseil supérieur de la langue française suggère d'appliquer la règle suivante : on peut mettre le tréma sur la voyelle qui se prononce, comme on le fait pour naïf et héroïque. Le **u**, par exemple, se prononce dans aig**ü**e et ambig**ü**e.

10. Comment se forme le féminin d'un adjectif masculin qui se termine par -c?

- La plupart de ces adjectifs forment leur féminin en changeant le **-c** pour **-che**.

blanc (blanche)   franc (franche)   sec (sèche)

11. Comment se forme le féminin des adjectifs masculins laïc, public, grec et turc?

- Pour former le féminin des mots **laïc**, **public** et **turc**, on change la lettre finale **-c** pour **-que**. Pour former le féminin du mot **grec**, on ajoute les lettres **-que** à la fin du mot.

laïc (laïque), public (publique), turc (turque), grec (grecque)

12. Comment se forme le féminin des adjectifs masculins beau, fou, mou, nouveau et vieux?

- Les adjectifs féminins se forment à partir de l'orthographe présentée par les adjectifs masculins lorsque, au lieu d'être placés devant un son-consonne (un beau **g**arçon), ils sont placés devant un son-voyelle (un bel **h**omme). On écrit alors be**l**, fo**l**, mo**l**, nouve**l** et vie**il**. La forme féminine de ces mots s'obtient en ajoutant **-le**.

un beau garçon, un bel homme, une belle fille

un amour fou, un fol amour, une aventure folle

un beurre mou, un mol avertissement, une pâte molle

un nouveau jouet, un nouvel ami, une nouvelle auto

un homme vieux, un vieil homme, une vieille dame

➤ p. 353, n° 1
➤ p. 358, n° 1

FORMER LE PLURIEL
DES NOMS ET DES ADJECTIFS

La plupart des noms et des adjectifs ont un pluriel en s. Mais certains d'entre eux se comportent différemment et il est utile de les connaître.

I. Comment se forme en général le pluriel des noms et des adjectifs?

- En général, on forme le **pluriel** des noms et des adjectifs en **ajoutant** un **s** à la forme du singulier.

	Singulier	**Pluriel**
Noms	un rat, la lapine	des rat<u>s</u>, les lapine<u>s</u>
Adjectifs	un livre intéressant, une notion importante	des livres intéressant<u>s</u>, des notions importante<u>s</u>

- Plusieurs mots **empruntés aux langues étrangères** forment leur pluriel par l'ajout d'un **s**.

des match<u>s</u>   des solo<u>s</u>

des maximum<u>s</u>   des média<u>s</u>

Comme le recommande le Conseil supérieur de la langue française, **on peut appliquer cette règle à tous les mots empruntés aux autres langues**: des cowboy<u>s</u>, des raviolis, des week-end<u>s</u>…

2. Comment se forme le pluriel des noms et des adjectifs en -s, -x ou -z ?

• Les noms et les adjectifs **masculins** qui se terminent au singulier par **-s**, **-x** ou **-z** ne changent pas de forme au pluriel.

	Singulier	**Pluriel**
Noms	le bois, le prix, le gaz	les bois, les prix, les gaz
Adjectifs	un gâteau délicieux, un gros câlin	des gâteaux délicieux, des gros câlins

3. Comment se forme le pluriel des noms et des adjectifs en -al ?

• La plupart des noms et des adjectifs **masculins** qui se terminent par **-al** forment leur pluriel en **-aux**. Ces adjectifs au féminin pluriel prennent la forme **-ales**. Toutefois, quelques noms et adjectifs masculins en **-al** forment leur pluriel par l'ajout d'un **s**.

	Singulier	**Pluriel**
Noms	un animal, un cheval	des animaux, des chevaux
Exceptions	un bal, un carnaval, un chacal, un festival, un récital, un régal	des bals, des carnavals, des chacals, des festivals, des récitals, des régals
Adjectifs	banal, bancal, fatal, natal, naval	banals, bancals, fatals, natals, navals
Exceptions	estival, vertical	estivaux, verticaux

	Singulier	Pluriel
Exceptions : deux formes d'adjectifs masculins	idéal, final, glacial	idéaux/idéals, finaux/finals, glaciaux/glacials

Tu peux t'inventer un **moyen bien personnel** pour retenir ces **mots** qui font exception : imaginer, par exemple, une phrase ou une petite histoire qui les intègre tous. La phrase peut ressembler à celle-ci : **Vive les bals, les carnavals, les festivals, les récitals, les régals ! Attention aux chacals !**

4. Comment se forme le pluriel des noms et des adjectifs masculins en -au, -eau et -eu ?

- La plupart des noms qui se terminent au singulier par **-au**, **-eau**, **-eu** et des adjectifs en **-eau** forment leur pluriel par l'ajout d'un **x**. Il existe aussi des exceptions où le pluriel se forme par l'ajout d'un **s**.

	Singulier	Pluriel
Noms	le tuyau, le drapeau, le cheveu	les tuyaux, les drapeaux, les cheveux
Exceptions	un landau, un sarrau, un bleu, un pneu	des landaus, des sarraus, des bleus, des pneus
Adjectifs	un beau kayak, un nouveau sport	des beaux kayaks, des nouveaux sports
Exceptions	un sac bleu	des sacs bleus

5. Comment se forme le pluriel des noms et des adjectifs en -ou ?

- Les noms et les adjectifs qui se terminent par **-ou** au singulier forment leur pluriel par l'ajout d'un **s**. Sept noms en **-ou** prennent un **x** au pluriel.

	Singulier	**Pluriel**
Noms	un c<u>ou</u>, un s<u>ou</u>, un tr<u>ou</u>	des c<u>ous</u>, des s<u>ous</u>, des tr<u>ous</u>
Exceptions	un bij<u>ou</u>, un caill<u>ou</u>, un ch<u>ou</u>, un gen<u>ou</u>, un hib<u>ou</u>, un jouj<u>ou</u>, un p<u>ou</u>	des bij<u>oux</u>, des caill<u>oux</u>, des ch<u>oux</u>, des gen<u>oux</u>, des hib<u>oux</u>, des jouj<u>oux</u>, des p<u>oux</u>
Adjectifs	un animal f<u>ou</u>	des animaux f<u>ous</u>

Tu peux t'inventer un **moyen bien personnel** pour retenir ces **mots** : imaginer, par exemple, une phrase, une histoire ou une image qui les intègre tous. La phrase peut ressembler à celle-ci : **Des bijoux sur mes genoux, des choux pleins de cailloux, des hiboux pleins de poux, moi je préfère les joujoux !**

6. Comment se forme le pluriel des noms en -ail ?

- Certains noms qui se terminent par **-ail** forment leur pluriel par l'ajout d'un **s**. Il existe quelques exceptions, où le pluriel se forme en **-aux**.

	Singulier	**Pluriel**
Noms	un attir<u>ail</u>, un chand<u>ail</u>, un dét<u>ail</u>, un épouvant<u>ail</u>, un gouvern<u>ail</u>, un port<u>ail</u>	des attir<u>ails</u>, des chand<u>ails</u>, des dét<u>ails</u>, des épouvant<u>ails</u>, des gouvern<u>ails</u>, des port<u>ails</u>
Exceptions	un cor<u>ail</u>, un ém<u>ail</u>, un trav<u>ail</u>, un vitr<u>ail</u>	des cor<u>aux</u>, des ém<u>aux</u>, des trav<u>aux</u>, des vitr<u>aux</u>

Tu peux t'inventer un **moyen bien personnel** pour retenir ces mots : imaginer, par exemple, une phrase ou une image qui les intègre tous. La phrase peut ressembler à celle-ci : **Transformer des coraux en vitraux brillants comme des émaux, voilà bien des travaux !**

7. Comment se forme le pluriel des adjectifs de couleur ?

- Dans un groupe du nom où la couleur est désignée par **un seul adjectif** (blanc, jaune, vert...), celui-ci **reçoit** le genre et le nombre du **nom noyau**.

des murs blancs

- Lorsqu'un nom de **fruit** (marron), de **fleur** (jonquille) ou de **pierre précieuse** (émeraude) est employé comme adjectif de couleur, l'adjectif est **invariable**.

des chapeaux marron   des mers turquoise

- Deux noms de fleurs font **exception** : **rose** et **mauve**.

des chemises roses   des chandails mauves

- Lorsque la couleur est désignée par un **adjectif composé** (adjectif + adjectif, adjectif + nom), il reste **invariable**.

des vestes <u>bleu foncé</u>   des camions <u>vert pomme</u>

8. Comment se forme le pluriel d'un nom composé?

- Dans un nom composé, le **nom** prend généralement la marque du pluriel, tandis que l'adjectif s'accorde toujours. Le verbe, l'adverbe et la préposition demeurent invariables.

un coffre-fort	des coffre<u>s</u>-fort<u>s</u>
un grand-parent	des grand<u>s</u>-parent<u>s</u>
un après-midi	des après-midi ou des après-midi<u>s</u>

Le Conseil supérieur de la langue française suggère d'appliquer la règle suivante: **si le nom composé est formé d'un verbe et d'un nom, le nom porte la marque du pluriel seulement quand le mot composé est au pluriel.**

des lave-vaisselle<u>s</u> (un lave-vaisselle), des brise-glace<u>s</u> (un brise-glace), des amuse-gueule<u>s</u> (un amuse-gueule), des appuie-tête<u>s</u> (un appuie-tête), des chasse-neige<u>s</u> (un chasse-neige), des chauffe-eau<u>x</u> (un chauffe-eau)

Mots composés	Exemples	
	Singulier	**Pluriel**
nom + nom	un chou-fleur	des choux-fleurs
adjectif + nom	une longue-vue	des longues-vues
verbe + nom	un aide-mémoire un porte-avion un ramasse-miette un tirebouchon	des aide-mémoires des porte-avions des ramasse-miettes des tirebouchons
adverbe + nom	un avant-garde	des avant-gardes

4

ACCORDER
LES DÉTERMINANTS ET LES ADJECTIFS
AVEC LE NOM DONNEUR

Dans un groupe du nom, c'est le nom qui commande l'accord du déterminant et de l'adjectif. Le nom est un donneur, alors que le déterminant et l'adjectif sont des receveurs.

1. Comment accorder les mots qui composent un groupe du nom?

- Dans un groupe du nom, les accords se font en fonction du **noyau** : le nom **donneur**.

Les <u>tentes</u> jaunes abritent les <u>artistes</u> du cirque.

nom donneur   *nom donneur*

- Les **déterminants** et les **adjectifs** d'un groupe du nom **reçoivent** le genre et le nombre du nom donneur. Ils sont des **receveurs**.

Les <u>tentes</u> jaunes abritent les <u>artistes</u> du cirque.

receveur + donneur + receveur   *receveur + donneur*
genre : féminin   *genre : masculin*
nombre : pluriel   *nombre : pluriel*

➤ p. 129-131, n° 14

- Tous les déterminants **numéraux** (un, deux, trois, trente, mille…) sont **invariables** sauf *vingt* et *cent*. Ces deux déterminants prennent un **s** s'ils sont multipliés et s'ils ne sont pas suivis d'un autre déterminant numéral.

Mon grand-père n'a pas reçu <u>deux cents</u> bisous de ma cousine pour son anniversaire, il en a reçu <u>trois-cent-cinquante</u> ! Moi, j'ai préféré lui offrir un livre qui contient <u>quatre-vingts</u> problèmes de mots croisés.

➤ p. 142-143, n° 16

- Les **participes passés** dans un groupe du nom s'accordent comme des adjectifs.

J'ai vu des grandes <u>tentes</u> jaunes dressées le long de la route.

receveur + receveur + donneur + receveur + receveur
genre : féminin
nombre : pluriel

➤ p. 149-150, n° 4
➤ p. 183-185, n° 7

- Les **adverbes** dans un groupe du nom sont invariables.

Les très grandes <u>tentes</u> jaunes abritent les artistes du cirque.

receveur + invariable + receveur + donneur + receveur

La très grande <u>tente</u> jaune abrite les artistes du cirque.

receveur + invariable + receveur + donneur + receveur

2. Comment se font les accords dans une phrase qui contient plusieurs groupes du nom?

- Les accords dans un groupe du nom se font en fonction du **donneur**, le nom noyau. Chaque groupe du nom est **indépendant** des autres, même quand ceux-ci sont reliés par une préposition.

Philippe s'intéresse aux ordinateurs de la dernière génération.

*Dans cette phrase, il y a trois groupes du nom : **Philippe, aux ordinateurs, la dernière génération**. Les deux derniers groupes sont reliés par la préposition **de**. Le groupe du nom **la dernière génération** est le complément du nom **ordinateurs**. Ces trois groupes ont des genres et des nombres différents. Les accords à l'intérieur des groupes se font de la façon suivante :*

- ***Philippe*** *(masculin singulier) : nom propre. Il est seul dans son groupe.*

- ***aux ordinateurs*** *(masculin pluriel) : déterminant + nom commun. Le déterminant **aux** reçoit le genre et le nombre du nom **ordinateurs**.*

- ***la dernière génération*** *(féminin singulier) : déterminant + adjectif + nom*

*Le déterminant **la** et l'adjectif **dernière** reçoivent le genre et le nombre du nom **génération**.*

➤ p. 129-131, n° 14

3. Comment accorder un adjectif qui se rapporte à plusieurs groupes du nom?

- L'adjectif s'écrit au **masculin pluriel** quand les noms donneurs sont **masculins**.

J'ai vu un chêne, un érable et un bouleau coupés par les bûcherons.

nom donneur	+	*nom donneur*	+	*nom donneur*	+	*adjectif receveur*
masculin		*masculin*		*masculin*		*masculin*
singulier		*singulier*		*singulier*		*pluriel*

- L'adjectif s'écrit au **féminin pluriel** quand les noms donneurs sont **féminins**.

La <u>chemise</u> et la <u>cravate</u> vertes contrastent avec le pantalon noir.

nom donneur + nom donneur + adjectif receveur
féminin   féminin   féminin
singulier   singulier   pluriel

- L'adjectif s'écrit au **masculin pluriel** quand les noms donneurs ont des **genres différents**.

Le joli canard avait la <u>tête</u> et le <u>cou</u> bleus.

nom donneur + nom donneur + adjectif receveur
féminin   masculin   masculin
singulier   singulier   pluriel

4. Comment accorder plusieurs adjectifs qui se rapportent à un seul groupe du nom?

- Les adjectifs d'un seul groupe du nom ont le **même genre** et le **même nombre**. C'est le genre et le nombre du **nom donneur**.

C'était une <u>toile</u> <u>gigantesque</u>, <u>impressionnante</u> et <u>étincelante</u>.

nom donneur + adjectif receveur + adjectif receveur + adjectif receveur
féminin   féminin   féminin   féminin
singulier   singulier   singulier   singulier

- Les adjectifs d'un seul groupe attribut du sujet ont le **même genre** et le **même nombre**. C'est le genre et le nombre du **donneur sujet**.

La <u>toile</u> du peintre était <u>vivante</u>, <u>lumineuse</u> et <u>colorée</u>.

donneur sujet	+	adjectif receveur	+	adjectif receveur	+	adjectif receveur
féminin		féminin		féminin		féminin
singulier		singulier		singulier		singulier

groupe attribut du sujet : **vivante, lumineuse et colorée**

5

ACCORDER LE VERBE RECEVEUR AVEC LE SUJET DONNEUR

Dans une phrase, le donneur sujet peut être remplacé par un pronom de conjugaison. C'est lui qui détermine l'accord du verbe receveur.

I. Comment accorder un verbe conjugué ?

- Dans une phrase, le verbe conjugué s'accorde avec le **donneur sujet**. Celui-ci peut être soit un groupe du nom, soit un pronom de conjugaison (*je, tu, elle/il, on, nous, vous, elles/ils*), ou encore le pronom relatif *qui*.

Je saute.

Tu sautes.

La grenouille saute. Elle saute.

Nous sautons.

Vous sautez.

Ils sautent. La grenouille qui saute m'a fait une grimace.

- Un verbe conjugué est un mot receveur. On reconnaît dans sa finale les marques de **personne**, de **genre** et de **nombre** qu'il reçoit du **sujet**.

Ma grand-mère aimait faire des mots croisés.

donneur sujet : **grand-mère**   *t : finale de la 3ᵉ personne du singulier*
genre : féminin
nombre : singulier
personne : 3ᵉ personne

➤ p. 161-163, n° 6
➤ p. 183-185, n° 7

Pour accorder correctement le verbe, pense au **pronom de conjugaison** qui peut remplacer le donneur sujet dans la phrase. Celui-ci te permettra de **trouver la finale** qui convient au verbe.

Ma <u>grand-mère</u> aima<u>it</u> faire des mots croisés.

(elle) 3ᵉ personne du singulier

➤ p. 74-76, 81-82, nᵒˢ 1, 6
➤ p. 161-163, nᵒ 6
➤ p. 183-185, nᵒ 7

2. Comment accorder un verbe conjugué lorsqu'il contient plusieurs mots ?

• Chaque mot qui compose un verbe conjugué **s'accorde d'une façon particulière** avec le donneur sujet.

(lire)
Tu li<u>s</u> un livre.

2ᵉ personne du singulier

(lire)
Tu a<u>s</u> lu un livre.

2ᵉ personne du singulier   aucune marque

(ils)   (lire)
Ces livres son<u>t</u> lu<u>s</u> par tes amies.

3ᵉ personne du pluriel   masculin pluriel

(ils)   (lire)
Ces livres on<u>t</u> été lu<u>s</u> par tes amies.

3ᵉ personne du pluriel   aucune marque   masculin pluriel

En révisant une phrase, tu peux prendre l'habitude d'écrire au-dessus du verbe conjugué son nom à l'infinitif. Cela te permettra de le considérer comme un tout, même s'il contient plusieurs mots, et de donner à chacun de ces mots les marques de **personne**, de **genre** ou de **nombre** qui conviennent.

3. Comment accorder un verbe conjugué formé d'un seul mot?

• C'est le **donneur sujet** qui commande la **finale** du verbe.

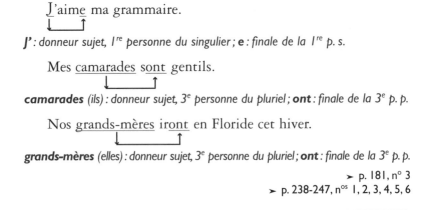

J'aime ma grammaire.

J' : donneur sujet, 1re personne du singulier ; **e** : finale de la 1re p. s.

Mes camarades sont gentils.

camarades (ils) : donneur sujet, 3e personne du pluriel ; **ont** : finale de la 3e p. p.

Nos grands-mères iront en Floride cet hiver.

grands-mères (elles) : donneur sujet, 3e personne du pluriel ; **ont** : finale de la 3e p. p.

➤ p. 181, n° 3
➤ p. 238-247, nos 1, 2, 3, 4, 5, 6

• Les pronoms *elles* et *ils* commandent l'accord du verbe quand ils peuvent remplacer **plusieurs groupes du nom** qui composent le donneur sujet.

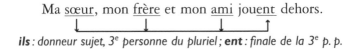

Ma sœur, mon frère et mon ami jouent dehors.

ils : donneur sujet, 3e personne du pluriel ; **ent** : finale de la 3e p. p.

Berthe, Antoinette et Lucrèce ont un chat.

elles : *donneur sujet, 3e personne du pluriel* ; **ont** : *finale de la 3e p. p.*

➤ p. 56-57, n° 6
➤ p. 79-81, n° 4

• Le groupe sujet peut être composé de groupes du nom qu'on peut remplacer par des **pronoms de personnes différentes**. Le verbe s'accorde alors avec les pronoms *nous* ou *vous*, selon le cas.

Pronoms	Pronoms de conjugaison	Exemples
toi + moi (2e personne du singulier + 1re personne du singulier)	**nous** (1re personne du pluriel)	Toi et moi voulons du couscous.
lui/elle + moi (3e personne du singulier + 1re personne du singulier)	**nous** (1re personne du pluriel)	Lui et moi voulons du couscous.
vous + moi (2^e personne du pluriel + 1re personne du singulier)	**nous** (1re personne du pluriel)	Vous et moi voulons du couscous.
eux/elles + moi (3^e personne du pluriel + 1re personne du singulier)	**nous** (1re personne du pluriel)	Elles et moi voulons du couscous.

Pronoms	Pronoms de conjugaison	Exemples
toi + toi (2ᵉ personne du singulier + 2ᵉ personne du singulier)	**vous** (2ᵉ personne du pluriel)	<u>Toi</u> et <u>toi</u>, mang<u>ez</u> votre couscous !
lui/elle + toi (3ᵉ personne du singulier + 2ᵉ personne du singulier)	**vous** (2ᵉ personne du pluriel)	<u>Elle</u> et <u>toi</u> voul<u>ez</u> du couscous ?
nous + toi (1ʳᵉ personne du pluriel + 2ᵉ personne du singulier)	**nous** (1ʳᵉ personne du pluriel)	<u>Nous</u> et <u>toi</u> voul<u>ons</u> du couscous.
vous + toi (2ᵉ personne du pluriel + 2ᵉ personne du singulier)	**vous** (2ᵉ personne du pluriel)	<u>Vous</u> et <u>toi</u> pren<u>ez</u> du couscous ?
eux/elles + toi (3ᵉ personne du pluriel + 2ᵉ personne du singulier)	**vous** (2ᵉ personne du pluriel)	<u>Eux</u> et <u>toi</u> pren<u>ez</u> du couscous ?

➤ p. 158-159, 161-163, nᵒˢ 1, 6

- Un **même donneur sujet peut commander** à plusieurs verbes les marques de **personne** et de **nombre**.

Les explorateurs viennent, partent et reviennent.

explorateurs (ils) : *donneur sujet*

*Ce sont les explorateurs **qui** viennent, partent et reviennent.*

4. Comment accorder un verbe quand le sujet est le pronom relatif qui ?

- Le pronom relatif **qui** se rapporte à son **antécédent**. C'est lui qui commande la finale du verbe. On doit chercher alors le pronom de conjugaison qui peut le remplacer.

La policière qui dirige la circulation a reconnu le voleur.

*l'antécédent de qui : **policière** (elle), 3ᵉ personne du singulier ; **e** : finale de la 3ᵉ p. s.*

C'est lui et moi qui cherchons la solution.

*l'antécédent de qui : **lui et moi** (nous), 1ʳᵉ personne du pluriel ; **ons** : finale de la 1ʳᵉ p. p.*

➤ p. 79-81, n° 4
➤ p. 164, n° 8

5. Comment accorder l'auxiliaire d'un verbe conjugué formé de deux mots ?

- C'est le **donneur sujet** qui commande la **finale** de l'auxiliaire *avoir* ou *être*.

Camille a cuisiné de bons biscuits à la citrouille.

*Camille (elle/il) : 3ᵉ personne du singulier ; **a** : finale de la 3ᵉ p. s.*

Les garçons sont attristés du départ de leurs amis.

garçons (ils) : 3ᵉ personne du pluriel ; ont : finale de la 3ᵉ p. p.

➤ p. 74-76, n° 1
➤ p. 181-182, n° 4

• Les pronoms *elles* et *ils* commandent l'accord d'un auxiliaire lorsqu'ils remplacent **plusieurs groupes du nom**.

Ma sœur, mon frère et mon ami ont joué dehors.

sœur, frère et ami (ils) : 3ᵉ personne du pluriel
ont : finale de la 3ᵉ p. p.

Berthe, Antoinette et Lucrèce ont déjà eu un chat.

Berthe, Antoinette et Lucrèce (elles) : 3ᵉ personne du pluriel
ont : finale de la 3ᵉ p. p.

➤ p. 56-57, n° 6
➤ p. 79-81, n° 4

6. Comment s'accorde le participe passé employé avec l'auxiliaire être ?

• C'est le **donneur sujet** qui commande le **genre** et le **nombre** du **participe passé**, comme si ce dernier était un adjectif.

Le visage et le cou de l'enfant sont barbouillés d'encre.

visage + cou (ils) : 3ᵉ personne du pluriel, masculin ; s : finale masculin pluriel du participe passé

Les joues et les oreilles de la dame sont devenues rouges.

joues + oreilles (elles) : 3ᵉ personne du pluriel, féminin ; es : finale féminin pluriel du participe passé

Ma grammaire et mon cahier sont ouverts.

*grammaire + cahier (ils) : 3ᵉ personne du pluriel, masculin ; **s** : finale masculin pluriel du participe passé*

➤ p. 98-102, nᵒˢ 1, 5

➤ p. 145-146, 151-154, nᵒˢ 1, 6

7. Comment accorder le participe passé employé avec l'auxiliaire avoir ?

• Le participe passé du verbe employé avec l'auxiliaire *avoir* reste toujours au **masculin singulier** quand le donneur **CD** (complément direct) est placé **après le verbe**.

CD

Maxime a perdu ses sous en sortant du magasin.

*Ce sont **ses sous** que Maxime a perdus. CD : **ses sous**. Le CD est placé après le verbe.*

• Le participe passé du verbe employé avec l'auxiliaire *avoir* s'accorde en **genre** et en **nombre** avec le donneur **CD**, quand celui-ci est placé **avant le verbe**.

CD

Sophie les a cherchés durant une heure avec lui.

*Ce sont **les** (ses sous) que Sophie a cherchés. CD : **les**. Le CD est placé avant le verbe.*

➤ p. 183-185, nᵒ 7

8. Comment accorder le verbe *aller* suivi d'un autre verbe?

- C'est le **donneur sujet** qui commande la **finale** du verbe *aller*. L'autre verbe s'écrit **toujours à l'infinitif**.

Je vais rêver à mon solo de batterie.

*donneur sujet: **je**, 1re personne du singulier; **s**: finale de la 1re p. s.*
***rêver**: infinitif*

Vous allez sûrement m'applaudir!

*donneur sujet: **vous**, 2e personne du pluriel; **ez**: finale de la 2e p. p.*
***applaudir**: infinitif*

9. Comment accorder les verbes *devoir, pouvoir* et *vouloir* suivis d'un autre verbe?

- C'est le **donneur sujet** qui commande la finale des verbes *devoir, pouvoir* et *vouloir*. L'autre verbe s'écrit **toujours à l'infinitif**.

Je dois embrasser ma tante.

Je peux dire quelques mots en italien.

Je veux connaître la fin de l'histoire.

*donneur sujet: **je**, 1re personne du singulier; **s** et **x**: finales de la 1re p. s.*
***embrasser, dire, connaître**: infinitifs*

Vous devez avoir chaud.

Vous pouvez venir avec moi.

Vous voulez rire !

*donneur sujet : **vous**, 2ᵉ personne du pluriel ; **ez** : finale de la 2ᵉ p. p.*
***avoir chaud**, **venir**, **rire** : infinitifs*

★ 10. Comment accorder l'auxiliaire du verbe conjugué formé de trois mots ?

• C'est le **donneur sujet** qui commande la **finale** du premier mot de l'auxiliaire *être* et le **genre** et le **nombre** du participe passé du verbe conjugué. Le participe passé se comporte comme un **adjectif**.

Michaël et Annick ont été félicités par leurs amis.

***Michaël** et **Annick** (ils) : donneur sujet, 3ᵉ personne, masculin, pluriel.*
***ont** : finale de la 3ᵉ personne du pluriel*
s** : finale masculin pluriel du participe passé **félicités

➤ p. 74-76, 81-82, nᵒˢ 1, 6
➤ p. 182, nᵒ 5

Orthographe d'usage

RECONNAÎTRE UN MOT

Un mot est composé de sons que l'on transcrit en employant des lettres et des signes orthographiques.

I. Qu'est-ce qu'un mot?

- Un mot est **la plus petite unité** de la langue qui peut exister **seule**, parce qu'elle a un sens précis.

  <u>Aude</u> <u>a</u> <u>une</u> <u>bosse</u> <u>sur</u> <u>la</u> <u>tête</u>.

  *Dans cette phrase, il y a **sept** mots.*

  <u>J'</u><u>ai</u> <u>faim</u>.

  *Dans celle-ci, il y a **trois** mots. (J' équivaut à Je)*

- Un mot est composé de **sons**. À l'écrit, il est séparé d'un autre mot par un **espace**.

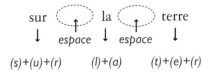

sur   la   terre
↓   espace   ↓   espace   ↓

(s)+(u)+(r)   (l)+(a)   (t)+(e)+(r)

- Un mot peut **se combiner** à d'autres pour former une phrase.

<u>Aude</u>	<u>a</u>	<u>une</u>	<u>bosse</u>	<u>sur</u>	<u>la</u>	<u>tête</u>.
↓	↓	↓	↓	↓	↓	↓
mot	*mot*	*mot*	*mot*	*mot*	*mot*	*mot*

└──────────────── *phrase* ────────────────┘

2. Quels sont les sons de la langue ?

- Il y a 20 **sons-consonnes** et 16 **sons-voyelles**.

sons-consonnes : *p, b, t, d, k, g, f, v, s, z, ch, j, l, r, m, n, gn, ill, ui, oi*

sons-voyelles :   *a* (déjà), *â* (gâteau), *e, i, ô* (cadeau), *o* (pomme), *u, é, è, eu* (fleuve), *eu* (eux), *ou, an, in, on, un*

Alphabet phonétique	
VOYELLES	**CONSONNES**
[i] si, livre, bicyclette	[p] prune, soupe
[e] clé, aller, nez, fée	[t] terre, voûte
[ɛ] fait, merci	[k] cri, qui, sac, kayak
[a] ami, trace	[b] bon, Labrador, barbe
[ɑ] bas, mât	[d] dos, soudain, coude
[ɔ] fort, donner, bol	[g] gant, fougue, guirlande
[o] mot, pôle, eau, baume, zone	[f] feu, œuf, phare
[u] hibou, doux	[s] saumon, celle, ça, dessus,
[y] rue, crépu	brosse, station, glace
[ø] bleu, ceux	[ʃ] chien, tache, schéma
[œ] sœur, meuble	[v] vent, rêve
[ə] premier	[z] zéro, maison, chemise
[ɛ̃] fin, plein, main	[ʒ] je, giron, gêne, juge
[ɑ̃] dans, cent	[l] long, ballon, pâle
[ɔ̃] son, ombre, pont	[R] rose, partir, tirelire
[œ̃] lundi, brun, parfum	[m] mot, sommaire, lame
	[n] nous, sonner, âne
	[ɲ] agneau, espagnol, beigne
SEMI-CONSONNES	
[j] yeux, maille, pied, panier	
[w] oui, ouate, équateur	
[ɥ] lui, huître	

- On peut entendre un son, le son *(è)* par exemple, au **début**, au **milieu** ou à la **fin** d'un mot. Mais il **ne s'écrit pas toujours** de la même façon.

ê̲tre   extr<u>ê</u>me   f<u>ais</u>

3. À quoi sert une lettre ?

- Une lettre sert à **transcrire** un son. Parfois, il faut plusieurs lettres pour transcrire un son.

[o] = o   [o] = eau   [w] = oi   [p] = pp

4. Quelles sont les lettres de l'aphabet ?

- Il y a six **lettres-voyelles** (a, e, i, o, u, y) et 20 **lettres-consonnes** (b, c, d, f, g, h, j, k, l, m, n, p, q, r, s, t, v, w, x, z).

- Une lettre peut être **majuscule** ou **minuscule**.

A a, B b, C c, D d, E e, F f, G g, H h, I i, J j, K k, L l, M m, N n, O o, P p , Q q, R r, S s, T t, U u, V v, W w, X x, Y y, Z z

5. À quoi sert l'alphabet ?

- L'alphabet français compte 26 **lettres** qui se classent selon ce qu'on appelle l'**ordre alphabétique**.

a, b, c, d, e, f, g, h, i, j, k, l, m, n, o, p, q, r, s, t, u, v, w, x, y, z

Les mots du dictionnaire sont classés selon l'ordre alphabétique. Bien connaître celui-ci te permet de trouver un mot plus rapidement.

6. Quels sont les signes orthographiques ?

- Il y a l'**accent aigu** ⌐´⌐, l'**accent grave** ⌐`⌐, l'**accent circonflexe** ⌐^⌐, le **tréma** ⌐¨⌐, la **cédille** ⌐¸⌐, l'**apostrophe** ⌐'⌐ et le **trait d'union** ⌐−⌐.

bébé   grève   rêve   astéroïde

glaçon   presqu'île   sous-bois

7. À quoi servent les accents ?

- L'accent aigu se met sur la lettre **e** seulement. Il indique qu'on la prononce (é). La lettre **e** ne prend jamais d'accent dans les terminaisons en **-ed**, **-er** ou **-ez**.

été   placé   lézard   pied   soulier   chez

- L'accent grave se met sur la lettre **e** pour indiquer qu'on la **prononce** (è). Il se met sur les lettres **a** et **u** dans certains mots afin de les **distinguer** de leurs homophones de classes différentes.

Ève   là *(adverbe)*   où *(pronom relatif)*
             la *(déterminant)*   ou *(coordonnant)*

- L'accent circonflexe se met sur les lettres **a**, **e**, **i**, **o**, **u**, parfois pour indiquer une prononciation particulière, parfois pour distinguer des homophones.

gâteau [ɑ] *(a)*   gêne [ɛ] *(è)*   clôture [o] *(o)*

faîte [ɛ] *(è)*   crû [y] *(u)*

➤ p. 398-399, n° 10

8. À quoi sert le tréma?

- Le tréma se met sur les lettres **e**, **i** ou **u** pour indiquer qu'on doit prononcer cette lettre.

canoë, Noël, maïs, naïf, ambiguïté, Saül

- Dans le cas d'un **e** muet qui suit **-gu**, le tréma se met sur le **e** et non sur le **u**.

aiguë   ambiguë

➤ p. 319, n° 9
➤ p. 361, n° 10

Le Conseil supérieur de la langue française suggère d'appliquer la règle suivante : on peut mettre le tréma sur la voyelle qui se prononce, comme on le fait pour naïf et héroïque. Le u, par exemple, se prononce dans aigüe et ambigüe.

9. À quoi sert la cédille?

- La cédille se place sous le **c** devant les lettres **a**, **o** et **u**. Elle permet de distinguer le **c dur**, qui se prononce *(k)*, et le **c doux**, qui se prononce *(s)*.

c doux (s)		c dur (k)
ça		concombre
reçu	**MAIS**	camion
leçon		reculer

10. À quoi sert l'apostrophe ?

• L'apostrophe **remplace** une lettre-voyelle disparue devant une autre lettre-voyelle et **rapproche** ainsi deux mots. Elle marque aussi une **élision**.

J['']irai le rencontrer à l['']école s['']il le veut bien.

(Je + *irai)*   *(la* + *école) (si* + *il)*

!Attention

> Le déterminant *une* ne se comporte pas comme les déterminants *la* et *les*. On ne met jamais d'apostrophe après *une*.

une œuvre   une amie   une étoile

• L'apostrophe peut s'utiliser **à l'intérieur d'un mot**. C'est le cas lorsque ce mot a été formé par la fusion de deux mots.

presqu['']île *(presque* + *île)*   jusqu['']à *(jusque* + *à)*

• L'apostrophe s'utilise devant un mot **commençant par un h muet**, mais jamais devant un **h** aspiré.

h *muet*		**h** *aspiré*
l['']hippopotame *(le* +*hippopotame)*	**MAIS**	la hache
s['']habituer *(se* +*habituer)*		se hâter

➤ p. 372-374, n°s 7, 8

11. À quoi sert le trait d'union ?

• Le trait d'union sert à **unir** des mots pour former un **mot composé**.

un après[-]midi   des porte[-]avions   le chasse[-]neige

➤ p. 326, n° 8

- Le trait d'union peut aussi servir dans un texte à **couper un mot** en fin de ligne.

➤ p. 352, n° 15
➤ p. 387, n° 5

- Le trait d'union peut enfin servir à **unir le verbe et le pronom** dans une phrase interrogative.

Avez⊟vous cherché la réponse ?

➤ p. 22-26, n° 3

12. Comment s'écrit un mot ?

- Pour écrire un mot, on utilise des **lettres** et des **signes ortho-graphiques**. Un mot peut contenir **une** ou **plusieurs lettres accompagnées ou non** de signes orthographiques.

à	phénomène	naïf
1 lettre	*9 lettres*	*4 lettres*
1 accent grave	*1 accent grave*	*1 tréma*
	1 accent aigu	

maçon	presqu'île	chou-fleur
5 lettres	*9 lettres*	*9 lettres*
1 cédille	*1 apostrophe*	*1 trait d'union*
	1 accent circonflexe	

- **À la fin des mots**, les lettres-consonnes sont **muettes** quand elles font partie d'un son-voyelle. Au début du mot, elles sont toujours prononcées.

petit   pommes   ils finissent   le respect

- **Après une consonne** et **à la fin d'un mot**, le **e** est le plus souvent muet.

fumé<u>e</u>   mémoir<u>e</u>   je respect<u>e</u>

13. Qu'est-ce que la liaison?

- La lettre-consonne finale cesse d'être muette devant un **mot qui commence par une lettre-voyelle** ou un **h** muet. Quand on prononce cette lettre-consonne, on dit qu'on fait une **liaison**.

u<u>n a</u>nimal [n]   être trè<u>s h</u>eureuse [z]   le peti<u>t o</u>rchestre [t]

➤ p. 372-373, n° 7

14. Qu'est-ce qu'une syllabe?

- Une syllabe est un groupe de sons prononcés dans une **seule émission de voix**. Une syllabe peut être formée d'un **seul son-voyelle**.

1 syllabe : <u>à</u>   *1 syllabe :* <u>hein</u> !

2 syllabes : <u>fou</u> | <u>lard</u>   *3 syllabes :* <u>é</u> | <u>mo</u> | <u>tion</u>

- Pour un même mot, il peut exister un **nombre différent** de syllabes à l'oral et à l'écrit. Dans certains cas, par exemple, on peut regrouper le e muet avec le **son-consonne** qui le précède pour former une syllabe écrite.

coquetterie : [kɔkɛtri] *(3 syllabes orales)*
<u>co</u> | <u>quet</u> | <u>te</u> | <u>rie</u> *(4 syllabes écrites)*
ami : [ami] *(2 syllabes orales)*
<u>a</u> | <u>mi</u> *(2 syllabes écrites)*

- On coupe généralement un mot **entre deux syllabes** que l'on prononce de façon courante à l'oral. Le **trait d'union** est écrit **à la fin
de la ligne** et n'est pas repris au début de l'autre ligne.

balançoire : ba ⊟ lançoire ou balan ⊟ çoire

    JAMAIS   balançoi ⊟ re

crocodile :   cro ⊟ codile ou croco ⊟ dile

    JAMAIS   crocodi ⊟ le

- On coupe un mot **entre** deux lettres-consonnes identiques.

af ⊟ famé ; ardem ⊟ ment ; appétis ⊟ sant ; ap⊟pétissant

- On ne coupe pas un mot **après** une seule lettre-voyelle.

avo ⊟ cat		a ⊟ vocat
idio ⊟ tie	*JAMAIS*	i ⊟ diotie

- On ne coupe jamais un mot **entre** deux lettres-voyelles.

oa ⊟ sis   *JAMAIS*   o ⊟ asis

- On ne coupe jamais immédiatement **avant ou après** la lettre **x** ou **y**
qui est placée entre deux voyelles.

ap ⊟ puyer		appu ⊟ yer	appuy ⊟ er
exer ⊟ cice	*JAMAIS*	e ⊟ xercice	ex ⊟ ercice

ÉCRIRE LES VOYELLES
a, e, i o, u, y

Les lettres-voyelles a, e, i, o, u, y sont les lettres les plus souvent utilisées pour écrire les mots de la langue française.

1. Quelles sont les lettres-voyelles du français?

• Ce sont **a**, **e**, **i**, **o**, **u** et **y**.

2. Comment écrire un son-voyelle?

• À l'écrit, un son-voyelle commence toujours par **une** ou **plusieurs lettres-voyelles**, ou par un **h**. Il est **accompagné ou non** de lettres-consonnes muettes.

son (è) :   è   hê

             lettre-voyelle   *h + lettre-voyelle*

             ès

             lettre-voyelle + lettre-consonne

             ais

             lettre-voyelle + lettre-voyelle + lettre-consonne

➤ p. 345-346, n° 2

son [a] *(a)*

3. Comment s'écrit le son [a] (a) dans les adverbes en -ment?

• Le son *(a)* s'écrit avec la lettre **e** dans les adverbes en **-ment** formés à partir d'un adjectif en **-ent**.

ard<u>en</u>t, ard<u>emm</u>ent, consci<u>en</u>t, consci<u>emm</u>ent

• Le son *(a)* s'écrit avec la lettre **a** dans les adverbes en **-ment** formés à partir d'un adjectif en **-ant**.

abond<u>an</u>t, abond<u>amm</u>ent, brill<u>an</u>t, brill<u>amm</u>ent

➤ p. 200, n° 6

son [ɛ] *(è)*

4. Comment se comporte le e du son (è) devant une double consonne?

• Devant une **double consonne**, il n'est pas nécessaire de mettre un accent grave sur le **e** pour faire le son *(è)*.

j'app<u>ell</u>e   MAIS   il g<u>è</u>le

5. Comment s'écrit le son (è) dans la terminaison des verbes?

• Le son (è) peut s'écrire **-ais**, **-ait**, **-aient**, **-aie** ou **-aies** dans les terminaisons des verbes.

je part*ais*, il chanter*ait*, ils ri*aient*, que j'*aie* soif,
que tu *aies* faim

➤ p. 250, 252, 257, n°s 10, 12 15

6. Comment se terminent les noms de nationalité?

• Plusieurs **noms ou adjectifs de nationalité** se terminent par **-ais** au masculin.

un Sénégal*ais*, une Sénégal*aise*, angl*ais*, angl*aise*

son [e] *(é)*

7. Quels sont les mots qui se terminent en -er et se prononcent (é)?

• Il existe de nombreux mots en **-er** qui se prononcent (é).

des noms de **métiers**: bouch*er*, cordonni*er*, plombi*er*, polici*er*

tous les **infinitifs** *des verbes du premier groupe et le verbe* **aller**:
amus*er*, baiss*er*, décid*er*, lev*er*, travaill*er*

des **déterminants numéraux**: premi*er*, derni*er*

des **adjectifs** *exprimant une qualité, un défaut ou une autre caractéristique*:
lég*er*, grossi*er*

8. Quels sont les mots qui se prononcent (é) et se terminent en -ée?

- Plusieurs **noms masculins** se terminent par **-é**. Mais quelques noms masculins se terminent par **-ée**.

  un côt<u>é</u>   un pr<u>é</u>   un pât<u>é</u>   MAIS   un mus<u>ée</u>   un scarab<u>ée</u>

  ➤ p. 259-260, n° 19

- La plupart des **noms féminins** s'écrivent **-ée**. Mais dans les noms féminins qui se terminent en **-té**, le son (é) s'écrit **-é**.

  bou<u>ée</u>, dur<u>ée</u>, ép<u>ée</u>, f<u>ée</u>, fus<u>ée</u>, id<u>ée</u>, plong<u>ée</u>, travers<u>ée</u>   MAIS   bonté, société

son [i] (i)

9. Quels sont les mots dans lesquels le son (i) s'écrit avec la lettre y?

- Ce sont généralement des mots ayant conservé en partie l'orthographe de leur **origine grecque** ou **latine**.

  bic<u>y</u>clette   h<u>y</u>droélectricité   l<u>y</u>re   m<u>y</u>gale

10. Comment se transforme si lorsqu'il est suivi de il?

- Pour éviter de prononcer deux **i** de suite, on remplace le **i** de *si* par une apostrophe : *si* + *il* = *s'il*. Il s'agit d'une **élision**.

  <u>S'il</u> vient à mon bureau, je lui montrerai mon dessin.

  ➤ p. 349, n° 10

sons (an), (in), (on), (un)

11. Comment s'écrivent les sons (an), (in), (on) et (un) devant les consonnes b, m et p ?

• Devant les consonnes **b**, **m** et **p**, les sons *(an)*, *(in)*, *(on)* et *(un)* s'écrivent : **am, em, im, ym, om, hum**.

ambulance, champion, embarqué, ensemble, temporaire

imbattable, immangeable, impossible, symbole, tympan

plombier, dompter, humble

➤ p. 351, n° 13
➤ p. 365, n° 16

Attention

Les mots **bonbon et bonbonne** s'écrivent avec un **n** devant le **b**.

3 ÉCRIRE LES CONSONNES

Les lettres-consonnes doivent toujours être accompagnées d'au moins une lettre-voyelle pour former une syllabe.

1. Quelles sont les lettres-consonnes du français?

- Ce sont les 20 lettres suivantes : **b**, **c**, **d**, **f**, **g**, **h**, **j**, **k**, **l**, **m**, **n**, **p**, **q**, **r**, **s**, **t**, **v**, **w**, **x**, **z**.

2. Comment écrire un son-consonne?

- À l'écrit, un son-consonne commence toujours par **une** ou **plusieurs lettres-consonnes, accompagnées ou non** de voyelles muettes.

son (f) :	orthogra<u>phe</u>
	lettre-consonne + lettre-consonne + lettre-voyelle
son (t) :	por<u>te</u>
	lettre-consonne + lettre-voyelle
son (m) :	po<u>mme</u>
	lettre-consonne + lettre-consonne + lettre-voyelle

➤ p. 345-346, n° 2

son (p)

3. Quand le son (p) s'écrit-il avec un seul p?

- On met un seul **p** après **é**, **am**, **em**, **im**, **ym** et **om**.

mé<u>p</u>ris	am<u>p</u>oule	em<u>p</u>loyé
im<u>p</u>erméable	sym<u>p</u>athique	pom<u>p</u>ier

- On met généralement un seul **p** dans les mots qui commencent par la voyelle **o**.

opéra, opérer, opinion, optimiste

MAIS

opposer, oppression, opportunité

4. Quand le son (p) s'écrit-il pp ?

- La plupart des verbes qui commencent par **a + p** prennent **deux p**.

appartenir, applaudir, apprendre, appeler, apporter, approcher

MAIS

apaiser, apercevoir, apeurer, s'apitoyer, aplanir, aplatir

son (t)

5. Quand le son (t) s'écrit-il tt ?

- Le son (t) s'écrit généralement **tt** entre deux lettres-voyelles ou devant la lettre **r**.

attacher	attraction	natte	attrait	attirer
attribut	nette	sottise	attroupement	

6. Quels sont les mots dans lesquels le son (t) s'écrit avec les lettres th ?

- Ce sont généralement des mots ayant conservé en partie l'orthographe de leur **origine grecque** ou **latine**.

mathématique   sympathie

➤ p. 372-373, n° 7

son (k)

7. Comment s'écrit le son (k) devant les voyelles e et i?

• Devant les voyelles **e** et **i**, le son *(k)* s'écrit généralement **qu** et plus rarement **k, ck, ch, cqu**.

qui	que	perroquet	québécois
grecque	quête	ils piquèrent	

! Attention

> Un **c** devant les voyelles **e** et **i** se prononce toujours *(s)*.
> Il s'agit d'un **c doux**.

cerveau   cigale

8. Comment savoir quand les lettres cc se prononcent (k)?

• Les lettres **cc** se prononcent *(k)* devant **a, o, u, l** et **r**.

saccade   accord   occulte   acclamer   accrocher

• Les lettres **cc** se prononcent *(k + s)* devant **i, e, é** et **è**.

coccinelle	vaccin	accent
accélérateur	accès	succès

9. Quels sont les mots dans lesquels le son (k) s'écrit avec les lettres k ou ch?

• Le son *(k)* s'écrit avec la lettre **k** dans certains mots d'**origine étrangère**.

k̲angourou (australien)   k̲ung-fu (chinois)

k̲ayak (inuit)

• Le son *(k)* s'écrit **ch** dans certains mots ayant conservé en partie l'orthographe de leur **origine grecque** ou **latine**.

orc̲h̲estre   c̲h̲orale

son (g)

10. Comment s'écrit le son (g) devant les voyelles e et i?

• Devant les voyelles **e, i** et **y**, le son *(g)* s'écrit généralement **gu**.

g̲u̲etter   g̲u̲érir   g̲u̲ère   g̲u̲êpe

g̲u̲irlande   G̲u̲y

! Attention

Un **g** devant les voyelles **e, i** et **y** se prononce toujours *(j)*.
Il s'agit d'un **g doux**.

geste   girafe   gyroscope

son (j)

11. Quand écrit-on j, g ou ge ?

- On peut écrire **j** devant toutes les voyelles. Mais on n'écrit **ji** que dans quelques mots d'origine étrangère.

Japon   jeudi   moujik *(un paysan russe)*
joyeux   justice

- On peut écrire **g** devant les voyelles **e (é, è, ê)** et **i (y)**, mais on doit écrire **ge** devant les voyelles **a** et **o**.

danger   gilet   *MAIS*   orangeade   pigeon

➤ p. 232, n° 3

son (f)

12. Quels sont les mots dans lesquels le son (f) s'écrit avec les lettres ph ?

- Ce sont des mots ayant conservé en partie l'orthographe de leur **origine grecque**.

orthographe *(de **ortho**, droit, et **graphe**, écrire)*

➤ p. 372-373, n° 7

son (s)

13. Quand le son (s) s'écrit-il avec la lettre t?

- Le son *(s)* s'écrit avec la lettre **t** dans des mots terminés par **-tie** ou par **-tion**.

acroba*t*ie	aristocra*t*ie	démocra*t*ie	idio*t*ie
minu*t*ie	péripé*t*ie	avia*t*ion	démoli*t*ion
nata*t*ion	ra*t*ion	récrimina*t*ion	trac*t*ion

Pour déterminer s'il faut écrire le son *(s)* avec la lettre **t**, tu peux vérifier la présence du **t** dans des mots de la même famille.

démocra*t*e → démocra*t*ie	acroba*t*e → acroba*t*ie
aristocra*t*e → aristocra*t*ie	trac*t*eur → trac*t*ion

➤ p. 391, n° 1

14. Quand le son (s) s'écrit-il avec un seul s?

- Normalement, un seul **s** placé entre deux lettres-voyelles se prononce (z). Mais dans certains mots formés d'un mot de base relié à un préfixe, le **s** placé entre deux voyelles se prononce (s).

contre*s*ens *(mot composé : contre + sens)*
para*s*ol *(préfixe : para- + mot de base : sol)*

Pour déterminer si le son *(s)* s'écrit **-sse** ou **-ce**, tu peux te référer aux mots de la même famille qui révèlent la présence du **s** ou du **c**.

impa*ss*e → pas	Grè*c*e → grec

➤ p. 391, n° 1

son (z)

15. Comment prononcer la lettre s entre deux voyelles ?

• La lettre **s** se prononce (z) entre deux voyelles, sauf dans certains noms composés.

    ro<u>s</u>e, vi<u>s</u>age   *MAIS*   para<u>s</u>ol, contre<u>s</u>ens

16. Quand le son (z) s'écrit-il avec la lettre x ?

• Devant une voyelle ou un **h** muet, la lettre **x** se prononce (z).

    di<u>x</u> ans   si<u>x</u> hommes

son (r)

17. Dans les verbes, quand le son (r) s'écrit-il rr ?

• Certains verbes s'écrivent avec **rr** au futur simple et au conditionnel présent.

    je cou<u>rr</u>ai   vous enve<u>rr</u>iez   ils ve<u>rr</u>ont   tu pou<u>rr</u>ais

➤ p. 251-252, n°s 11, 12

18. Comment se prononce la lettre-consonne x ?

• La lettre **x** correspond au regroupement de deux sons. Parfois, elle se prononce (k + s), parfois elle se prononce (g + z).

(k + s)	(g + z)
e<u>x</u>citation	e<u>x</u>ercice
fi<u>x</u>e, o<u>x</u>ydé	<u>x</u>ylophone

son [w] + [ɑ] (oi)

19. Y a-t-il un lien entre le genre et la graphie d'un nom qui se termine par le son (oi) ?

- Dans plusieurs cas, les **noms masculins** se terminent par **-oi** et les **noms féminins** par **-oie**.

un env<u>oi</u>   un tourn<u>oi</u>   l'effr<u>oi</u>
la j<u>oie</u>   une <u>oie</u>

Attention

> Il existe des exceptions : **un endroit, un toit, un bois, un mois, un choix, un foie, un doigt, une loi, une foi, une fois, une croix, une noix, une voix**.

son [j] (ill)

20. Y a-t-il un lien entre le genre et la graphie d'un nom qui se termine par -il ou par -ille ?

- Dans la plupart des cas, les **noms masculins** se terminent par **-il** alors que les **noms féminins** se terminent par **-ille**.

un écureu<u>il</u>, un orte<u>il</u>   **MAIS**   une b<u>ille</u>, une abe<u>ille</u>
un fauteu<u>il</u>   une feu<u>ille</u>

4 ÉCRIRE LE E MUET

Un e muet n'est pas seulement une marque du féminin ni une finale d'un verbe. Il peut se retrouver dans toutes les classes de mots et occuper différentes positions dans un mot.

1. Qu'est-ce qu'une lettre muette?

- Quand on dit certains mots, on **ne prononce pas** toutes les lettres. Ces lettres que l'on n'entend pas sont des lettres muettes.

  oie, craie, joue *(on n'entend pas le **e**)*

  haltère, horloge, huile *(on n'entend pas le **h**)*

  bras, lit, pied *(on n'entend pas le **s**, le **t**, le **d**)*

2. Où trouve-t-on le e muet dans un mot?

- Le e muet peut être à l'**intérieur** ou à la **fin** d'un mot.

La place du e muet	
Intérieur du mot	**Fin du mot**
aboiement, éternuement, joyeusement, paiement, remerciement, sûreté, tirelire	anniversaire, avenue, battre, carnivore, comme, croire, dinosaure, empire, joie, queue, roue, traire, une, votre

- On trouve un **e** muet à l'intérieur des noms formés à partir d'un verbe en **-ier, -yer, -uer, -ouer**.

balbutier	→ balbutiement	aboyer	→ aboiement
éternuer	→ éternuement	dénouer	→ dénouement
remercier	→ remerciement	payer	→ paiement
tuer	→ tuerie	dévouer	→ dévouement

➤ p. 391, n° 1

3. Quels noms féminins se terminent par un e muet?

• La plupart des **noms féminins** qui se terminent par le son *(i)* s'écrivent en **-ie**.

bougie	modestie		brebis	fourmi
écurie	pharmacie	**MAIS**	souris	nuit
librairie	prairie		perdrix	

• La plupart des **noms féminins** qui se terminent par le son *(oi)* s'écrivent en **-oie**.

joie	oie		croix	loi
voie	proie	**MAIS**	foi	noix
			fois	voix

➤ p. 365, n° 19

• Les **noms féminins** qui se terminent par le son *(u)* s'écrivent en **-ue**.

avenue	bienvenue	étendue	rue	tenue

• Les **noms féminins** qui désignent un **contenu** se terminent par **-ée**, ainsi que dict**ée**, jet**ée**, mont**ée** et pât**ée**.

cuillerée	portée	assiettée

➤ p. 381, n° 9

> Certains **noms masculins** se terminent aussi par **-ée**.

musée   pygmée

- Les autres **noms féminins** qui ne se terminent pas par une consonne ont souvent un **e** muet final.

aie : baie, craie, monnaie, plaie, raie

oue : joue, moue, roue

eue : banlieue, lieue, queue

4. Quels autres mots peuvent se terminer par un e muet ?

- Certains **adjectifs féminins** se terminent par un **e** muet.

une commis polie   une jolie fleur

➤ p. 314-315, nos 1, 2

- La **finale** d'un **verbe conjugué** au présent de l'indicatif, à la première ou à la troisième personne du singulier, et à l'impératif, à la deuxième personne du singulier, peut être un **e** muet.

je saute   il saute   qu'elle saute   Saute !
  ↓   ↓   ↓   ↓
1re p. s.   3e p. s.   2e p. s.

➤ p. 242-247, nos 4, 5, 6

5

ÉCRIRE LES LETTRES-CONSONNES MUETTES

Les consonnes que l'on ne prononce pas se trouvent le plus souvent à la fin des mots.

I. Où trouve-t-on des lettres-consonnes muettes?

• Les lettres-consonnes **b, c, d, g, l, p, s, t** et **x** peuvent toutes se trouver à la fin des mots.

| plom**b** | accro**c** | dar**d** | ran**g** | soû**l** |
| beaucou**p** | héro**s** | enfan**t** | pri**x** | |

Pour découvrir un mot qui doit s'écrire avec une ou plusieurs consonnes muettes, tu peux t'aider d'un mot de la même famille ou bien du féminin d'un adjectif masculin.

plom**b**ier	→	plom**b**	accro**c**her	→	accro**c**
cham**p**être	→	cham**p**	confu**s**e	→	confu**s**
trico**t**er	→	trico**t**	tou**t**e	→	tou**t**

• Le **h** muet peut se trouver au **début**, à l'**intérieur** ou à la **fin** d'un mot.

<u>h</u>istoire   un men<u>h</u>ir   le maharaja<u>h</u>

• On peut trouver **deux** ou même **trois** consonnes muettes à la **fin** d'un mot.

aspe**ct**   ba**nc**   éta**ng**   poi**nt**   pro**mpt**

2. Pourquoi existe-t-il tant de lettres-consonnes muettes en français?

- La plupart des mots français viennent du **latin.** Or, on a souvent conservé en français une partie de l'orthographe d'origine, dont certaines lettres-consonnes qui se prononçaient en latin, mais pas en français. C'est d'ailleurs pourquoi on trouve en français des couples de mots qui s'écrivent différemment, mais se prononcent de la même manière. On les appelle des **homophones**.

Le mot latin *vinum* a donné en français le mot **vin**.

Le mot latin *viginti* a donné en français le mot **vingt**.

Vingt *se prononce comme* **vin**, *mais il a gardé les lettres* **g** *et* **t** *qui viennent du latin.*

Le mot latin *cursus* a donné le mot français **cours**.

Le mot latin *curtus* a donné le mot français **court**.

Cours *se prononce comme* **court**, *mais le premier garde le* **s** *et le second le* **t** *de leur origine latine.*

➤ p. 398-399, n° 10

s muet

3. Quand voit-on un s muet à la fin d'un mot?

- Placé à la fin d'un nom, d'un pronom, d'un déterminant ou d'un adjectif, le **s** muet peut être la marque du **pluriel**.

leur<u>s</u> voiture<u>s</u> rapide<u>s</u>

- Le **s** muet peut désigner la finale de verbes conjugués à la **deuxième personne du singulier** ou la dernière lettre de la finale à la **première personne du pluriel**.

tu chante<u>s</u>	tu chantai<u>s</u>	nous chanton<u>s</u>
que tu chante<u>s</u>	nous chanteron<u>s</u>	tu chanterai<u>s</u>

➤ p. 238-239, 244-245, n°s 1, 5

4. Quel est le genre des noms qui se terminent par un s muet?

- La plupart des noms qui se terminent par un **s** muet sont masculins.

un succè<u>s</u>, un avi<u>s</u>   MAIS   la brebi<u>s</u>, une foi<u>s</u>, la souri<u>s</u>

t muet

5. Quand voit-on un t muet à la fin d'un mot?

- Le **t** muet peut désigner la finale de verbes conjugués à la **troisième personne du singulier ou du pluriel**.

elle bondi<u>t</u>	ils bondissen<u>t</u>	on chantai<u>t</u>
elles chantaien<u>t</u>	qu'ils chanten<u>t</u>	

➤ p. 240-241, 246-247, n°s 3, 6

x muet

6. Quand voit-on un x muet à la fin d'un mot?

- Placé à la fin d'un nom, d'un déterminant ou d'un adjectif, le **x** muet peut être la marque du **pluriel**.

des chev<u>aux</u>   une tarte <u>aux</u> ananas   des chiots peur<u>eux</u>

➤ p. 120, n° 3
➤ p. 137, 139, n°s 6, 9
➤ p. 151-154, n° 6
➤ p. 137, 139, nᵒˢ 6, 9
➤ p. 151-154, n° 6

➤ p. 120, n° 3
➤ p. 137, 139, n°s 6, 9
➤ p. 151-154, n° 6

- Le **x** muet peut désigner la **finale** de certains verbes conjugués à la **deuxième personne du singulier**.

tu peu<u>x</u>   tu vau<u>x</u>   tu veu<u>x</u>

➤ p. 244-245, n° 5

!Attention

Certains mots se terminent par **x** au **pluriel** comme au **singulier**.

la noi<u>x</u>, les noi<u>x</u>   un enfant heureu<u>x</u>, des enfants heureu<u>x</u>

➤ p. 322-323, n° 3

h muet

7. Dans quels types de mots peut-on trouver un h muet au début ou à l'intérieur d'un mot?

- On peut trouver un **h** muet au début d'un mot qui commence par une lettre-voyelle.

<u>h</u>abit, <u>h</u>eureuse, <u>h</u>indou, <u>h</u>ôte, <u>h</u>umide, <u>h</u>ypocrite

! *Attention*

> On doit faire la **liaison** entre le mot qui précède et le mot qui
> commence par un **h** muet.

un hôte, une habileté
　(n)　　　(n)

➤ p. 351, n° 13

• On peut trouver un **h** muet après une lettre-consonne dans des mots
  qui ont été **formés à partir de deux mots**.

gentilhomme : gentil *(adjectif)* + **h**omme *(nom)*

malhonnête : mal *(préfixe)* + **h**onnête *(adjectif)*

> Avant d'écrire un mot comme **préhistoire**, on doit penser qu'il est
> formé à partir d'un autre mot : **histoire**.

la préhistoire : pré *(préfixe)* + **h**istoire *(nom)*

➤ p. 392-396, n°s 3, 4, 5, 6

• On peut trouver un **h** muet après une lettre-consonne dans des mots
  d'**origine grecque**.

théâtre　　bibliothèque　　rhinocéros　　géographie

➤ p. 362, n° 12

★ *h aspiré*

8. Qu'est-ce que le h aspiré ?

• Le **h** aspiré est une **lettre-consonne** qui ne se prononce pas. Elle joue un rôle différent du **h** muet. Il n'y a pas de liaison entre le mot qui précède et un mot qui contient un **h** aspiré.

un <u>h</u>angar, un <u>h</u>éros, une maison <u>h</u>aute, une <u>h</u>anche

Attention

On ne peut pas mettre une apostrophe devant un **h** aspiré.

la <u>h</u>onte (mais non l'honte)

6

ÉCRIRE LE DÉBUT DES MOTS

Comme certaines constructions se retrouvent plus souvent au début des mots, les connaître peut être utile en écriture.

1. Comment choisir entre ad- et add-?

- On écrit le plus souvent **ad-**.

adieu   adorable   adulte   MAIS   addition

2. Comment choisir entre aff- et af-?

- On écrit le plus souvent **aff-**.

affaire   affiche   MAIS   afin   Afrique
affection   affirmation   africain

> **Attention**
>
> On écrit toujours **ff** quand un mot commence par **e** ou **o** suivis du son (f).

efficace   effort   effrayant   offense   officier   offrir

3. Comment choisir entre ag- et agg-?

- On écrit le plus souvent **ag-**.

agrafe   agrandir   MAIS   agglomération   aggraver
agréable   agriculture   agglutiner

4. Comment choisir entre *am-* et *amm-*?

• On écrit presque toujours **am-**.

amarre	ami	amour	MAIS	ammoniaque
amateur	amont	amuser		

5. Comment choisir entre *il-* et *ill-*?

• On écrit le plus souvent **ill-**.

illisible	illuminé		il
illusion	illustrer	MAIS	île

6. Comment choisir entre *ir-* et *irr-*?

• On écrit le plus souvent **irr-**.

irréalisable	irremplaçable		iranien
irrespirable	irrigation	MAIS	iris
irréductible	irréparable		ironie
irresponsable	irriter		

ÉCRIRE LA FIN DES MOTS

En fin de mot, la construction est souvent déterminée par le genre, et parfois par la catégorie à laquelle appartient le mot.

1. Comment choisir entre -ail et -aille ?

• On écrit **-ail** à la fin des **noms masculins**.

un trav<u>ail</u>   un gouvern<u>ail</u>

• On écrit toujours **-aille** à la fin des **noms féminins**.

la p<u>aille</u>   une m<u>aille</u> (de tricot)

2. Comment choisir entre -ciel et -tiel ?

• On écrit **-ciel** après **i** et **an**.

Après i : logi<u>ciel</u>, superfi<u>ciel</u>   *Après an :* circonstan<u>ciel</u>

• On écrit **-tiel** après **en**.

essen<u>tiel</u>

3. Comment choisir entre -cien, -tien et -ssien ?

• On écrit souvent **-cien** ou **-cienne** dans des noms de **métiers**.

électri<u>cien</u>, électri<u>cienne</u>   magi<u>cien</u>, magi<u>cienne</u>
pharma<u>cien</u>, pharma<u>cienne</u>

- On écrit **-tien** ou **-tienne** quand le mot est formé à partir d'un nom propre contenant un **t** dans la dernière syllabe.

Cap-Chat → Cap-Chatien, Cap-Chatienne

Égypte → égyptien, égyptienne

Haïti → haïtien, haïtienne

Tahiti → Tahitien, Tahitienne

- Dans quelques mots, on écrit aussi **-sien** et **-ssien**.

paroissien, paroissienne *(paroisse)*   Prussien, Prussienne *(Prusse)*

- Les noms et adjectifs masculins qui se terminent par **-cier** et **-ssier** forment leur féminin en **-cière** et **-ssière**.

épicier → épicière   caissier → caissière

4. Comment choisir entre -eil et -eille ?

- On écrit **-eil** à la fin des **noms masculins**.

le soleil

- On écrit **-eille** à la fin des **noms féminins**.

une abeille

5. Comment choisir entre -euil, -euille et -ueil ?

- On écrit toujours **-euille** à la fin des **noms féminins**.

une feuille

- On écrit le plus souvent **-euil** à la fin des noms masculins.

un faut<u>euil</u>   MAIS   un <u>œi</u>l

⚠ *Attention*

> Les noms masculins formés à partir de **feuille** s'écrivent **-euille**, sauf **cerfeuil**.

du chèvref<u>euille</u>   un millef<u>euille</u>   un portef<u>euille</u>

- Après les consonnes **c** et **g**, on doit écrire **-ueil**.

un acc<u>ueil</u>   un cerc<u>ueil</u>   l'org<u>ueil</u>   un rec<u>ueil</u>

⚠ *Attention*

> Attention à la conjugaison du verbe **cueillir** et de ses composés.

je c<u>uei</u>lle   tu rec<u>uei</u>lles   il acc<u>uei</u>lle

6. Comment choisir entre -eur, -eure, -eurs et -œur?

- On écrit le plus souvent **-eur** à la **fin** des noms.

le bonh<u>eur</u>	la p<u>eur</u>	MAIS	le b<u>eurre</u>
le malh<u>eur</u>	la terr<u>eur</u>		la dem<u>eure</u> une h<u>eure</u>

- La finale **-eur** permet de **former** des noms.

blanc → la blanch<u>eur</u>   dessiner → le dessinat<u>eur</u>
explorer → l'explorat<u>eur</u>   mince → la minc<u>eur</u>
profond → la profond<u>eur</u>   voyager → le voyag<u>eur</u>

- Certains **mots invariables** se terminent par **-eurs**.

  ailleurs   d'ailleurs   plusieurs

- Certains noms se terminent par **-œur**.

  cœur   chœur   rancœur   sœur

7. Comment choisir entre -ie et -i ?

- Plusieurs noms féminins qui se terminent par le son *(i)* s'écrivent **-ie**.

bougie	modestie	écurie		la nuit
jalousie	ortie	librairie	MAIS	la fourmi
loterie	pluie	mairie		la souris
nostalgie	pharmacie	prairie		la perdrix

- À la fin des noms masculins, on écrit **-i**, **-is**, **-id** ou **-ix**.

  un abri   un parti   un tapis   un nid   un prix

8. Comment choisir entre -oire et -oir ?

- On écrit **-oire** à la fin des **noms féminins**.

  une balançoire   une foire   une histoire
  la mémoire   une nageoire

- On écrit **-oir** à la fin de la plupart des **noms masculins**.

un comptoir		un conservatoire	un pourboire
un couloir	MAIS	un interrogatoire	un réfectoire
un espoir		un laboratoire	un territoire
un réservoir			

- On écrit **-oire** à la fin de certains adjectifs, au masculin comme au féminin.

un exercice obligat<u>oire</u>		un pantalon n<u>oir</u>
la sieste obligat<u>oire</u>	MAIS	une chemise n<u>oire</u>

9. Comment choisir entre -té et -tée ?

- Presque tous les noms qui se terminent par le son *(té)* s'écrivent **-té**.

la quali<u>té</u>	l'originali<u>té</u>	l'Antiqui<u>té</u>
la ci<u>té</u>	la spéciali<u>té</u>	la rare<u>té</u>

Exceptions :
*Les noms indiquant un contenu : une pelle**tée**, une assiet**tée**…*
*Les cinq noms suivants : la dic**tée**, la je**tée**, la mon**tée**, la pâ**tée**, la por**tée**.*

- Les noms qui se terminent par **-té** sont presque tous féminins.

la liber<u>té</u>		un é<u>té</u>	un cô<u>té</u>
la beau<u>té</u>	MAIS	un doig<u>té</u>	un trai<u>té</u>

- La finale **-té** permet de **former des noms** désignant des qualités, des défauts ou d'autres caractéristiques à partir d'adjectifs.

Adjectifs	Noms	Adjectifs	Noms
beau	beau<u>té</u>	méchant	méchance<u>té</u>
clair	clar<u>té</u>	rapide	rapidi<u>té</u>
généreux	générosi<u>té</u>	timide	timidi<u>té</u>

10. Comment choisir entre -tié et -tier ?

- Les noms de genre **féminin** se terminent par **-tié**.

une moi<u>tié</u>   l'ami<u>tié</u>

- Les noms de genre **masculin** se terminent par **-tier**.

un bijou<u>tier</u>　　un boî<u>tier</u>　　un chan<u>tier</u>　　un coco<u>tier</u>
un cour<u>tier</u>　　un po<u>tier</u>　　un quar<u>tier</u>　　un sen<u>tier</u>

11. Comment choisir entre -tion et -(s)sion?

- Après les consonnes **c** et **p**, on écrit toujours **-tion**.

ac<u>tion</u>　　　　sec<u>tion</u>　　　　inscrip<u>tion</u>

- Après la voyelle **a**, on trouve le plus souvent **-tion**.

alimenta<u>tion</u>　　　　　　pa<u>ssion</u>
éduca<u>tion</u>　　　**MAIS**　　compa<u>ssion</u>
explica<u>tion</u>

- Après la consonne **l**, on écrit toujours **-sion**.

émul<u>sion</u>　　　　expul<u>sion</u>

12. Comment choisir entre -ule et -ul?

- Presque tous les noms, **masculins ou féminins**, qui se terminent par le son *(yl)* s'écrivent **-ule**.

Noms masculins : crépus<u>cule</u>, glob<u>ule</u>, scrup<u>ule</u>, véhic<u>ule</u>
Noms féminins : basc<u>ule</u>, cell<u>ule</u>, libell<u>ule</u>, pil<u>ule</u>, rot<u>ule</u>

Exceptions :
Les mots **calcul, consul** *et* **recul** *s'écrivent* **-ul.**
Bulle *et* **tulle** *s'écrivent* **-ulle.**
Pull, *d'origine anglaise, s'écrit avec deux* **l.**

Vocabulaire

1

Les mots ont le même sens, un sens contraire, des sens qui se rapprochent ou des sens qui sont assez différents.

1. Un mot peut-il avoir plusieurs sens?

- Le plus souvent, un même mot a plusieurs sens différents. On dit qu'il est **polysémique**.

un chemin droit : une route rectiligne

le côté droit : par opposition au côté gauche

> En lisant, porte une attention particulière au contexte, c'est-à-dire à tout ce qui se trouve autour d'un mot. Tu comprendras alors mieux le sens de ce mot. Consulte aussi un dictionnaire. Il donne les différents sens d'un mot et présente des exemples de phrases qui permettent de bien distinguer chaque sens.

➤ p. 409, n° 2

2. Qu'est-ce que le sens propre d'un mot?

- Le sens propre d'un mot est son **premier sens**. C'est généralement le sens le plus habituel.

montagne (sens propre) : importante élévation de terrain

Les Appalaches sont des montagnes.

3. Qu'est-ce que le sens figuré d'un mot ?

• Le sens figuré d'un mot provient de son sens propre. C'est un sens **imaginé** du sens propre.

montagne (sens figuré) : importante quantité d'objets

Il y a une montagne de jouets par terre.

Le sens figuré est obtenu par comparaison avec le sens propre : les jouets s'entassent les uns par-dessus les autres, si bien qu'ils forment une montagne.

4. À quoi servent les termes génériques et les termes spécifiques ?

• Un terme générique est un mot dont le sens est très général. Un terme spécifique ajoute des particularités ou des caractéristiques au terme générique. Le sens d'un terme générique reste **plus général** que le sens d'un terme spécifique. Il est donc **inclus** dans le sens d'un terme spécifique.

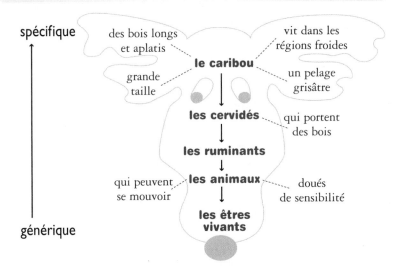

Termes génériques	Termes spécifiques	Un sens inclus dans un autre sens
animal	caribou castor belette orignal ours raton laveur	Un caribou **est nécessairement** un animal, mais un animal **n'est pas nécessairement** un caribou.
cervidé	caribou cerf chevreuil orignal	Un chevreuil **est nécessairement** un cervidé, mais un cervidé **n'est pas nécessairement** un chevreuil.

un animal + certaines caractéristiques → un cervidé
↓   ↓
terme générique   *terme plus spécifique*

+ certaines caractéristiques → un chevreuil
↓
terme encore plus spécifique

- Plus un terme est spécifique, plus il est **précis**.

Un <u>conte</u> est un terme dont le sens est plus précis
que le sens du mot <u>histoire</u>.

- Un terme spécifique **dans un contexte donné** peut devenir générique **dans un autre contexte**.

Lorenzo connaît un lac qui contient une grande variété
de <u>poissons</u>. On peut y pêcher de la <u>truite arc-en-ciel</u>
en grande quantité et, si l'on a de la chance, de
la <u>truite mouchetée</u> et de la <u>truite grise</u>, plus rares.
Par contre, il n'y a ni <u>saumon</u> ni <u>ouananiche</u> dans ce lac.

Terme générique	Termes spécifiques	Terme générique	Termes spécifiques
poisson	brochet doré ouananiche saumon truite	truite	truite arc-en-ciel truite grise truite mouchetée

- Dans un texte, on peut remplacer un terme spécifique par un terme générique pour **faire progresser** l'information **sans répéter** les mêmes mots.

Quelqu'un a parlé du chasseur d'<u>orignal</u> qui se trouvait dans le bois cette année. Tous les enfants se sont demandés combien d'<u>animaux</u> il allait tuer. C'est à ce moment qu'Alexandrine est arrivée en courant pour nous annoncer que monsieur Grenier était en réalité un chasseur d'images de <u>cervidés</u> !

➤ p. 447-450, n° 3

5. Qu'est-ce qu'un mot composé ?

- Un mot composé est formé de **deux ou trois mots** qui ne se séparent pas. Un mot composé a un **sens** qui lui est propre. On peut trouver ce mot dans le dictionnaire.

un <u>oiseau-mouche</u>   une <u>pomme de terre</u>

➤ p. 326, n° 8

- Un mot composé peut s'écrire **avec ou sans** trait d'union.

➤ p. 349-350, n° 11

6. À quoi servent les synonymes ?

- Les synonymes sont des mots qui servent à exprimer la même réalité. Ils ont des **sens** très rapprochés. Dans certains cas, **plusieurs mots** peuvent en remplacer un seul.

noms :	une maison = une demeure = un chez-soi = une résidence
adjectifs :	beau = joli = mignon
verbes :	trouver = découvrir
	avancer = faire un pas
adverbes :	aussi = également

7. Quand utilise-t-on les synonymes ?

- Dans un texte, on utilise les synonymes pour **reprendre l'information** d'une phrase à l'autre sans répéter les mêmes mots.

Patricia aime les <u>jolis</u> papillons. Plus ils sont <u>beaux</u>,
plus elle les chasse pour les ajouter à sa collection.

➤ p. 446-447, n° 2

> Comme un mot peut avoir plusieurs sens, choisis le bon synonyme en t'aidant des **mots qui l'entourent**. Consulte également un dictionnaire. En général, les synonymes se trouvent à la fin de chaque entrée.

<u>donner</u> un cadeau	=	<u>offrir</u> un cadeau
<u>donner</u> une punition	=	<u>infliger</u> une punition
une fourrure <u>douce</u>	=	une fourrure <u>agréable au toucher</u>
de l'eau <u>douce</u>	=	de l'eau <u>non salée</u>

8. À quoi servent les antonymes ?

• Le antonymes sont des mots qui servent à exprimer des sens **contraires**.
Dans certains cas, **plusieurs mots** peuvent en remplacer un seul.

noms :   une amie ≠ une ennemie

adjectifs :   grande ≠ petite
          sombre ≠ claire
          vraie ≠ fausse

verbes :   accepter ≠ refuser
          monter ≠ descendre

adverbes : lentement ≠ rapidement
          tristement ≠ d'une manière joyeuse

Comme un mot peut avoir plusieurs sens, choisis le bon antonyme en t'aidant des **mots qui l'entourent**. Consulte également un dictionnaire. En général, les antonymes se trouvent à la fin de chaque entrée.

avoir un cadeau   ≠ recevoir un cadeau

avoir une punition ≠ infliger une punition

un objet doux   ≠ un objet rugueux

de l'eau douce   ≠ de l'eau salée

9. Comment se forment les antonymes ?

• Les antonymes peuvent avoir des formes complètement différentes (grand ≠ petit), mais ils peuvent aussi être formés à partir d'un **mot commun** et des préfixes **in-** et **dé-**.

soumis ≠ insoumis   monter ≠ démonter

➤ p. 392, n° 3

10. Quels sont les registres de langue de la communication ?

- Il existe principalement deux registres de langue : le **registre familier** et le **registre standard**.

➤ p. 419, 422-423, nᵒˢ 2, 7, 9

- Le **registre familier** appartient à la vie de tous les jours. On l'emploie lorsqu'on parle à des parents ou à des amis. On utilise parfois des structures de phrases que la langue écrite ne permet pas toujours.

 J'pense pas aller au cinéma, dit Amir.

- Le **registre standard** appartient au discours public. On l'emploie quand on s'adresse à un public lors d'un exposé ou d'un discours, à l'oral comme à l'écrit. Les structures de phrases utilisées sont généralement plus recherchées que dans le registre familier.

Je ne pense pas aller au cinéma, dit Amir.

 Pour choisir le mot approprié dans une phrase, assure-toi de bien connaître le registre de langue utilisé.

Registre familier

se chicaner
(pour raconter un événement à ses amis)

Registre standard

se quereller ou se disputer
(pour raconter un événement devant la classe ou dans une lettre à quelqu'un)

2

RECONNAÎTRE
LES RAPPORTS DE FORMES
ENTRE LES MOTS

Les mots ont la même forme, des formes différentes
ou des formes qui se rapprochent.

1. Qu'est-ce qu'une famille de mots ?

- Tous les mots **formés** à partir d'un même mot de base constituent
la **famille** de ce mot.

Enterrer, terrasse, atterrir, déterrer, territoire, terrain et **terrestre** *font
partie de la même famille de mots que* **terre**. **Terrible** *ne fait pas partie de
cette famille, même s'il contient les lettres* **terr**.

- L'utilisation des mots d'une famille de mots permet de **varier** les
structures de phrases lorsqu'il est question d'un même thème.

À l'automne, l'horticultrice travaille la <u>terre</u>. Elle <u>déterre</u>
les plants qu'elle met à l'abri du gel. Elle <u>enterre</u> aussi
les bulbes. Les plantes, installées dans des pots sur
la <u>terrasse</u>, reçoivent également les meilleurs soins.

Dans la première phrase, le mot **terre** *est un nom. Dans la deuxième
et la troisième phrase, on utilise un verbe pour évoquer le travail de
la terre. Puis, dans la quatrième phrase, on utilise de nouveau un nom
de la même famille.*

2. Qu'est-ce qu'un mot de base?

• Le mot de base est le mot ou la partie de mot **qui se trouve dans tous les mots** de la même famille.

Le mot de base du mot terre est **terr-** : en<u>terr</u>er, <u>terr</u>ain, <u>terr</u>estre…

3. À quoi sert un préfixe?

• Les préfixes, ajoutés à un mot de base, permettent de former de **nouveaux mots**. Les **préfixes** sont placés **avant** le mot de base.

<u>para</u>sol = préfixe **para-** + mot de base **sol**
<u>dé</u>favor<u>able</u> = préfixe **dé-** + mot de base **favor-** + suffixe **-able**

• Les préfixes peuvent former des antonymes.

<u>dé</u>faire = dé + **faire**

4. Quel est le sens des préfixes?

• Tous les préfixes n'ont pas un sens précis. Mais certains permettent de **modifier le sens** du mot de base. Connaître le sens de ces préfixes peut aider à comprendre le sens d'un mot.

Préfixes	Sens	Exemples
ac-/ad- af-/ag-/al-	indiquent une action en train de se réaliser	accourir, adjoindre, affaiblir, agrandir, aggraver, allonger
anti-	marque le contraire	antivol
archi-	marque le superlatif ou une forte intensité	archiconnu, archiduc
bi-/bis-	indiquent la quantité (deux)	bimoteur, bisannuel
co-/com-/ con-	indiquent une association	coopération, compassion, concession
dé-/dés-	marquent le contraire	défaire, désordre
di-/dis-	marquent la séparation, la privation	diffuser, disparaître
entr-/entre-	indiquent la réciprocité	entraide, entremêler
extra-	marque le superlatif ou une forte intensité	extraordinaire
hyper-	marque le superlatif ou une forte intensité	hyperactif
hypo-	indique un degré au-dessous de la normale ou de faible intensité	hypocrisie
il-/im- in-/ir-	marquent le contraire	illisible, illégale, imbattable, impaire, impatiente, impossible, inattendue, incorrecte, inoubliable, irresponsable, irréelle

Préfixes	Sens	Exemples
inter-	indique une position	intermédiaire
mal-	marque le contraire	malheureux, malchance
mono-	indique une quantité (un)	monoparental
multi-	indique le nombre (plusieurs)	multidisciplinaire
para-	marque une opposition (contre)	parapluie, parasol, paratonnerre
post-	indique une période (après)	postsecondaire
pré-	indique une période (antérieure)	préchauffer, préhistoire, préscolaire, prévenir
pro-	indique la position en avant	projeter
r-/re-/ré-	indiquent une répétition	rajouter, refaire, réunifier
sous-	marque le diminutif ou une faible intensité	sous-alimentée
super-	marque le superlatif ou une forte intensité	supersonique
sur-	marque le superlatif ou une forte intensité	suralimenté
télé-	marque la distance (loin)	télévision, télécharger
tri-/tris-	indiquent la quantité (trois)	tricycle, trisaïeul

5. À quoi sert un suffixe ?

• Un suffixe, ajouté à un mot de base, permet de former un **nouveau mot**. Les **suffixes** sont placés **après** le mot de base.

fleuriste = mot de base **fleur-** + suffixe **-iste**

- Les suffixes peuvent former des **adjectifs**, des **noms** ou des **verbes**.

Des adjectifs	Des noms	Des verbes
véritable	glissade	manger
illisible	orangeade	noircir
possible	feuillage	chatouiller
	Gaspésienne	voleter

 6. Quel est le sens des suffixes ?

- Certains suffixes ont un sens précis. Le connaître peut t'aider à **formuler des hypothèses** sur le sens d'un mot.

Suffixes des adjectifs	Sens	Exemples
-able/-ible	marquent la possibilité	lavable, lisible
-ard/-arde	indiquent un aspect désagréable	bavard, vantarde
-âtre	indique la ressemblance en faisant ressortir un aspect particulier	rougeâtre, verdâtre
-elet/-ellette	servent à former des diminutifs	aigrelet, maigrelette
-eux/-euse	indiquent une qualité ou un défaut	orgueilleux, courageuse
-if/-ive	indiquent une caractéristique	craintif, plaintive, tardive
-ot/-otte	servent à former des diminutifs	pâlot, vieillotte
-u/-ue	indiquent une qualité, un défaut ou une caractéristique	feuillu, poilue

➤ p. 160, 161-163, n°s 3, 6

2. Reconnaître les rapports de formes entre les mots   395

Suffixes des noms	Sens	Exemples
-ade	indique un ensemble d'objets ou une action	citron<u>ade</u>, marin<u>ade</u>
-age	indique un ensemble, une action ou un résultat	repér<u>age</u>, surmén<u>age</u>
-eraie	indique une plantation	ros<u>eraie</u>
-ail	indique des noms d'instruments	épouvant<u>ail</u>, évent<u>ail</u>
-ais/-aise -ien/-ienne/ -en/-enne, -yen/-yenne, -ois/-oise	servent à former des noms d'habitants	Montréal<u>ais</u>, Néo-Écoss<u>aise</u>, Abitib<u>ien</u>, Coré<u>enne</u>, Saguenay<u>enne</u>, Ital<u>ien</u>, Drummondvill<u>ois</u>, Lévis<u>oise</u>, Néo-Brunswick<u>oise</u>
-aison/-ison	indiquent une action ou un résultat de l'action	inclin<u>aison</u>, trah<u>ison</u>, guér<u>ison</u>
-ance	indique une action ou un résultat de l'action	insist<u>ance</u>, puiss<u>ance</u>
-ée	indique le contenu, la durée	dur<u>ée</u>, pinc<u>ée</u>, poign<u>ée</u>
-erie	indique un lieu	buand<u>erie</u>, épic<u>erie</u>
-et/-ette	servent à former des diminutifs	garçonn<u>et</u>, jou<u>et</u>, suc<u>ette</u>
-eur/-euse	désignent celui ou celle qui agit	imprim<u>eur</u>, achet<u>euse</u>
-ie	indique une qualité ou une région	modest<u>ie</u>, Estr<u>ie</u>
-ien/ienne -ier/-ière/-iste	servent à former des noms de métier	politic<u>ien</u>, pharmac<u>ienne</u>, pâtiss<u>ier</u>, polic<u>ière</u>, fleur<u>iste</u>, pomp<u>iste</u>
-ure	indique une action ou un résultat de l'action	brûl<u>ure</u>, mors<u>ure</u>

➤ p. 135, 136, 139-140, n°s 2, 5, 11

7. Qu'est-ce qu'un sigle ?

- Un sigle est un mot formé par la **première lettre de plusieurs mots**. Chaque lettre se prononce séparément.

  <u>LNH</u> : <u>L</u>igue <u>N</u>ationale de <u>H</u>ockey

  <u>RDI</u> : <u>R</u>éseau <u>D</u>'Information

8. Qu'est-ce qu'un acronyme ?

- Un acronyme est un sigle qui se prononce comme **un seul mot**.

  <u>UQAM</u> : <u>U</u>niversité du <u>Q</u>uébec <u>à</u> <u>M</u>ontréal

- Les acronymes proviennent parfois d'une **autre langue**.

  <u>UNICEF</u> :
  <u>U</u>nited <u>N</u>ations <u>I</u>nternational <u>C</u>hildren's <u>E</u>mergency <u>F</u>und
  (en français, on parle du Fonds des Nations Unies pour l'enfance)

9. Qu'est-ce qu'une abréviation ?

- C'est l'écriture d'**une partie seulement des lettres** d'un mot. Une abréviation s'écrit plus rapidement et elle occupe moins d'espace dans une phrase. Elle peut ou non se terminer par un point.

Personnes	Coordonnées	Autres
M. (Monsieur)	n° (numéro)	etc. (et cetera)
Mme (Madame)	app. (appartement)	ex. (exemple)
Mlle (Mademoiselle)	av. (avenue)	N. B. (notez bien)
D^{r} (Docteur)	boul. (boulevard)	P.-S. (post-scriptum qui s'ajoute au bas d'une lettre, après la signature)
	C. P. (case postale)	chap. (chapitre)
	QC (Québec)	p. (page ou pages)
	tél. (téléphone)	vol. (volume)

Mesures				
Temps	Distance	Poids	Volume	Température
s (seconde)	m (mètre)	g (gramme)	l (litre)	°C (degrés Celsius)
min (minute)	dm (décimètre)	kg (kilogramme)	ml (millilitre)	
h (heure)	cm (centimètre)		m^3 (mètre cube)	
j (jour)	mm (millimètre)			
	km (kilomètre)			

10. Qu'est-ce qu'un homophone ?

- Les homophones sont des mots qui se prononcent de la **même façon,** mais ont une **orthographe différente**.

une <u>chaîne</u> de vélo	les feuilles du <u>chêne</u>
le <u>conte</u> du « Petit Poucet »	un <u>compte</u> d'épargne

- Lorsque les homophones appartiennent à la **même classe** de mots, on les appelle des **homophones lexicaux**.

Monsieur le <u>maire</u>   la <u>mer</u> des Antilles   ma <u>mère</u> à moi
      ↓   ↓   ↓
      nom   *nom*   *nom*

Tu trouveras la plupart des homophones lexicaux dans le **dictionnaire**. Chacun des mots est inscrit dans une entrée différente.

> **chaîne** n. f. Suite d'anneaux de métal entrelacés. (p. 153)
>
> **chêne** n. m. Grand arbre dont le bois est très dur et qui peut vivre plus de cinq cents ans. (p. 163)

Le Robert Junior illustré

- Les autres homophones sont des homophones **grammaticaux**.

<u>sur</u>   <u>sûre</u>   un <u>conte</u>   il <u>compte</u>
↓   ↓   ↓   ↓
préposition *adjectif*   *nom*   *verbe*

Tu trouveras le détail des homophones grammaticaux dans une **grammaire**. Pour t'aider, consulte l'index.

- Les homophones **se prononcent** de la même façon mais **s'écrivent** différemment. Dans certains cas, l'**accent circonflexe** permet de les distinguer.

Prends le jeu <u>sur</u> (par-dessus) la tablette.
Je suis <u>sûr</u> (certain) qu'il te plaira.

12. Comment démasquer les homophones qui se prononcent comme des déterminants ou des pronoms démonstratifs?

Homophones	Classe des mots	Place des mots	Moyen pratique
ça, sa	**ça** : pronom démonstratif		Remplacer **ça** par **cela.**
	sa : déterminant possessif	à gauche d'un **nom** féminin	Mettre le **groupe du nom** au pluriel. (**Sa** devient **ses**.)
Exemples	Ça m'a fait peur de voir sa grenouille ! **Cela** m'a fait peur de voir sa grenouille ! ⊘ Ça m'a fait peur de voir **cela** grenouille ! Ça m'a fait peur de voir **ses** grenouilles ! ⊘ **Ses** m'a fait peur de voir sa grenouille !		
ce, se	**ce** : déterminant démonstratif	à gauche d'un **nom** masculin	Mettre le **groupe du nom** au pluriel. (**Ce** devient **ces**.)
	se : pronom personnel	devant le **verbe**	Ajouter **lui-même** ou **elle-même** après le verbe.
	ce : pronom démonstratif	devant le **verbe**	Remplacer **ce** par **cela.**

Homophones	Classe des mots	Place des mots	Moyen pratique
Exemples	Elle se lave avec ce savon à l'odeur de pomme. Elle se lave **elle-même** avec ce savon à l'odeur de pomme. ⊘ Elle se lave avec se savon **lui-même** à l'odeur de pomme. Elle se lave avec ces savons à l'odeur de pomme. Ce fut extraordinaire. Cela fut extraordinaire.		
ces, ses	**ces :** déterminant démonstratif	à gauche d'un **nom**	Mettre le **groupe du nom** au singulier. (**Ces** devient **cette, cet, ce.**)
	ses : déterminant possessif	à gauche d'un **nom**	Mettre le **groupe du nom** au singulier. (**Ses** devient **son, sa.**)
Exemples	Ces fleurs sont très odorantes. Cette fleur est très odorante. Ses pantalons sont à la dernière mode. Son pantalon est à la dernière mode.		
c'est, s'est	**c'est :** pronom démonstratif **c'** + verbe *être*		Remplacer **c'** par **cela.**
	s'est : pronom **s'** + verbe *être*		Changer le **groupe sujet** + **s'est** pour **je me suis.**
Exemples	C'est froid. Cela est froid. Natacha s'est blessée. Je me suis blessée.		

13. Comment démasquer les homophones qui se prononcent comme certaines formes du verbe *avoir* ou du verbe *être* ?

Homophones	Classe des mots	Place des mots	Moyen pratique
à, a	**a** : verbe *avoir*		Remplacer **a** par **avait**.
	à : préposition		**À** ne change jamais de forme.
Exemples	Elle a mal à la tête. Elle **avait** mal à la tête. ⊘ Elle a mal **avait** tête.		
et, est	**est** : verbe *être*		Remplacer **est** par **était**.
	et : coordonnant		Remplacer **et** par **ou**.
Exemples	Éric est grand et mince. Éric **était** grand et mince. ⊘ Éric est grand **était** mince. Éric est grand **ou** mince. ⊘ Éric **ou** grand et mince.		
on, ont	**ont** : verbe *avoir*		Remplacer **ont** par **avaient**.
	on : pronom	avant un **verbe**	Remplacer **on** par le pronom **je**.
Exemples	On demande aux filles si elles **ont** mal à la tête. On demande aux filles si elles **avaient** mal à la tête. ⊘ **Avaient** demande aux filles si elles ont mal à la tête. **Je** demande aux filles si elles **avaient** mal à la tête. ⊘ On demande aux filles si elles je mal à la tête.		

Homophones	Classe des mots	Place des mots	Moyen pratique
son, sont	**son** : détermi-nant possessif	à gauche d'un **nom** masculin	Remplacer **son** par **ses**.
	sont : verbe *être*		Remplacer **sont** par **étaient**.
Exemples	**Son** oncle et **son** cousin **sont** partis en France. **Ses** oncles et **ses** cousins sont partis en France. ⊘ Son oncle et son cousin **ses** partis en France. Son oncle et son cousin **étaient** partis en France. ⊘ **Étaient** oncle et **étaient** cousin sont partis en France.		
la, là, l'a	**la** : déterminant article	à gauche d'un **nom** féminin	Mettre au pluriel. (**La** devient **les**.)
	la : pronom personnel	à gauche du **verbe**	
	là : adverbe		Remplacer **là** par **ici**.
	l'a : le + verbe *avoir* ou la + verbe *avoir*		Remplacer **l'a** par **l'avait**.
Exemples	**La** danse latine **la** fait bouger. **Les** danses latines **la** font bouger. Le petit cochon était couché **là**, près de sa mère. Le petit cochon était couché **ici**, près de sa mère. Serge **l'a** vu au centre commercial. Serge **l'avait** vu au centre commercial.		

14. Comment démasquer les homophones qui contiennent des mots plus complexes à utiliser ?

Homophones	Classe des mots	Place des mots	Moyen pratique
dans, d'en	**dans** : préposition	devant un **groupe du nom**	Observe le groupe de mots qui suit.
	d'en : **de + en**	devant un **verbe à l'infinitif**	
Exemples	Murielle est **dans** sa chambre. (**dans** est suivi du groupe du nom *sa chambre*) Justin collectionne des timbres. Il n'arrête pas **d'en** parler. (**d'en** est suivi du verbe à l'infinitif *parler*)		
leur, leurs ✦	**leur** : déterminant possessif singulier	à gauche d'un **nom**	Remplacer **leur** ou **leurs** par **mon, ma** ou **mes**.
	leurs : déterminant possessif pluriel	à gauche d'un **nom**	
	leur : pronom personnel qui reste **invariable**	à côté d'un **verbe**	Remplacer le pronom **leur** par le pronom **lui**.
Exemples	Je **leur** ai dit de vérifier **leur** passeport et **leurs** bagages. Je leur ai dit de vérifier **mon** passeport et **mes** bagages. ⊘ Je **mon** ai dit de vérifier leur passeport et leurs bagages. Je **lui** ai dit de vérifier leur passeport et leurs bagages. ⊘ Je **lui** ai dit de vérifier **lui** passeport et **lui** bagages.		

Homophones	Classe des mots	Place des mots	Moyen pratique
mais, mes	**mais** : coordonnant		Remplacer **mais** par **par contre**.
	mes : déterminant possessif	à gauche d'un **nom** pluriel	Remplacer **mes** par **mon** ou **ma**.
Exemples	**Mes** plats sont délicieux, **mais** ils sont un peu trop épicés. **Mon** plat est délicieux, mais il est un peu trop épicé. ⊘ Mes plats sont délicieux, **mon** ils sont un peu trop épicés. Mes plats sont délicieux, **par contre** ils sont un peu trop épicés. ⊘ **Par contre** plats sont délicieux, mais ils sont un peu trop épicés.		
ou, où	**ou** : coordonnant		Remplacer **ou** par **ou bien**.
	où : pronom relatif	indique un lieu	
Exemples	J'ai déposé cinq **ou** six livres à l'endroit **où** il fallait les laisser. J'ai déposé cinq **ou bien** six livres à l'endroit où il fallait les laisser. ⊘ J'ai déposé cinq ou six livres à l'endroit **ou bien** il fallait les laisser.		

Homophones	Classe des mots	Place des mots	Moyen pratique
plus tôt, plutôt	**plus tôt** : adverbe de temps	indique un temps	Remplacer **plus tôt** par son contraire : **plus tard**.
	plutôt : adverbe de manière	indique une préférence, un choix	
Exemples	Elle avait demandé des lys **plutôt** que des roses. Ils sont arrivés **plus tôt** que prévu. Elle avait demandé des lys plutôt que des roses. Ⓝ Elle avait demandé des lys **plus tard** que des roses. Ils sont arrivés **plus tard** que prévu. Ils sont arrivés plus tôt que prévu.		
quand, qu'en	**quand** : mot interrogatif	à gauche d'un **verbe**	Remplacer **quand** par **pourquoi**.
	quand : coordonnant	à gauche d'un **verbe**	Remplacer **quand** par **lorsque**.
	qu'en : **que** + **en**	à gauche d'un **verbe**	Remplacer par **que** + verbe + **cela**.
Exemples	**Quand** viendrais-tu ? **Pourquoi** viendrais-tu ? **Quand** je sors, j'emmène ma sœur avec moi. **Lorsque** je sors, j'emmène ma sœur avec moi. **Qu'en** pensez-vous ? **Que** pensez-vous de cela ?		
quel, quelle, qu'elle, quels, quelles, qu'elles	**quel, quels** : mots interrogatifs ou exclamatifs au masculin	à gauche d'un **nom** masculin	
	quelle, quelles : mots interrogatifs ou exclamatifs au féminin	à gauche d'un **nom** féminin	

Homophones	Classe des mots	Place des mots	Moyen pratique
	qu'elle : que + elle **qu'elles** : que + elles		Remplacer **qu'elle** et **qu'elles** par **qu'il** ou **qu'ils**.
Exemples	J'ignore ce **qu'elle** veut. Sais-tu **quel** roman ou **quelle** biographie l'intéressent ? J'ignore ce **qu'il** veut. Sais-tu quel roman ou quelle biographie l'intéressent ? ⊘ J'ignore ce qu'elle veut. Sais-tu **qu'il** roman ou **qu'il** biographie l'intéressent ?		
sans, s'en	**sans** : préposition	devant un **nom** ou un **verbe**	Remplacer **sans** par **avec**, suivi d'un déterminant.
	s'en : se + en	devant un **verbe**	Remplacer **s'en** par **se** + verbe + **de cela**.
Exemples	Je mange mes nouilles **sans** baguettes. Je mange mes nouilles **avec des** baguettes. Ses amis **s'en** plaignent. Ses amis **se** plaignent **de cela**.		
si, s'y	**si** : coordonnant	devant un **groupe du nom** ou **du pronom**	Remplacer **si** par **quand**.
	s'y : se + y	devant un **verbe**, pour indiquer un lieu	Remplacer le GS de la phrase par **je**. **S'y** devient alors **m'y**.
Exemples	**Si** tu m'invites, je viens avec toi ! **Quand** tu m'invites, je viens avec toi ! Les canards se baignent dans le lac. Ils **s'y** baignent. Je me baigne dans le lac. Je **m'y** baigne.		

3

UTILISER
UN DICTIONNAIRE ET
UNE GRAMMAIRE

Le dictionnaire et la grammaire apportent des informations complémentaires sur les mots, les phrases ou les textes.

1. Qu'est-ce qu'un dictionnaire ?

- Un dictionnaire est un recueil de **mots** classés par ordre alphabétique. Chaque mot est une **entrée** suivie d'une **définition** ou de sa **traduction** dans une autre langue.

Dans un dictionnaire descriptif

fromage n. m. Aliment fabriqué avec du lait caillé. *Du fromage de chèvre. Un plateau de fromages.*

froment n. m. Blé. *La farine de froment sert à faire le pain.*

Le Robert Junior illustré

Dans un dictionnaire encyclopédique

Feuille n. f. **1.** Chacun des organes, généralement plats et verts qui poussent sur la tige des plantes. *En automne, les feuilles des arbres tombent.* **2.** Plaque de bois ou de métal très mince. *Une feuille d'or.* **3.** Morceau de papier sur lequel on écrit, dessine ou imprime. *Une feuille de cahier.* **4.** Document imprimé. *Chaque mois les salariés reçoivent une feuille de paie.* • **Trembler comme une feuille :** trembler très fort de froid ou de peur. La feuille sert à la respiration de la plante et à la photosynthèse ; elle absorbe du gaz carbonique et rejette de l'oxygène ; c'est pourquoi les arbres sont nécessaires dans les villes.

Dictionnaire Super Major Larousse-Bordas

Dans un dictionnaire bilingue

brown [braun] adj. : brun, brune.
brush [brʌʃ] (pl. brushes) n. : brosse n.f.

Mon premier dictionnaire en couleurs Larousse français-anglais/anglais-français

- Un dictionnaire est le **portrait** d'une langue à un moment donné. Parce qu'une langue est **vivante**, de **nouveaux mots sont créés**, d'autres **se** voient attribués de **nouveaux sens** et, enfin, d'autres **disparaissent**. Un dictionnaire qui a été publié en 1920 ne contient pas les mêmes mots qu'un dictionnaire publié en 2002.

2. Comment une entrée de dictionnaire est-elle construite ?

- Une **entrée** de dictionnaire donne trois éléments d'information de base sur un mot : la **classe**, le **genre** et le **sens** du mot. Le sens d'un mot est souvent accompagné d'un exemple de phrase ou d'une partie de phrase. Cet exemple sert à montrer que le sens du mot correspond bien à la définition donnée.

entonner v. (conjug. 1) *Luc a entonné un air*, il a commencé à le chanter.

Le Robert Junior illustré

- Une entrée peut aussi fournir la **prononciation**, des **synonymes**, des **antonymes**, des **homonymes** (des mots qui s'écrivent ou qui se prononcent de la même façon) et des **mots de même famille**.

s'**entraider** [ãtrede] **v. pron.** (conjug. 1) s'aider, s'épauler, se soutenir ‖ contr. combattre (se) ‖

Le Robert Junior illustré

3. Comment trouver rapidement un mot dans le dictionnaire?

• On situe d'abord **la partie** du dictionnaire regroupant les mots qui commencent par la même lettre que le mot recherché :

– le premier quart contient les lettres A, B, C, D ;
– le deuxième quart contient les lettres E, F, G, H, I, J, K ;
– le troisième quart contient les lettres L, M, N, O, P, Q ;
– le quatrième quart contient les lettres R, S, T, U, V, W, X, Y, Z.

*Pour trouver le mot **maître**, on identifie sa première lettre : **M**. Il est inutile d'ouvrir le dictionnaire au début et de le feuilleter de la lettre **A** à la lettre **M**. Il est préférable de l'ouvrir plutôt vers le milieu.*

• Par la suite, on cherche les pages qui peuvent contenir le mot en consultant les mots repères. Ce sont les mots écrits **en noir tout en haut** de chaque page du dictionnaire. À gauche, le mot repère est le **premier mot** de la page de gauche. À droite, le mot repère est le **dernier mot** de la page de droite. On compare l'ordre des lettres du mot recherché avec l'ordre des lettres des mots repères pour trouver la bonne page.

*Si le mot repère de gauche est **mâchicoulis** et celui de droite, **magistral**, la comparaison démontre que le mot recherché, **maître**, ne vient pas avant ni entre les lettres **mac** et **mag**. Il faut donc poursuivre la recherche jusqu'à **maintenant** et **mal**.*

• Enfin, on suit l'**ordre alphabétique** pour trouver le mot recherché.

maintenant, maintenir, maintien, maire, mairie, mais, maïs, maison, maisonnée, maître

• Pour trouver un verbe dans le dictionnaire, on doit chercher l'**infinitif**.

jouer   répondre   avoir   être   faire

Si tu n'arrives pas à trouver un mot dans le dictionnaire, c'est peut-être parce que tu lui attribues une mauvaise orthographe. Pour t'aider, vérifie la graphie des sons-voyelles et celle des sons-consonnes.

➤ p. 354-357, n°s 3-11
➤ p. 358-365, n°s 3-20

4. Qu'est-ce qu'une grammaire ?

- Une grammaire est un ouvrage regroupant un ensemble de **règles** qui structurent une langue. Ces règles sont utilisées par les personnes lorsqu'elles **parlent** ou **écrivent** cette langue. La grammaire renseigne habituellement sur le bon **usage** et indique des **difficultés** éventuelles.

- Une grammaire décrit la langue en fonction de ce qu'on en connaît à un moment donné. Les plus récentes recherches en **linguistique** apportent de nouvelles connaissances sur la langue. Une grammaire écrite au début du XXe siècle sera différente d'une autre publiée au XXIe siècle.

Une grammaire des années 1970 :

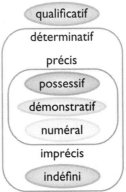

L'adjoint du nom : l'adjectif

qualificatif
déterminatif
précis
possessif
démonstratif
numéral
imprécis
indéfini

Grammaire des ensembles et orthographe de base

7. Quels sont les principaux déterminants?

• Il existe des déterminants **articles**, des déterminants **possessifs**, des déterminants **démonstratifs**, des déterminants **numéraux** et d'**autres** déterminants.

Déterminants	Singulier	Pluriel
articles	le, la, l' un, une au, du	les des aux, des
possessifs	mon/ma, ton/ta, son/sa notre, votre, leur	mes, tes, ses nos, vos, leurs
démonstratifs	ce, cet, cette	ces
numéraux	un	deux, trois, quatre...
autres	aucun, chaque, nul, quel, tout...	plusieurs, quelques, quels, tous...

• Il existe des grammaires qui traitent de la **grammaire du texte**. D'autres s'attardent uniquement à la description des **règles dans une phrase** et à la **formation des mots** à partir des sons de la langue.

5. Comment une grammaire est-elle construite?

• Une grammaire regroupe les informations sur la langue autour de trois grandes catégories: le **texte**, la **phrase** ou le **mot**. Elle contient six sections pour décrire ces catégories: la **grammaire du texte**, la **grammaire de la phrase**, la **conjugaison**, l'**orthographe grammaticale**, l'**orthographe d'usage** et le **vocabulaire**.

Texte	Phrase	Mot
Grammaire du texte	Grammaire de la phrase	Orthographe d'usage
	Conjugaison	Vocabulaire
	Orthographe grammaticale	

- Chaque section est divisée en **chapitres**.

Texte	Grammaire du texte	1. Reconnaître un texte
		2. Organiser l'information dans un texte
		3. Lier l'information dans un texte et la faire progresser
		4. Reconnaître un poème
		5. Reconnaître un récit

- Chaque chapitre est construit autour de **questions** qu'on peut se poser sur la langue.

Qu'est-ce qu'une grammaire ?

6. Comment chercher une information dans une grammaire ?

- Pour trouver une information sur un point précis tel que les caractéristiques du **nom**, l'accord du **verbe** et les **préfixes**, on repère dans l'**index** toutes les pages qui traitent de ce point.

> **Adverbe en** *-ment*, 200, 354, **en** *-amment*, 200, **en** *-emment*, 200

- Pour trouver une **classe** de mots, les **fonctions** ainsi que les caratéristiques d'un type de **texte**, on consulte la **table des matières** qui présente le regroupement des chapitres et leurs principales subdivisions.

Orthographe grammaticale

1. Utiliser le genre et le nombre
2. Former le féminin des adjectifs
3. Former le pluriel des noms et des adjectifs
4. Accorder les déterminants et les adjectifs avec le nom donneur
5. Accorder le verbe receveur avec le sujet donneur

7. En quoi le dictionnaire et la grammaire sont-ils complémentaires?

- Ce sont deux **outils de consultation** qui permettent à quelqu'un de **réfléchir** sur la langue et de **répondre** à ses questions. Le dictionnaire donne les différents sens d'un mot alors que la grammaire renseigne sur le fonctionnement d'une langue. Avant de déterminer le bon outil à consulter, il faut bien cerner les **questions** auxquelles on veut répondre et les **renseignements recherchés**: s'interroge-t-on sur la structure d'une phrase ou sur le synonyme d'un mot?

Questions	Outils
J'ai écrit trois fois le mot **jolie** dans ma production écrite. Quel autre mot pourrais-je utiliser ?	Grammaire : **Grammaire du texte** ou dictionnaire
Comment organiser les informations dans mon texte ?	Grammaire : **Grammaire du texte**
Comment dois-je faire pour trouver le donneur sujet dans la phrase ?	Grammaire : **Grammaire de la phrase**
Quelle est la finale du verbe **sauter** à la première personne du singulier ?	Grammaire : Conjugaison
Quel mot traduirait le mieux ma pensée : **se promener** ou **se balader** ?	Dictionnaire
Comment pourrais-je réussir à faire plus de liens entre les informations que je donne dans mon texte ?	Grammaire : **Grammaire du texte**
Comment écrire le son *[j]* que j'entends dans un mot de mon texte : **j**, **ge** ou **g** ?	Grammaire : Orthographe d'usage
Est-ce que je dois écrire « **Je vais chez le dentiste** » ou « **Je vais au dentiste** » ?	Dictionnaire
Quel est le pluriel du mot **bijou** ?	Grammaire : **Orthographe grammaticale** ou dictionnaire
Quels mots de la même famille que **terre** pourrais-je utiliser pour varier mes structures de phrases ?	Dictionnaire
Est-ce que je dois écrire **à** ou **a** dans ma phrase ?	Grammaire : Vocabulaire

Grammaire du texte

1 RECONNAÎTRE UN TEXTE

Un texte est un ensemble de phrases ordonnées les unes à la suite des autres et présentées dans une structure qui respecte les règles de la langue française.

I. Quel est le lien entre la phrase et le texte ?

- Lorsqu'une personne emploie **plusieurs phrases** pour parler ou écrire, elle produit un **texte**. Mais un texte n'est pas seulement un assemblage de phrases.

La mer existe. Il existe des rochers.
Un bateau flotte sur la mer. J'aime les vagues.

Dans cet exemple, on se demande pourquoi l'auteur a écrit ces phrases les unes à la suite des autres. Voulait-il expliquer, décrire ou raconter une histoire ? Il est impossible de le savoir, car ces phrases ne sont pas liées entre elles.

- Les phrases d'un texte sont liées entre elles, **progressent** grâce à l'ajout de nouvelles informations et **forment** un **tout** qui a du sens.

Je suis la mer ! Je bats les rochers. Je m'amuse à jongler avec les bateaux. Je suis la mer, qui recouvre les trois quarts du globe, qui dit mieux ? Les vagues de dix-huit mètres de haut, c'est moi, la mer !

Dans cet exemple, l'ensemble des phrases constitue un tout cohérent. De phrase en phrase, de nouvelles informations font progresser le texte et démontrent la force et la puissance de la mer.

- À l'oral, un texte est appelé **discours**.

2. À quoi sert un texte ?

- Un texte sert de support de **communication** entre au moins deux personnes : un **auteur** et un **destinataire**. Un auteur peut s'adresser à **plusieurs destinataires** tout comme plusieurs auteurs peuvent s'adresser à un **seul destinataire**.

> *La communication : un discours (texte oral) ou un texte écrit*

Pourquoi ?
pour échanger, informer, expliquer, décrire, distraire, montrer comment faire, exprimer son opinion…

Quand ?
maintenant, aujourd'hui, hier, demain, la semaine dernière, l'année prochaine…

AUTEUR ou AUTEURS ◄──── **TEXTE**
code oral ou écrit
*liens et   plan et
progression   structure* ────► DESTINATAIRE ou DESTINATAIRES

Où ?
ici, chez moi, à l'école, au zoo, dans l'espace, dans Internet…

Dans quel monde ?
monde réel, monde imaginaire…

3. Qui est le destinataire d'un texte ?

- À l'**écrit**, le destinataire est un **lecteur** ou une **lectrice**. À l'**oral**, c'est un **interlocuteur** ou une **interlocutrice**.

4. Comment un auteur s'y prend-il pour écrire ?

- Pour écrire, un auteur utilise sa **créativité** et une bonne **méthode de travail**. Il ou elle suit ce qu'on appelle une **démarche d'écriture**.

5. Quelles sont les étapes d'une démarche d'écriture ?

- Une démarche d'écriture comporte quatre étapes : la **planification**, la **mise en texte**, la **révision** et la **correction**. Quand cela est nécessaire, l'auteur effectue la **mise au propre** de son travail et une dernière **relecture**.

- À l'étape de la planification, un auteur précise son **intention d'écriture**. En général, il ou elle écrit pour **partager** avec ses lecteurs ses **connaissances**, ses **idées**, ses **croyances**, ses **espoirs**, ses **désirs** et ses **émotions**.

Pour améliorer ta démarche d'écriture, ton texte ou ton style, tu peux t'interroger sur ta **façon d'écrire**, en **discuter** avec d'autres personnes et trouver des **nouvelles stratégies d'écriture**.

6. Quels sont les choix d'un auteur ?

- Un auteur situe son texte dans un **monde réel** ou dans un **monde imaginaire.** Une formule comme « Il était une fois » place tout de suite le texte dans un monde imaginaire.

<u>Il était une fois</u> un enfant qui posait des tas de questions. Il n'avait pas tort : c'est très bien de poser des questions. Le seul ennui, c'est qu'il n'était pas facile de répondre aux questions de cet enfant.

Par exemple, il demandait : « Pourquoi les tiroirs ont-ils des tables ? » [...]

Une autre fois il demandait : « Pourquoi les queues ont-elles des poissons ? » Ou bien : « Pourquoi les moustaches ont-elles des chats ? » Les gens hochaient la tête et s'en allaient à leurs affaires.

Histoires au téléphone

- L'auteur précise le **lieu** et le **temps** où se déroule l'action : **ici** ou **ailleurs**, dans le **passé**, le **présent** ou le **futur.**

- L'auteur peut s'exprimer **lui-même** en utilisant les pronoms *je, on* ou *nous.* Le **narrateur** devient alors la voix de l'auteur.

➤ p. 467, n° 4

- L'auteur détermine le **sujet** de son texte : une histoire imaginaire, une découverte scientifique, un événement politique, un exploit sportif, un phénomène naturel, etc.

- L'auteur choisit l'**organisation** des idées de son texte qui répond le mieux à son intention d'écriture et aux destinataires à qui il ou elle s'adresse. C'est ce qu'on appelle le **plan** ou la **structure** de base du texte.

- L'auteur cherche les **mots** et les **phrases** qui traduisent le mieux ses idées.

7. Quelles sont les caractéristiques d'un texte?

- Un texte, par son message, par l'intention de son auteur, par son destinataire et par la forme physique qu'il prend, se situe dans un **contexte** ou un **environnement** particuliers. Une lettre, par exemple, que l'on écrit pour exprimer des sentiments à quelqu'un, sera acheminée par la poste à son ou à sa destinataire, qui la lira, chez lui ou chez elle, peut-être, avec attention et plaisir. Le texte d'une affiche qui annonce un spectacle ou qui propose une publicité prendra une autre forme et un autre ton. Quant à l'affiche elle-même, on la trouvera dans un environnement très différent : en général sur un babillard ou un panneau d'affichage.

- Un texte appartient à un **genre** donné : le **poème**, le **conte**, la **bande dessinée**, la **recette**, l'**entrevue**, etc.

- De par son organisation, un texte appartient à un **type** particulier : **narratif**, **descriptif**, **explicatif**, **argumentatif**, **dialogal** ou **poétique**.

➤ p. 432-433, n° 3

- Un texte forme un **tout** et on peut le résumer en une grande idée générale traduite par un **titre**.

- Les **liens** entre les informations et une **progression** à l'intérieur d'un texte assurent sa cohérence. Dans un texte, une idée ne devrait **jamais en contredire** une autre.

➤ p. 446-450, n°s 2, 3

8. Qu'est-ce qui peut accompagner un texte ?

- Les hors-texte apportent des informations qui sont **reprises** dans le texte ou utilisées comme **compléments** au texte : **illustrations, photographies, tableaux, diagrammes, plans, schémas, extraits de texte.** Les hors-texte aident à mieux faire comprendre ou mettre en valeur certaines parties du texte.

➤ p. 440, n° 16

9. Comment distinguer un texte littéraire d'un texte courant ?

- Un texte littéraire est le **fruit de l'imagination d'un auteur** et relève souvent de la **fiction.** Il fait appel à un langage recherché, riche et créatif. Les poèmes, les chansons et les romans sont des textes littéraires.

- Un texte courant vient également de l'imagination d'un auteur. Il répond cependant à un **besoin d'information** et de **communication** à l'aide d'un langage simple, précis et près de la réalité. Les descriptions, les explications, les lettres, les manuels scolaires et les articles d'encyclopédies, de journaux et de revues sont des textes courants.

Avant même de commencer à lire, précise ton **intention de lecture** et garde-la à l'esprit **tout au long** de ta lecture.

10. *Comment se divise un texte ?*

- Un texte se divise en **paragraphes**. Pour marquer un paragraphe, on fait un retour à la ligne au début et à la fin. On peut aussi laisser un **espace** devant le premier mot.

Il était une fois un enfant qui posait des tas de questions. Il n'avait pas tort : c'est très bien de poser des questions. Le seul ennui, c'est qu'il n'était pas facile de répondre aux questions de cet enfant.

Par exemple, il demandait : « Pourquoi les queues ont-elles des tables ? »

- Un paragraphe contient des phrases divisées à l'aide de la **ponctuation**.

En lisant, attarde-toi à la **ponctuation** et aux **indices** qu'elle te donne.

11. *Qu'est-ce qu'un paragraphe ?*

- Un paragraphe est un **regroupement** de phrases qui développent une **idée** ou un **aspect** d'une idée sur le sujet principal du texte.

Jocelyne défait aussi soigneusement que possible la ficelle. Avec grande délicatesse, elle ouvre le livre. Ce qui y est écrit est totalement incompréhensible.

Elle tourne les pages, fascinée par le dessin que forment les lettres qu'on distingue à peine à cause de la pâleur de l'encre.

Les princes ne sont pas tous charmants

En lisant, cherche l'**idée principale** d'un paragraphe. Il est plus facile de la trouver quand elle est donnée **explicitement** dans une phrase. Lorsque l'idée principale est sous-entendue, on dit qu'elle est **implicite**. Pour la trouver, fais des **liens entre les éléments importants** de la phrase.

- Dans les poèmes, un paragraphe est appelé plutôt une **strophe**. Dans les chansons, il s'agit d'un **couplet** ou d'un **refrain**.

Tour de reins

Y'a l'tour de chant, le tour de reins, le tour du monde
Le tour à bois, le tour qu'on joue, le tour d'auto
Le tour de taille, le tournevis, le tourne-broche…
Le tourtereau, le tourangeau, le tour à tour
Y'a le tourniquet, le tournedos, le tourne-disque
Le tourne à gauche, le tourbillon, le tournesol
Tour de cochon, tour d'horizon, tour de Babel
Y'a le tour de ça, un tour de main et l'tour est joué

Cent Chansons

Un texte bien divisé en paragraphes facilite la **lecture**. L'espace entre chaque paragraphe t'invite à faire une **pause**.

12. À quoi servent un chapitre et une section ?

- Un chapitre divise un texte en **parties** qui sont souvent numérotées. Les chapitres de romans portent souvent des titres.

- Une section contient un ou plusieurs chapitres. Elle peut servir de **grande division** d'un texte.

13. À quoi servent le titre et le sous-titre ?

- Un titre est un mot ou un ensemble de mots qui **annonce** le sujet ou le thème général d'un texte et, parfois, d'un chapitre.

RECONNAÎTRE UN TEXTE | titre

- Dans les articles de revues et d'encyclopédies, les manuels scolaires et les grammaires, un sous-titre est placé **sous** le titre principal. Il est inscrit en plus petits caractères que le titre et vient **préciser** le sujet traité.

RECONNAÎTRE LES QUATRE TYPES DE PHRASES | titre

*On appelle **nom** une classe de mots variables qui désignent des choses, des êtres, des sentiments...* | sous-titre

14. Qu'est-ce qu'un intertitre ?

- Les intertitres annoncent les **grands thèmes** du texte et le divisent en **parties**.

RONGEURS ET LAGOMORPHES | titre

Les rongeurs constituent un vaste groupe (environ 2 000 espèces) de petits mammifères parmi lesquels on trouve les écureuils, les rats et les castors. [...]

Écureuils, castors, souris marsupiales
et lièvres sauteurs

Le groupe des rongeurs comprend également
les animaux de la famille des écureuils (écureuils
mais aussi marmottes, chiens de prairie et tamias),
les castors [...]

intertitre

Larousse Junior des animaux. 1 000 animaux du monde entier

Avant même de commencer à lire un texte, **survole** d'abord le titre, le sous-titre, les intertitres, les sections et les illustrations pour en connaître le contenu.

15. Qu'est-ce qu'un hypertexte ?

• Il s'agit d'un **texte informatisé** à l'intérieur d'une **page Web**. Il fait partie d'un système de classement d'information qui se compare à un réseau.

• La structure de réseau des hypertextes permet de gérer un ensemble d'informations provenant de plusieurs textes. Des **liens hypertextes** permettent de passer d'un document de départ à d'autres textes. Les mots **soulignés** ou affichés en **surbrillance** à l'écran de l'**ordinateur** signalent la présence de ces liens. En cliquant sur ces mots, on accède à de nouvelles informations.

* Si l'hypertexte contient des animations vidéo, des enregistrements audio et des photos, on l'appelle alors **hypermédia**.

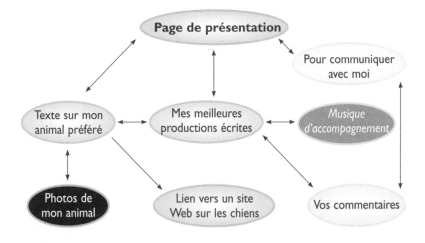

Quand tu parcours un hypertexte, c'est toi qui choisis, au fil de ta **navigation**, l'ordre dans lequel tu veux découvrir les informations.

ORGANISER L'INFORMATION DANS UN TEXTE

Un texte, tout comme une phrase, doit respecter des règles d'organisation.

I. Pourquoi organiser l'information dans un texte ?

- Un auteur doit organiser l'information contenue dans son texte pour que ses idées soient bien comprises par un **destinataire** : le **lecteur** ou la **lectrice**.

En lisant, observe bien la structure du texte. Elle te guidera dans ta découverte du sens du texte.

2. Comment représenter l'organisation des idées d'un texte ?

- On peut **illustrer** les relations entre les idées importantes à développer dans un texte à l'aide de schémas. Voici quelques exemples de schémas et de textes.

Les relations entre les causes et les conséquences

I. Une cause, un fait ou un événement, qui entraîne plusieurs conséquences

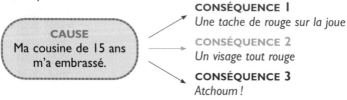

CAUSE
Ma cousine de 15 ans m'a embrassé.

CONSÉQUENCE I
Une tache de rouge sur la joue

CONSÉQUENCE 2
Un visage tout rouge

CONSÉQUENCE 3
Atchoum !

Le jour de mon anniversaire, j'ai reçu beaucoup de cadeaux, mais ils n'étaient pas tous drôles. Tout a dérapé lorsque ma cousine de 15 ans m'a embrassé. Elle m'a laissé une grosse tache de rouge à lèvres sur la joue. De plus, je suis devenu tout rouge devant tout le monde. Puis, deux jours plus tard, j'ai attrapé son rhume.

2. Plusieurs causes qui entraînent une conséquence

CAUSE 1
Rire des vêtements de Sonia

CAUSE 2
Se moquer du petit frère de Sonia

CAUSE 3
Répandre des rumeurs au sujet de Sonia

CONSÉQUENCE
Sonia, une fille drôle et gentille, a laissé tomber notre groupe.

Parfois, on ne se rend pas compte qu'on va trop loin. Hier, deux amies de notre groupe ont ri des vêtements de Sonia. Elle a entendu. Sans trop réfléchir, je me suis moquée du petit frère de Sonia, qui nous suit partout. Aujourd'hui, Sonia a su que Martin a répandu des rumeurs à son sujet. Là, c'était fini : Sonia, une fille drôle et gentille, que j'appréciais beaucoup, a laissé tomber notre groupe.

3. Plusieurs causes qui entraînent plusieurs conséquences

CAUSES

1. Beaucoup de personnes invitées à la fête
2. Des jeux, de la musique, des amuse-gueules
3. Des petites surprises pour tout le monde

CONSÉQUENCES

1. Une fête d'anniversaire réussie
2. Des invités devenus des amis
3. Le plaisir d'avoir fait un merveilleux cadeau à sa meilleure amie

Hier soir, c'était la fête d'anniversaire de Guylaine. Elle ne savait pas que toutes les filles de la classe se rendaient chez elle pour la fêter…

4. Une cause qui entraîne une conséquence qui, à son tour, entraîne une autre conséquence

CAUSE

L'eau de mer est polluée.

→

CONSÉQUENCE

Les petits poissons en sont malades.

→

CONSÉQUENCE

Les bélugas qui se nourrissent de ces poissons sont en voie de disparition.

Les relations entre les sentiments et les attitudes ou les comportements

Un sentiment et un comportement :
la peur et le repli sur soi
Un comportement et un sentiment :
le partage et la joie

ALTERNANCE DES ÉLÉMENTS | OPPOSITION DES ÉLÉMENTS

Le lapin
1. Sa nourriture
2. Son habitat
Le lion
1. Sa nourriture
2. Son habitat

1. La nourriture du lapin comparée à celle du lion
2. L'habitat du lapin comparé à celui du lion

Le lapin est un herbivore. Il mange de l'herbe et des légumes. Son aliment préféré est la carotte, et il se régale alors à l'automne, au temps des récoltes. Le lapin vit en Amérique du Nord et partout ailleurs sur la Terre.

Même si le lapin et le lion sont deux mammifères, ils sont très différents l'un de l'autre. Le lion est un carnivore. Il raffole de la viande. Il habite les savanes de l'Afrique, où la présence de nombreux zèbres, antilopes et girafes lui permet de se nourrir facilement.

En lisant, tu comprendras mieux l'information d'un texte et tu la retiendras plus facilement si tu l'organises. Un **dessin** ou un **schéma** peuvent t'aider à représenter les **liens** qui existent entre les éléments essentiels d'un texte.

3. Comment doit-on parler de la structure d'un texte ?

• La structure d'un texte correspond à son **plan**.

Première partie   *début du texte*
Deuxième partie   *milieu du texte*
Troisième partie   *fin du texte*

- Un **type** de texte dépend de la structure ou du plan d'un texte. Il y a six types de textes : le texte **poétique**, le texte **narratif**, le texte **descriptif**, le texte **explicatif**, le texte **argumentatif** et le texte **dialogal**.

- Un texte assez long peut contenir des **parties** qui présentent des **structures différentes**. Dans une histoire, par exemple, on peut trouver un passage descriptif suivi d'un dialogue.

Jordan, qui n'était pas patient, piaffait
d'exaspération en attendant que Jean-Blaise,
son grand-père, parvienne à se hisser
au poste d'observation. Le vieux seigneur   *description*
grimaçait à cause de ses jambes douloureuses
et, lorsqu'il émergea sur le toit, il s'appuya
lourdement à un créneau. Sans remarquer
sa fatigue, Jordan, plein d'espoir, lui demanda :

— Tu crois qu'ils arrivent ?
                                                   dialogue
— Je ne sais pas. En tout cas, c'est la bonne
direction.

La Revanche de Jordan

4. Comment reconnaître un texte poétique ?

- Dans un texte poétique, on combine les mots pour créer des **images**, des **associations**, des **sonorités**, un **rythme** et un **espace** qui fascinent par leur aspect inhabituel.

➤ p. 455, 457-458, n°s 2, 4, 5

- Un texte poétique présente une organisation qui **ne se déroule pas nécessairement** dans le temps comme pour un récit.

En lisant, laisse-toi bercer par les mots et les images d'un poème. Quand on cherche un **sens personnel** à un poème, on devient plus conscient de **sa propre vision du monde**.

5. Où trouve-t-on des textes poétiques ?

- On trouve des textes poétiques notamment dans les **poèmes**, les **chansons** et les **comptines**.

6. Comment se découpe un poème ?

- Un poème se découpe en **lignes** qui ne correspondent pas toujours à des phrases. Ces lignes sont appelées des **vers**.

- Un poème peut se découper en groupes de lignes appelées **strophes**.

➤ p. 424, n° 10
➤ p. 454, 457, n⁰ˢ 1, 4

7. Qu'est-ce qui soulève l'intérêt dans un texte poétique ?

- Un texte poétique s'adresse à un destinataire qui **s'émerveille** devant la beauté des mots, des images et des sonorités de la langue.

8. Comment reconnaître un texte narratif?

• Un texte narratif est souvent appelé un **récit**. Il raconte une histoire.

• À la base, ce type de texte s'organise autour de trois parties essentielles : un **début**, un **milieu** et une **fin**. On peut également le diviser en cinq grandes parties : une **situation de départ**, un **élément déclencheur**, un **nœud**, un **dénouement** et une **situation finale**.

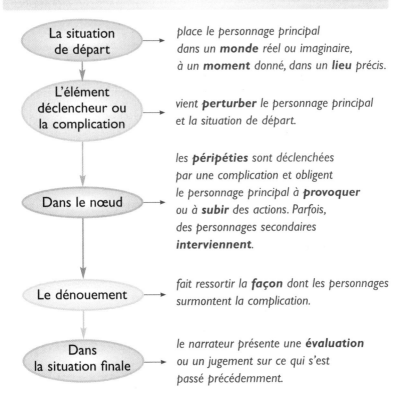

La situation de départ → *place le personnage principal dans un* **monde** *réel ou imaginaire, à un* **moment** *donné, dans un* **lieu** *précis.*

L'élément déclencheur ou la complication → *vient* **perturber** *le personnage principal et la situation de départ.*

Dans le nœud → *les* **péripéties** *sont déclenchées par une complication et obligent le personnage principal à* **provoquer** *ou à* **subir** *des actions. Parfois, des personnages secondaires* **interviennent.**

Le dénouement → *fait ressortir la* **façon** *dont les personnages surmontent la complication.*

Dans la situation finale → *le narrateur présente une* **évaluation** *ou un jugement sur ce qui s'est passé précédemment.*

En lisant, attarde-toi à trouver les parties essentielles d'une histoire. Regroupe les éléments d'information éloignés les uns des autres dans le texte, mais qui sont **essentiels** à ta compréhension.

➤ p. 198-199, n° 4

- Il existe un type de texte narratif appelé **récit arborescent**, à l'image d'un arbre à plusieurs branches. L'auteur offre différentes possibilités ; les choix du lecteur ou de la lectrice ont un **impact** sur la poursuite du récit.

La rencontre avec Merlin et le choix des outils
La Malédiction : *qu'est-ce que c'est ?*

10

L'histoire du tonneau
L'histoire de la Malédiction

22

Qu'est-ce qui s'est passé ?
La suite de l'histoire de la Malédiction

La mission : trouver l'identité de Kran le Terrible
Par où commencer ?
Là où la Malédiction sévit le plus sévèrement…

17 Le Château de Camelot   *OU*   **34** Glastonbury

26 Traverser la fosse à la nage   *OU*   **43** Annoncer votre arrivée

Quête du Graal 6. Le Temps de la Malédiction

9. Qu'est-ce qui soulève l'intérêt dans un texte narratif?

- Un texte narratif s'adresse à un destinataire qui aime les **histoires** amusantes, instructives, touchantes et irréelles.

10. Où trouve-t-on des textes narratifs?

- On peut trouver des textes narratifs notamment dans un **roman**, un **conte**, une **fable**, une **légende**, un **récit**, une **nouvelle littéraire**, une **bande dessinée**, un **reportage**, un **témoignage**, une **anecdote** ou un **fait divers**.

Les Fables de La Fontaine *(fable)*

Le Petit Chaperon rouge *(conte)*

Le Petit Prince *(récit)*

Le Seigneur des anneaux *(roman)*

11. Comment reconnaître un texte descriptif?

- Un texte descriptif s'attarde à décrire un **sujet** et un ensemble de **caractéristiques** qui le concernent. Les parties, les qualités, les défauts, les propriétés, les comportements, les modes de fonctionnement, l'utilité et les actions sont autant d'aspects ou de caractéristiques reliés à un être, à un animal, à une chose, à un phénomène, à un événement ou à un fait.

- On peut organiser un texte descriptif de **deux façons**.

1. On annonce le sujet traité au début du texte, puis on présente ses caractéristiques.

2. On présente d'abord les caractéristiques, puis le sujet.

En lisant, regroupe les détails d'une description en catégories : l'**aspect physique** d'un personnage, le **caractère** d'un personnage, l'**alimentation** d'un animal, etc. C'est une façon de retenir l'**essentiel** de l'information.

12. Qu'est-ce qui soulève l'intérêt dans un texte descriptif ?

- Un texte descriptif s'adresse à un destinataire qui aime les **détails** d'un sujet, d'un événement ou d'un fait.

J'ai rencontré un bichenoubou ! Un bichenoubou vit sur la planète Eurékou. C'est un gros animal à trois pattes, poilu comme un berger anglais. Il a toujours un œil brun et un œil bleu. Les bichenoubous adorent les bananes. C'est leur fruit préféré, qu'ils trouvent en fouillant le sol avec leur nez. Tous les enfants d'Eurékou rêvent de posséder un bichenoubou. C'est un compagnon idéal pour qui veut se promener le soir, dans les rues. On pourrait croire que les Eurékouïens apprécient leurs bichenoubous autant que les Terriens apprécient leurs chiens.

Le texte décrit les caractéristiques physiques d'un bichenoubou, un animal imaginaire : sa grosseur, ses trois pattes, son poil et la couleur de ses yeux. Le destinataire apprend que le bichenoubou adore les bananes, que les enfants l'aiment et qu'il est un compagnon protecteur. Pour mieux faire comprendre ce qu'est un bichenoubou, l'auteur le compare avec un chien berger anglais.

- Le texte descriptif expose la **relation** qui existe entre les **causes** d'un problème et les **solutions** qu'on y apporte.

13. Où trouve-t-on des textes descriptifs?

- On peut trouver ce type de texte notamment dans un **rapport d'observation**, une **recette**, une **marche à suivre**, un **article de revue**, un **manuel scolaire**, une **affiche**, un **compte rendu** ou un **récit** décrivant un **lieu**, une **situation**, un **objet** ou des **sentiments**.

En géographie et en sciences, on trouve souvent
des textes descriptifs accompagnés de tableaux,
de schémas et de cartes.

➤ p. 422-423, n°s 7, 8, 9

14. Comment reconnaître un texte explicatif?

- Un texte explicatif répond à la question : Pourquoi ? Il présente brièvement le **sujet** à connaître, puis il fournit une **explication**. Il se termine parfois par une **conclusion**.

- L'**explication** vise à faire comprendre le sujet à l'aide de **faits** et d'**observations**. Elle contient souvent des phrases impliquant un **rapport de cause à effet**.

➤ p. 209, 210, n°s 2, 5
➤ p. 452, n° 6

- S'il y a une **conclusion**, elle **résume** la situation et permet à l'auteur de s'assurer qu'il ou elle a bien réussi à traiter le sujet.

En lisant, il peut t'être utile de faire le lien entre tes **connaissances sur le sujet** et les **idées exposées dans le texte**. Assure-toi de bien comprendre les explications. **Différents moyens** peuvent t'aider à mieux comprendre le texte : retour en arrière, relecture d'un mot, d'une phrase ou d'un paragraphe, reformulation personnelle, questionnement du texte, ajustement de ta vitesse de lecture, recours aux illustrations, aux schémas et aux graphiques, consultation d'un ouvrage de référence et discussion avec d'autres élèves.

15. Qu'est-ce qui soulève l'intérêt dans un texte explicatif ?

- Un texte explicatif s'adresse à un destinataire qui souhaite enrichir ses **connaissances** sur un sujet donné.

16. Où trouve-t-on des textes explicatifs ?

- On peut trouver ce type de texte notamment dans une **grammaire**, un **dictionnaire**, une **encyclopédie**, un **atlas**, un **manuel scolaire**, un article de **revue** ou de **journal** ou un document dans **Internet**.

➤ p. 427-428, n° 15

- En **histoire** et en **sciences**, on trouve souvent des textes explicatifs accompagnés de différents hors-texte : cartes, schémas, illustrations, etc.

➤ p. 423, n° 8

17. Comment reconnaître un texte argumentatif?

- Un texte argumentatif vise à **influencer** le ou la destinataire pour qu'il ou elle change d'avis. C'est aussi un texte dans lequel on exprime ses **idées** et son **opinion**.

Sache enfin que chaque visage est un miracle. Il est unique. Tu ne rencontreras jamais deux visages absolument identiques. Qu'importe la beauté ou la laideur. Ce sont des choses relatives. Chaque visage est le symbole de la vie. Toute vie mérite le respect. Personne n'a le droit d'humilier une autre personne. Chacun a droit à sa dignité. En respectant un être, on rend hommage, à travers lui, à la vie dans tout ce qu'elle a de beau, de merveilleux, de différent et d'inattendu. On témoigne du respect pour soi-même en traitant les autres dignement.

Le Racisme expliqué à ma fille

L'auteur écrit un texte argumentatif : il veut dire à sa fille que chaque être humain a droit au respect et à la dignité. En employant des phrases courtes qui s'enchaînent naturellement, il donne plus de force à ses arguments.

- Le texte argumentatif s'organise habituellement autour d'une **idée** à débattre et des **arguments** qui appuient cette idée. Souvent, l'idée à débattre, annoncée au **début** du texte, est suivie des arguments. Parfois, l'auteur choisit d'**inverser cet ordre**.

En lisant, attarde-toi à trouver tous les arguments qui défendent une idée. Regroupe les éléments d'information éloignés les uns des autres dans le texte, mais qui sont **essentiels** à ta compréhension.

18. D'où proviennent les arguments?

- Les arguments proviennent de **faits** ou d'**opinions**.

19. Comment distinguer les faits des opinions?

- Un fait est quelque chose qui se **prouve** ou se **démontre**. Il peut être vérifié. Habituellement, on trouve ce genre d'information dans un **livre de référence** ou dans un **site Web** reconnu pour la qualité de ses informations.

Un Grand pic mesure entre 38 et 48 cm.

Larousse Junior des animaux. 1000 animaux du monde entier

Cette information a déjà été vérifiée par des scientifiques. Il s'agit d'un fait, et non de l'opinion de quelqu'un.

- Une opinion repose sur des **qualités** ou des **défauts** qu'on attribue aux choses. C'est un **jugement** qu'on porte, une approbation ou une désapprobation. Les gens n'ont pas tous la même opinion.

J'aime la huppe rouge du Grand pic.

Cette opinion est très personnelle. Une personne peut ne pas aimer du tout la huppe dont la forme est trop pointue et la couleur rouge trop agaçante pour le regard.

Attention

On ne devrait jamais utiliser uniquement les arguments qui s'appuient sur l'opinion d'une personne qu'on admire.

Je suis d'accord avec le projet d'aller en classe nature durant l'hiver plutôt qu'en été parce que le directeur, monsieur Nguyen, est de cet avis.

! *Attention*

> On devrait également éviter les arguments qui contestent ceux d'une personne qu'on n'aime pas.

Je suis d'accord avec le projet d'aller en classe nature durant l'hiver plutôt qu'en été parce que Sarah préfère le projet d'été et que Sarah se trompe souvent.

! *Attention*

> On devrait aussi faire attention aux arguments qui partent d'un cas particulier et l'appliquent à tous les cas possibles.

Je crois que tous les lapins sont dangereux parce que mon lapin à moi m'a déjà mordue.

20. Qu'est-ce qui soulève l'intérêt dans un texte argumentatif ?

- Un texte argumentatif vise un échange d'idées entre un auteur et un destinataire. Le **choix** des arguments doit tenir compte du destinataire ; on ne convainc pas nécessairement ses parents avec les mêmes arguments que ceux que l'on emploie avec son groupe d'amis.

21. Où trouve-t-on des textes argumentatifs ?

- On peut trouver ce type de texte dans une **démonstration**, un **message publicitaire**, une discussion, un **débat**, une **participation** à un forum dans **Internet**, une critique ou une **lettre d'opinion**.

22. Comment reconnaître un texte dialogal?

- Un texte dialogal contient une **suite de répliques**. Un premier personnage s'exprime, puis la réplique est donnée par un autre personnage. Les répliques s'enchaînent ainsi, ce qui permet de rapporter les propos des personnages.

- Un texte dialogal comporte parfois l'**ouverture** et la **clôture** des propos. Dans le récit, c'est le narrateur qui les fait. Les personnages donnent alors seulement leurs répliques.

Mathilde et Samuel travaillent à un projet commun en sciences. Ils doivent également faire une présentation de leur travail d'équipe.	*ouverture par le narrateur*
–Mathilde, comment vois-tu ta participation dans l'équipe ?	
–Eh bien, moi, je compte trouver les informations sur les planètes dans Internet. Et toi ?	
–Je prévois confectionner le système solaire en papier mâché. Je le ferai chez moi en fin de semaine et je te l'apporterai lundi.	
–C'est parfait, moi aussi j'aurai complété mes recherches et nous pourrons alors passer à la prochaine étape.	
La discussion et le travail se poursuivent encore quelques secondes. Mathilde et Samuel retournent à leur place. Leur professeur d'anglais arrivera dans cinq minutes.	*clôture par le narrateur*

- On utilise le **tiret** au début de chaque réplique. On change de **ligne** à chaque nouvelle réplique.

–Tu as un timbre qui me manque, a dit Rufus à Clotaire, je te le change.

–D'accord, a dit Clotaire. Je te change mon timbre contre deux timbres.

Le Petit Nicolas et les Copains

- Avant d'insérer un dialogue dans un **récit**, il faut s'assurer que la discussion représente vraiment le meilleur moyen de raconter ce qui se passe.

En lisant, attarde-toi à chaque tiret au début des répliques pour déterminer quel personnage parle. Ainsi, tu pourras **suivre** la conversation comme si les personnages étaient en face de toi.

23. Qu'est-ce qui soulève l'intérêt dans un texte dialogal?

- Dans un récit, le dialogue rend les personnages plus **présents**. Le narrateur cesse de donner son interprétation sur ce qui se passe. Il ou elle cède la place aux personnages.

24. Où trouve-t-on des textes dialogaux?

- On peut trouver ce type de texte dans un **entretien**, un **dialogue**, une **conversation**, une **entrevue**, un **jeu de rôles**, une **bande dessinée**, une **saynète**, une **pièce de théâtre**, une **causerie** et un **échange de questions et de réponses**.

3

LIER L'INFORMATION DANS UN TEXTE ET LA FAIRE PROGRESSER

Dans un texte, les idées se succèdent et sont liées entre elles. Pour les exprimer, on varie les mots et les structures.

1. Qu'est-ce qu'un texte cohérent?

- Un texte est cohérent quand l'information qu'on y trouve est bien organisée. Les idées s'y **enchaînent** et **ne se contredisent pas**. Elles partent d'un début et se dirigent progressivement vers une fin. Les idées **progressent** dans un certain **ordre**.

2. Comment assurer la progression et la continuité des idées dans un texte?

- On doit sentir que le texte **progresse** et que les idées sont **en relation** les unes avec les autres. On doit reprendre l'information d'une phrase à l'autre sans répéter les mêmes mots et lui ajouter de nouvelles informations.

Vladimir cherche le dernier livre d'une grande romancière.

C'est un <u>bouquin</u> que tous <u>ses amis veulent acheter</u>.
        ↓   ↓
*reprise d'information (**livre**) nouvelle information*

<u>Il</u> se rend <u>à la librairie Bouffelivre</u> pour se <u>le</u> procurer.
  ↓   ↓   ↓
reprise d'information   nouvelle information   reprise d'information
*(**Vladimir**)   (**livre**)*

En lisant, demeure sensible à la progression et à la continuité des informations dans un texte. Tu peux faire des hypothèses, prévoir la suite du texte à partir de ce qui précède et ainsi te réajuster au fur et à mesure de ta lecture.

3. Comment reprendre l'information sans répéter les mêmes mots?

• On peut remplacer un groupe du nom ou plusieurs groupes du nom par un **pronom**.

→ p. 161-164, nᵒˢ 6, 7, 8

➤ p. 161-164, nᵒˢ 6, 7, 8

Pronoms personnels

Mon frère jouait avec Mahli, une petite fille de six ans. C'est à ce moment qu'<u>ils</u> ont entendu un bruit qui ressemblait à un coup de fusil. Carl s'est retourné vivement et <u>il</u> a aperçu un ballon crevé sur le sol. Pendant ce temps, Mahli s'était mise à pleurer. C'est mon frère qui <u>l</u>'a consolée en <u>lui</u> expliquant ce qui était arrivé.

*En utilisant le pronom **ils**, l'auteur reprend une information pour parler encore des mêmes personnes: **mon frère** et **Mahli**. On peut parler d'eux sans répéter les mêmes mots, comme on le fait dans la suite du texte avec les pronoms **il**, **l'** et **lui**. Si l'auteur avait repris les mêmes mots, le texte aurait pu ressembler à celui-ci:*

Mon frère jouait avec Mahli, une petite fille de six ans. C'est à ce moment que <u>mon frère et Mahli</u> ont entendu un bruit qui ressemblait à un coup de fusil. Carl s'est retourné vivement et <u>Carl</u> a aperçu un ballon crevé sur le sol. Pendant ce temps, Mahli s'était mise à pleurer. C'est mon frère qui a consolé <u>Mahli</u> en expliquant à <u>Mahli</u> ce qui était arrivé.

Le fait de répéter les mêmes mots d'une phrase à l'autre rend le texte plus lourd et moins intéressant pour le lecteur ou la lectrice.

3. Lier l'information dans un texte et la faire progresser   **447**

⭐ Pronoms possessifs

Chiara et moi avons un sandwich aux œufs pour le dîner.
Hé, <u>le tien</u> est au jambon !

*En utilisant le pronom **le tien**, l'auteur parle toujours d'un sandwich, mais sans employer ce mot.*

Autres mots : là, cela, ceci, c', ce

Exemple 1
Plusieurs enfants raffolent des boutiques spécialisées dans le déguisement. <u>Là</u>, ils trouvent tout ce qu'ils cherchent : costumes, perruques, masques, maquillage, etc.

Exemple 2
J'aime les films d'action. <u>Ce</u> sont des films où le héros ou l'héroïne doit exécuter mille prouesses avant de triompher de ses ennemis.

Exemple 3
Les oies migrent à l'automne. <u>Cela</u> les amène à se regrouper pour franchir de grandes distances.

- On peut remplacer un groupe du nom par un autre **groupe du nom**.

➤ p. 135, 137, n°s 4, 6, 7

Groupes du nom : déterminant article + nom
Noémie a reçu un lecteur de disques compacts et une tonne de disques pour son anniversaire. <u>Le lecteur</u> est à la fine pointe de la technologie.

Groupes du nom : déterminant démonstratif + nom
Noémie a reçu un lecteur de disques compacts pour son anniversaire. <u>Ce lecteur</u> est à la fine pointe de la technologie.

Groupes du nom : déterminant possessif + nom

Salamandre aveugle du Texas

Cette espèce menacée vit dans l'eau des grottes souterraines.

Son corps très pâle contraste avec le rouge de ses yeux minuscules et de ses branchies externes.

Larousse Junior des animaux. 1 000 animaux du monde entier

*L'auteur peut poursuivre son idée et assurer la progression de l'information en parlant du corps de l'animal, la **salamandre**, sans mentionner son nom. Il utilise plutôt le terme **son corps**. Ces mots suffisent à rappeler au destinataire qu'il ne s'agit pas de n'importe quel corps, mais bien de celui de **cette espèce menacée** qu'est la salamandre aveugle du Texas.*

• On peut remplacer un mot par un **synonyme**.

Sophie aimerait connaître les directives à suivre en cas d'incendie. Quelles sont les instructions données par la direction ?

L'auteur poursuit son idée en utilisant un synonyme.

➤ p. 388, nᵒˢ 6, 7

• On peut passer d'un terme **générique** à un terme **spécifique** ou faire l'opération inverse. Un terme générique est un terme général pour parler d'une classe de personnes, d'animaux ou d'objets. Un terme spécifique représente un élément de cette classe de mots.

La semaine dernière, j'ai mangé de l'éperlan pour la première fois de ma vie. Ce poisson était légèrement salé.

éperlan : terme spécifique
poisson : terme générique

Les poissons sont des animaux aquatiques. Dans les eaux du Québec, on trouve, entre autres, des truites, des brochets, des dorés et des éperlans.

poissons, animaux : termes génériques
truites, brochets, dorés, éperlans : termes spécifiques

➤ p. 385-387, n° 4

3. Lier l'information dans un texte et la faire progresser   **449**

- On peut enfin utiliser un **mot de même famille** pour poursuivre une idée déjà formulée dans un **mot** ou un **groupe de mots**.

Aujourd'hui, c'est mon anniversaire de <u>naissance</u>.
Je suis <u>née</u> en 1992.

*L'auteure utilise le mot **naissance** dans la première phrase. Elle emploie ensuite le verbe **naître** dans la deuxième phrase. Ainsi, elle peut ajouter une information sur l'année de sa naissance.*

➤ p. 391-392, n°s 1, 2

En lisant, associe les mots substituts aux mots qu'ils remplacent dans un texte.

4. *Pourquoi varier les façons d'utiliser l'information ?*

- En variant les mots substituts (**pronoms, groupes du nom, synonymes**, etc.), on évite d'employer toujours les mêmes structures de phrases. Par conséquent, le texte s'enrichit.

Miguel est mon meilleur ami. Je <u>l</u>'aime. <u>Il</u> est très généreux avec moi. <u>Il</u> me prête son train électrique. <u>Il</u> m'offre de jouer avec son jeu électronique. <u>Il</u> m'emmène avec lui quand il va en voyage avec ses parents. <u>Il</u> veut toujours que je mange au restaurant avec sa famille. <u>Miguel</u>, c'est mon ami. Je ne l'oublierai jamais, même quand je serai vieux !

*Voilà un texte où l'auteur utilise presque exclusivement le pronom **il**. L'emploi des mêmes mots substituts d'une phrase à l'autre crée une certaine monotonie et appauvrit le texte. L'auteur aurait avantage à varier son point de vue et à éviter de placer le nom de Miguel ou le pronom **il** au début de ses phrases. Avec quelques modifications, le texte pourrait être amélioré de la façon suivante :*

Miguel est mon meilleur ami. Je l'aime <u>parce qu'il</u> est très généreux avec moi. Souvent, <u>il</u> me prête ses jouets : son train électrique ou son jeu électronique. <u>Miguel</u> m'emmène avec lui quand il va en voyage avec ses parents. <u>Toute la famille</u> accepte volontiers que je mange avec <u>eux</u> au restaurant. Miguel, c'est <u>un ami que</u> je n'oublierai jamais, même quand je serai vieux !

5. Comment tenir compte de l'ordre chronologique d'un texte ?

• Afin que les événements se succèdent les uns à la suite des autres, comme sur une ligne du temps, on les place en **ordre chronologique**. Les événements se déroulent alors du moins récent au plus récent.

<u>Au début</u>, on pouvait voir un petit poussin, la larme à l'œil. <u>Tous les jours</u>, sa mère venait le couvrir de ses plumes toutes réconfortantes et, lentement, il s'était mis à sourire. <u>Bien plus tard</u>, il fut heureux de quitter sa mère, <u>maintenant</u> couvert lui aussi d'un plumage resplendissant. Notre poussin n'en était plus un. Il était devenu un jeune poulet.

➤ p. 468-469, n° 7

• Des mots comme *d'abord*, *ensuite*, *puis*, *enfin*, *premièrement*, *deuxièmement*, etc... marquent l'ordre chronologique d'un texte.

En lisant, attarde-toi aux mots qui permettent de placer les événements en ordre chronologique. Ce sont de bons points de repère.

• Par exemple, l'écriture des règles d'un jeu exige que les phases d'exécution du jeu soient expliquées dans l'**ordre** où elles doivent se réaliser, c'est-à-dire en ordre chronologique.

Premièrement, ramasser des feuilles de différentes formes et de plusieurs couleurs.

Deuxièmement, enduire chacune d'une mince couche de paraffine.

Troisièmement, coller ces feuilles dans un cahier en laissant assez d'espace pour inscrire les observations.

Enfin, noter tous les renseignements utiles pour distinguer chaque feuille des autres feuilles.

➤ p. 198-199, n° 4

6. Comment tenir compte de l'ordre logique d'un texte ?

• Afin que les événements se succèdent de manière cohérente dans un texte, on les place dans un **ordre logique**. Des mots comme *alors*, *car*, *parce que*, etc... expriment l'ordre logique d'un texte.

–Mme Dumoulin est souffrante. Ses pieds sont si enflés qu'elle ne peut même pas mettre ses souliers. <u>Alors</u>, pour grimper l'escalier... <u>C'est pourquoi</u> elle m'a demandé de préparer une valise pour la voisine. J'ai <u>donc</u> besoin de la clé de Mme Simard, mon cher frérot, a-t-elle ajouté en saisissant le dernier croissant.

L'Enquête de Nesbitt

En lisant, attarde-toi aux mots qui permettent de placer les idées en ordre. Tu pourras ainsi regrouper des éléments d'information dans le texte qui sont éloignés les uns des autres.

➤ p. 198-199, n° 4
➤ p. 209, n° 2

7. Quel rôle le temps des verbes joue-t-il dans la cohérence d'un texte?

- Dans un texte cohérent, le **temps des verbes** correspond à celui qu'expriment les **autres marqueurs de temps**.

<u>Hier</u>, Emmanuelle <u>a tenté</u> d'approcher une fauvette.
| |
passé   *passé*

Mais l'oiseau <u>a pris</u> son envol.
            |
           passé

<u>Hier</u>, je <u>circule</u> à bicyclette sur le trottoir.
| |
passé   *présent*

<u>Hier</u>, j'<u>ai circulé</u> à bicyclette sur le trottoir.
| |
passé   *passé*

➤ p. 269-271, n°s 13, 14, 15

- Les actions qui font avancer un récit sont écrites **au même temps** (passé, présent ou futur). Cela permet au lecteur ou à la lectrice de bien se situer dans le temps du récit.

Je <u>reste</u> blottie dans les bras de grand-maman. Elle me <u>serre</u> fort. Nous nous <u>berçons</u> en silence. Une vent léger <u>caresse</u> le linge étendu sur la corde. Le serin <u>chante</u> dans la cuisine et le chat <u>saute</u> sur mes genoux. De gros nuages <u>s'ouvrent</u> dans le ciel et le soleil <u>apparaît</u> au-dessus de la maison.

Noémie 4. Les Sept Vérités

➤ p. 469, n° 8

4
RECONNAÎTRE
UN POÈME

L'auteur d'un poème joue avec les mots qui expriment des sentiments, font courir l'imagination et suggèrent un monde à découvrir.

1. Qu'est-ce qu'un poème?

• Un poème est un texte qui utilise les mots dans un **sens** ou dans une **forme** inhabituels. Il a sa propre **structure**, différente de celle de tous les autres types de textes.

Les oies

Sur la batture de septembre
De l'autre côté des roseaux
Il a neigé de grands oiseaux
Et cela s'ébroue et se cambre

Et s'appelle à grands coups de bec
Et se nomme mâle et femelle
Un petit vent se lève et mêle
Sa musique aux jeux de l'air sec

Et je suis cet ancien chasseur,
Qui ne chassant plus, les regarde
Et rêve et flâne et tant s'attarde
Qu'il rentre seul, à la noirceur.

Bois de marée

➤ p. 435-437, 439-441, 444-445, nᵒˢ 8, 11, 14, 17, 22

2. Que recherche l'auteur d'un poème ?

- L'auteur recherche les **mots** qui ont **plusieurs sens** et qui produisent de nouvelles idées, des interprétations inattendues, des associations et des **images**. Les **comparaisons** et les **métaphores** bien choisies créent des images riches.

Le givre

Mon Dieu! comme ils sont beaux
<u>Les tremblants animaux</u>
<u>Que le givre a fait naître</u>
La nuit sur ma fenêtre

Ils broutent des fougères
Dans un bois plein d'étoiles,
Et l'on voit la lumière
À travers leurs corps pâles.

Il y a un chevreuil
Qui me connaît déjà ;
Il soulève pour moi
Son front d'entre les feuilles

Et, quand il me regarde,
Ses grands yeux sont si doux
Que je sens mon cœur battre
Et trembler mes genoux.

Laissez-moi, ô décembre !
Ce chevreuil merveilleux.
Je resterai sans feu
Dans ma petite chambre.

La Lanterne magique

L'auteur invite ses lecteurs à découvrir les images que suscite son poème.
Il n'explique pas son choix de mots : c'est aux lecteurs de prendre conscience
par eux-mêmes des images créées par le rapprochement de certains mots.
Voilà une première image : l'auteur compare la forme obtenue par l'assemblage
des cristaux de givre à la forme d'animaux tremblants. De plus, il utilise
*le verbe **naître**, dans le sens de « venir au monde », et il l'associe au givre.*
Voilà ainsi une autre image : l'auteur prête vie au givre et fait comme
si ce dernier pouvait donner naissance à des animaux.

- L'auteur cherche les mots qui lui permettent d'exprimer des **émotions**, un **sentiment** : la joie, la tristesse, la peur…

Après

Il y avait,
il y a,
il y aura,
peut-être
– car rien n'est moins sûr que la durée des choses
à cet instant du monde où je vous parle –
une herbe qui persistera
parmi les chicots et les cailloux
quand il n'y aura plus rien
qu'une herbe rare
avec une petite idée
dans sa tête verte.

Parole tenue

- Parfois, l'auteur cherche à rapprocher des mots qui ont des **sons** finals communs. Il ou elle écrit des **rimes**. C'est le cas dans les **comptines**, les **calembours** et les **poèmes rimés**.

Harpe

La harpiste
de ses doigts d'artiste
tisse
les cheveux lisses
des étoiles de Nice.

Sur la pointe des mots

- L'auteur **peut favoriser** des syllabes brèves, ou **répéter** un groupe de mots ou un vers pour donner du **rythme** à son poème.

3. Y a-t-il des personnages dans un poème?

- Certains poèmes évoquent des **personnages**. D'autres **n'en parlent pas** du tout.

- D'autres poèmes **personnifient** des idées, des sensations, des objets ou des animaux. L'auteur **prête** alors des sentiments et des idées à quelque chose qui n'en a pas dans la réalité.

4. Comment s'organise un poème?

- Un poème se découpe en lignes qui ne correspondent pas toujours à des phrases. Ce sont des **vers**. Plusieurs lignes regroupées forment un paragraphe qu'on appelle **strophe**.

- Certains poèmes contiennent des signes de **ponctuation**, d'autres n'en ont pas. Un vers débute souvent par une lettre **majuscule**.

- Il y a toujours un **thème** dans un poème : ce peut être un sentiment, une émotion, une idée, une personne ou une chose.

5. Quelle forme peut prendre un poème?

- On peut donner différentes formes au poème en variant la **grosseur** des lettres, leur **forme** ou leur **disposition**.

je suis venu au monde petit, on m'a laissé grandir. . .

Après-midi, j'ai dessiné un oiseau

6. Quel est le temps exprimé dans un poème?

- Contrairement au récit, le poème **ne se déroule pas toujours** dans le temps. Il peut être hors du temps.

7. Comment l'auteur joue-t-il avec les mots dans un poème?

- L'auteur peut recourir à la **comparaison**. Deux éléments sont reliés par le mot **comme**. Pour susciter l'intérêt, la comparaison doit être claire, juste et suggestive.

> Tout ce que l'hiver
> touche de son doigt
> <u>durcit comme fer</u>
> prisonnier du froid

Je te laisse une caresse

- L'auteur peut aussi utiliser une **métaphore** pour communiquer une image créée par un mot. Dans cette comparaison sous-entendue, le sens d'un mot est transféré à un autre mot. Ainsi, l'auteur choisit un sens inhabituel à un mot pour parler d'une chose connue.

<u>L'or</u> du soir qui tombe… (Victor Hugo)

- L'auteur peut utiliser des **mots-valises**. Il ou elle invente un nouveau mot à partir de deux mots auxquels il ou elle emprunte une partie seulement. Dans un mot-valise, on reconnaît les mots dont chaque partie provient.

<u>Tulivre</u> : <u>tuli</u>pe et <u>livre</u>

8. Comment l'auteur joue-t-il avec les phrases d'un poème ?

• L'auteur peut **répéter** le même mot ou le même groupe de mots au début de certains vers.

Mélancolie

Ouvrez les mots que je vous donne
Ils sont de coquille très mince
Ce ne sont point des mots de prince
À dure écorce et rien dedans

Ouvrez les mots de notre automne
Qui ne sont ni bouquet ni gerbe
Mais vous parleront de belle herbe
En la saison qui nous attend

Ouvrez le mot : mélancolie
Vous y trouverez mon attente
Pour les moments de loin de vous

Ouvrez les mots que l'âme oublie
Au jardin d'hiver et que hante
Le dernier cri du soleil roux

Silences

• L'auteur peut **répéter** un même vers à l'intérieur de plusieurs strophes. Il ou elle peut aussi reprendre une structure semblable d'une strophe à l'autre.

Œufs de Pâques

J'ai trouvé un bel œuf rouge.
<u>Rouge comme un coquelicot.</u>
<u>Rouge comme la crête d'un coq.</u>
<u>Le lapin l'avait caché</u>
Au fond du verger.

J'ai trouvé un bel œuf bleu.
<u>Bleu comme les cieux.</u>
<u>Bleu comme mes yeux.</u>
<u>Le lapin l'avait caché</u>
Dans l'herbe du pré.

J'ai trouvé un bel œuf jaune.
<u>Jaune comme de l'or.</u>
<u>Jaune comme un canari.</u>
<u>Le lapin l'avait caché</u>
Derrière un pommier.

J'ai trouvé un bel œuf blanc.
<u>Blanc comme la neige.</u>
<u>Blanc comme la crème.</u>
Il était au poulailler
Alors moi, je l'ai gobé !

L'auteur reprend la structure MOT DE COULEUR + COMME + GN (déterminant + nom) et le vers « Le lapin l'avait caché » dans toutes les strophes, à l'exception de la dernière. Ce rythme très répétitif peut contribuer à évoquer, dans l'esprit du lecteur ou de la lectrice, le caractère coloré et enjoué qu'on associe aux fêtes.

Le Coffret d'Aladin

- L'auteur peut faire une **inversion** en changeant l'ordre habituel des mots à l'intérieur d'un groupe de mots. Il ou elle crée ainsi un effet de surprise, d'inattendu.

L'hippopotame

Tandis qu'au loin vibre un tam-tam
de son bain sort l'hippopotame
il bâille avec la fraîcheur d'âme
et la grâce des grosses dames.

L'Écharpe d'Iris

*Dans ce poème, les groupes sujets **un tam-tam** et **l'hippopotame** sont déplacés à la fin d'un vers. Ils suivent le verbe et le complément du verbe, qui se trouve, dans les deux cas, en début de vers.*

9. Comment l'auteur joue-t-il avec les sons dans un poème ?

- L'auteur peut **répéter** le même son plusieurs fois. C'est ce qui se produit souvent dans un abécédaire. Ce procédé s'appelle une **allitération**.

T

Trois Tortues TêTues
TroTTenT en TroTTineTTe
TrenTe Triangles TournenT
AuTour du Trèfle
Toujours T seulemenT T
Combien y a-T-il de T
Dans TableTTe ?
Trois bien sûr !

Initiation à l'expression poétique au primaire

- L'auteur peut employer une **onomatopée**. C'est un mot comme *coucou*, *tic-tac* ou *crac*, dont la prononciation rappelle le bruit produit par ce que le mot signifie.

Une maison d'or

Pour mon chien qui dort
Un camp en bois rond
Pour mes deux moutons
Une boîte en fer
Pour cacher l'hiver
Un baril percé
Pour le temps passé
Tic et tac et tic et tac
Ils ont pris mon chapeau blanc
Pour la queue d'un cerf-volant.

Pleins feux sur la littérature québécoise

- L'auteur peut utiliser des **rimes**. Les mêmes sons se répètent à la fin de deux vers ou de plusieurs vers.

J'ai trouvé un bel œuf bl<u>eu</u>.
Bleu comme les ci<u>eux</u>.
Bleu comme mes y<u>eux</u>.
Le lapin l'avait cach<u>é</u>
Dans l'herbe du pr<u>é</u>.

*Les trois premiers vers répètent le son **(eu)**; les deux suivants répètent le son **(é)**.*

Le Coffret d'Aladin

10. Quels sont les types de rimes?

- Quand on observe les sons qui forment la rime, on trouve des rimes à **un**, **deux** ou **trois sons**.

- Quand on cherche la présence ou l'absence d'un **e muet** à la fin du vers, on trouve des rimes **féminines** et des rimes **masculines**. La rime féminine correspond aux mots qui se terminent par un **e muet** : bobine, chemise, étoile, etc.

- Dans une strophe, on trouve des rimes plates, croisées ou embrassées. Deux rimes **plates** se suivent [a — a ; b — b]. Quatre rimes **croisées** sont alternées dans la strophe [a — b — a — b]. Deux rimes **embrassées** se suivent et elles sont encadrées par d'autres rimes [a — b — b — a].

Rimes embrassées, deux sons, rimes féminines et masculines :

Rondeau du vent

Le vent s'enroule et se déroul**e**   *rime féminine (**e** muet)*
Autour des arbres défeuill**us**   *rime masculine*
Le vent s'amuse les mains n**ues**   *rime féminine (**e** muet)*
Et d'automne roux se saoul**e**   *rime féminine (**e** muet)*

Le vent-houle surprend la foule
Et la refoule au coin des rues   *rimes embrassées*
Autour des arbres défeuillus
Le vent s'enroule et se déroule

Le vent giboule, le vent coule
Par flots au creux des avenues
Du haut des faubourgs battus
Le vent débou-le-vent s'écroule
Le vent s'enroule et se déroule

Jongleries

Rimes plates, un son, deux sons :

Chat de cirque

Sur la bosse d'un cham_eau_,	1 son (son **o**)
Un vieux chat joue du flût_eau_.	1 son
Un rat blanc sort d'un cha_peau_.	2 sons (son **p** + son **o**)
Il agite des dra_peaux_.	2 sons
À la fin du numér_o_,	1 son
Le chat salue le cham_eau_.	1 son
Des bravos saluent l'art_iste_	3 sons (son **i** + son **s** + son **t**)
Mais le chat de cirque est tr_iste_ :	3 sons
Ses yeux ne voient plus la p_iste_.	3 sons

Chats qui riment et rimes à chats

➤ p. 353, n° 2
➤ p. 358, n° 2
➤ p. 366, n° 1

11. Où trouve-t-on les rimes ?

- On trouve les rimes notamment dans un **poème**, une **comptine**, une **chanson**, une **fable**, une **pièce de théâtre** et une **affiche**.

- Il y a longtemps que les poètes écrivent des vers avec des rimes. **Jean de La Fontaine** le faisait dans ses fables au XVIIe siècle. Aujourd'hui encore, plusieurs auteurs s'en servent.

- Dans les **vers libres**, le poète peut choisir d'utiliser ou non les rimes.

5 RECONNAÎTRE UN RÉCIT

L'auteur d'un récit crée un monde dans lequel des personnages évoluent au gré des événements.

1. Qu'est-ce qu'un récit?

- Un récit est une **histoire** réelle ou inventée, et racontée par un auteur. Un récit peut être oral ou écrit.

- Un récit permet au destinataire de réfléchir sur le **monde** qui y est présenté et, par le fait même, sur son propre monde.

- Un récit capte l'intérêt quand l'histoire sort de l'ordinaire. Le **choix** des événements rapportés importe beaucoup.

- Un récit est un texte dont le plan général emprunte ses caractéristiques au **texte narratif**. Un récit contient habituellement des **descriptions** et des **dialogues**. Souvent, il comporte aussi des passages **explicatifs**, **argumentatifs** et **poétiques**.

➤ p. 432-433, n° 3

- Dans les actions d'un récit, il y a une **continuité**.

Cherche les marqueurs de relation d'un texte. Un auteur les utilise comme moyens pour informer ses lecteurs de la **succession** des événements.

➤ p. 451-452, n°s 5, 6

2. Dans quel monde se déroule un récit ?

- Le récit se déroule dans un monde **réel** ou **imaginaire**. Le monde imaginaire est celui des **contes**, des **légendes**, des **mythes**, des **nouvelles**, etc.

- Le monde **réel** donne lieu à des **récits de vie**, par exemple les biographies qui reposent sur des faits vécus.

3. Qui sont les personnages d'un récit ?

- Un auteur choisit toujours de créer un **personnage principal** et, très souvent, des **personnages secondaires**.

Un auteur décrit un personnage en utilisant différents mots : son nom, un groupe du nom équivalent ou un pronom qui le remplace. En t'attardant à reconnaître **les mots qui dépeignent le personnage**, tu pourras mieux comprendre le récit.

➤ p. 161-164, n°s 6, 7, 8

- Dans certains récits, il y a un **héros** ou une **héroïne**. Ce personnage **réel** ou **fictif** se démarque par son **caractère** et son **courage**. Souvent à la recherche de quelque chose, il ou elle multiplie les **actions** pour réussir à l'obtenir. Dans bien des cas, le héros ou l'héroïne doit accomplir des prouesses.

4. Qui est le narrateur d'une histoire?

- Un auteur peut donner le rôle de **narrateur** de l'histoire au personnage principal ou à tout autre personnage. Le narrateur devient alors la **voix** de l'auteur qui s'exprime au *je*, au *on* et au *nous*.

➤ p. 421-422, n° 6

- Quand le narrateur n'est pas un personnage de l'histoire, il ou elle devient un **témoin** de ce qui se passe. Le narrateur, devenu témoin, s'exprime alors par les pronoms *il/elle*, *ils/elles*.

➤ p. 161-163, n° 6

5. Pourquoi faire parler un héros ou une héroïne?

- En parlant, un héros ou une héroïne se **fait connaître** de deux façons : par ce qu'il ou elle dit de lui-même ou d'elle-même et par les propos qu'il ou elle tient sur les autres personnages. Les lecteurs découvrent alors sa **vision du monde**.

➤ p. 444-445, n° 22

6. Dans quel espace se déroule un récit?

- L'espace peut se limiter au **lieu** où se déroule l'action. L'auteur doit présenter clairement ce lieu afin que le ou la destinataire se l'imagine facilement.

Souvent, le personnage principal vit une aventure qui l'entraîne dans des **endroits différents**. Reconstituer le **parcours** du personnage principal te permettra de mieux comprendre le récit.

7. Qu'en est-il du temps d'un récit?

- Dans un récit, l'histoire se déroule à une certaine **époque** : au Moyen Âge, au XXᵉ siècle, au XXIᵉ siècle, etc.

- On doit considérer la **durée** totale de l'histoire : une heure, une journée, une semaine… Cette durée peut être **courte**, **moyenne** ou **longue**, au choix de l'auteur.

- On doit considérer également le **moment** où chaque événement se produit à l'intérieur de l'histoire. Ces événements, placés les uns à la suite des autres, constituent l'**ordre chronologique** du récit.

Sur **une ligne du temps**, indique dans l'ordre les principaux événements reliés au personnage principal et, s'il y a lieu, aux personnages secondaires. C'est une bonne façon de suivre l'**ordre chronologique** d'un récit.

➤ p. 451-452, n° 5

- La durée est **associée** à chaque partie de l'histoire. Elle peut varier d'une partie à l'autre. Par exemple, les événements de la **situation de départ** peuvent couvrir une longue période, alors que ceux du **dénouement** peuvent s'étendre sur une demi-journée seulement.

Ils chassèrent pendant <u>trois jours</u>. Jordan, qui était désormais exclu de ce plaisir, tenta d'oublier la présence de Sicard pour jouir pleinement de cette récréation. <u>Le premier jour</u> fut consacré aux perdrix et le jeune garçon, rouge de fierté, reçut les compliments des chasseurs pour son habileté à l'arc. Pour le lièvre, il se débrouilla aussi très bien, mais il ne put qu'assister à la chasse au sanglier car il était encore trop jeune pour y participer activement.

Vers la fin de la dernière journée, ils poursuivaient un vieux mâle et Sicard, tout à l'excitation de la chasse, avait complètement oublié Jordan qui suivait à quelque distance.

La Revanche de Jordan

Dans cet exemple, la situation de départ couvre une période de trois jours.
La dernière phrase de l'extrait décrit un événement qui se déroule au troisième jour.

• Le **passé simple** et le **passé composé** sont des temps du verbe qu'on utilise pour raconter les actions qui **font avancer** l'histoire. L'**imparfait** sert à décrire ou à expliquer les événements qui ont **moins d'importance pour l'action**.

➤ p. 264, 269-270, n°s 6, 13, 14

8. *Comment écrire un récit qui se raconte bien?*

• Un récit se raconte mieux lorsqu'il est au **présent**. Le temps paraît plus **actuel**. On peut y mettre au début quelques explications ou descriptions à l'**imparfait**; mais, dès que l'action commence, les conteurs utilisent plutôt le présent.

Un récit oral qui s'adresse à un auditoire doit contenir des phrases **courtes**, plus faciles à raconter. Par contre, un récit destiné à des lecteurs gagne à contenir des phrases assez **longues** et bien structurées. Le récit se lira mieux ainsi.

➤ p. 3, n°s 2, 3

9. Comment évolue l'histoire dans un récit?

- Dans un récit, l'histoire doit toujours **progresser** dans le temps. L'auteur peut quand même décider de revenir en arrière pour apporter des explications. Il ou elle continuera ensuite l'histoire.

➤ p. 452, n° 6

10. Comment reconnaître les divers récits?

- Les **récits d'aventures** se passent dans un monde **réel**. Les **personnages** peuvent accomplir une mission, affronter un danger, partir à la recherche de personnes, etc. Ils se débattent dans une **série d'événements** qui ne laissent pas les lecteurs indifférents.

- Dans les **récits policiers**, l'intrigue, qui se déroule dans un **endroit réel**, tourne autour de la recherche du coupable d'un **crime** qui a déjà eu lieu. C'est un récit rempli de **détails** et semant tout au long du texte des **indices**, des **fausses pistes** et des **pièges**.

- Les **récits fantastiques** placent tout de suite les personnages dans un cadre **réaliste**, souvent d'apparence banale. Puis surviennent des événements **mystérieux**, **étranges**, qui effraient le héros ou l'héroïne. À la fin, il y a toujours des **suites** ou des **conséquences** à ces événements.

- Les **récits de science-fiction** présentent d'autres mondes. Le point de départ relève de la science, mais tout n'est pas toujours scientifique. Les personnages peuvent être assez **réalistes**, même s'ils vivent dans un monde extraordinaire.

- Les **récits historiques** présentent des personnages qui vivent à une **époque** différente de la nôtre.

Grammaire du texte

- Les **récits de vie** racontent l'histoire d'une **personne réelle** qui a vraiment vécu. La **biographie** et le **journal intime** font partie de cette catégorie.

- Les **récits d'atmosphère** placent les **sentiments**, les **émotions** et l'**ambiance** au premier plan de l'histoire.

11. Comment reconnaître les contes ?

- Les contes commencent souvent par « Il était une fois ». On y découvre un autre monde, **merveilleux**, peut-être **magique**, **impossible**.

- Dans les contes, on trouve des **personnages surnaturels** (fées, sorcières, ogres), des **personnages humains** (roi, princesse, enfant pauvre), des **animaux** aux **facultés** extraordinaires (dragons) ou des **objets** aux **pouvoirs** inusités. Souvent, les personnages ont des caractéristiques opposées : le pauvre/le riche, la sorcière/la fée, etc.

- On peut trouver **plusieurs versions** d'un conte traditionnel comme **Le Petit Chaperon rouge**. Ce sont des versions qui sont apparues à différentes époques. Les **versions modernes** de ces contes sont des adaptations.

12. Qu'est-ce qu'une légende ?

- Une légende se situe dans un **temps** et un **lieu** bien déterminés. Elle est souvent organisée autour d'un **héros ou d'une héroïne qui a réellement existé**, mais dont on raconte la vie en en transformant les faits. Parmi les légendes d'ici, il y a celle de **Rose Latulippe**, où une jeune fille invite un étranger vêtu de noir à danser, ignorant qu'il s'agit du diable en personne.

13. Comment reconnaître une fable?

- Une fable est un **court récit** habituellement accompagné d'une morale. **Jean de La Fontaine** a écrit plusieurs fables. Avant lui, il y a eu **Ésope**, un auteur grec de l'Antiquité dont les fables ont beaucoup inspiré La Fontaine.

- Dans une fable, les personnages sont souvent en **opposition**.

- Parfois, un **double renversement** touche le personnage et le déroulement du récit. Le personnage qui occupait la position forte au début se retrouve en position faible à la fin.

Le Corbeau et le Renard

Maître Corbeau, sur un arbre perché,
Tenait en son bec un fromage.
Maître Renard, par l'odeur alléché,
Lui tint à peu près ce langage :
Hé ! bonjour, Monsieur du Corbeau.
Que vous êtes joli ! que vous me semblez beau !
Sans mentir, si votre ramage
Se rapporte à votre plumage,
Vous êtes le Phénix des hôtes de ces bois.
À ces mots, le Corbeau ne se sent pas de joie ;
Et pour montrer sa belle voix
Il ouvre un large bec, laisse tomber sa proie.
Le renard s'en saisit, et dit : Mon bon Monsieur,
Apprenez que tout flatteur
Vit aux dépens de celui qui l'écoute.
Cette leçon vaut bien un fromage, sans doute.
Le Corbeau, honteux et confus,
Jura, mais un peu tard, qu'on ne l'y prendrait plus.

Fables

Dans cette fable de Jean de La Fontaine, le corbeau occupe la position forte ;
il tient de la nourriture dans son bec, alors que le renard est au sol, sans rien
à se mettre sous la dent. Par ses belles paroles, le renard tente de séduire
le corbeau. En voulant démontrer sa supériorité, le corbeau perd son morceau
de fromage. Il se trouve en position faible à la fin du récit, alors que le renard
occupe maintenant la position forte. Il y a donc un double renversement.

14. Qu'est-ce qu'une nouvelle littéraire ?

- Une nouvelle littéraire est un **court récit** qui amène le lecteur ou la lectrice vers une fin **imprévisible**. Dans une nouvelle, il y a peu de personnages et l'histoire est souvent dramatique.

15. Qu'est-ce qu'un roman ?

- Un roman est un **long récit** qui se divise habituellement en **chapitres**.

➤ p. 425, n° 12

- Dans un roman, il y a un **thème principal** ; c'est le sujet sur lequel porte le roman. Il y a aussi des thèmes secondaires.

- Certains personnages de romans incarnent des **valeurs** comme la justice, le respect, l'honnêteté, la générosité. D'autres portent des valeurs contraires : la haine, le mépris, l'égoïsme, la malhonnêteté.

16. Qu'est-ce qu'une bande dessinée ?

- Une bande dessinée est un récit où l'**illustration** est aussi importante que le **texte**. L'**auteur** d'une bande dessinée peut en être également l'**illustrateur**.

- Une bande dessinée est divisée en **cases**. Les cases peuvent prendre des **formes** et des **dimensions** différentes, en fonction de ce que l'auteur et l'illustrateur veulent exprimer.

- Le **dialogue** entre les personnages s'insère dans des **bulles** appelées **phylactères**. Il n'y a pas de tirets au début des lignes.

- En plus des dialogues, on trouve parfois des **marqueurs de temps** et des informations sur les **lieux**. Dans certains cas, des **onomatopées** traduisent les bruits et les sons associés au récit.

➤ p. 198-199, n° 4
➤ p. 444-445, n°ˢ 22, 23, 24
➤ p. 451-452, n° 5

BIBLIOGRAPHIE

Références

Grammaire de la phrase

Chapitre 2

Le Mystère du moulin, Lucia Cavezzali, coll. « Caméléon », Montréal, Éd. Hurtubise HMH, 2000 : n° 1, p. 21

La Veste noire, Évelyne Wilwerth, coll. « Plus », Montréal, Éd. Hurtubise HMH, 2001 : n° 2, p. 21 et 22

Criquette est pris et autres contes, Marius Barbeau, coll. « Atout conte », Montréal, Éd. Hurtubise HMH, 2000 : n° 2, p. 22

« Le Goéland », Maurice Carême, extrait de *À cloche-pied*, © Fondation Maurice Carême, tous droits réservés : n° 8, p. 30

Le Chevalier de Chambly, Robert Soulières, Saint-Laurent, Éd. Pierre Tisseyre, 1992 : n° 8, p. 30

Morvette et Poisson d'or et autres contes, Marius Barbeau, coll. « Atout conte », Montréal, Éd. Hurtubise HMH, 2000 : n° 13, p. 34

Jordan apprenti chevalier, Maryse Rouy, coll. « Atout histoire », Montréal, Éd. Hurtubise HMH, 1999 : n° 14, p. 35

Chapitre 5

Bonne Année, Grand Nez, Karmen Prud'homme, coll. « Atout récit », Montréal, Éd. Hurtubise HMH, 1998 : n° 1, p. 52

Cul-Blanc, Dick King-Smith, coll. « Folio Junior », Paris, Gallimard Jeunesse, 1999 : n° 1, p. 53

L'Idole masquée, Laurent Chabin, coll. « Caméléon », Montréal, Éd. Hurtubise HMH, 2001 : n° 2, p. 53

Le Congrès des laids, Lucía Flores, coll. « Caméléon », Montréal, Éd. Hurtubise HMH, 2001 : n° 3, p. 54

Marguerite, Pierre Roy, coll. « Plus », Montréal, Éd. Hurtubise HMH, 2001 : n° 4, p. 54

Alice au pays des merveilles, Lewis Carroll, Paris, © Pauvert département des éditions Fayard 2000 pour la traduction française : n° 10, p. 60

Chapitre 6

La Terreur des mers, Danielle Marcotte, Montréal, La courte échelle, 2001 : n° 1, p. 63 et 64

Chapitre 7

L'Île du savant fou, Denis Côté, Montréal, La courte échelle, 1996 : n° 7, p. 82

Chapitre 13

Alcali, Jo Bannatyne-Cugnet, traduit de l'anglais par Sophie Boivin, coll. « Atout », LaSalle, Éd. Hurtubise HMH, 1995 : n° 10, p. 123

La Ligne de trappe, Michel Noël, coll. « Atout », Montréal, Éd. Hurtubise HMH, 1998 : n° 10, p. 123

Chapitre 14

Lygaya à Québec, Andrée-Paule Mignot, coll. « Atout », LaSalle, Éd. Hurtubise HMH, 1997 : n° 5, p. 136

Les Minuscules, Roald Dahl, coll. « Folio Cadet », Paris, Éd. Gallimard, Copyright © Roald Dahl Nominee Ltd., 1991 : n° 10, p. 139

« Le chat Ulysse », dans *Chats qui riment et rimes à chat*, Pierre Coran, coll. « Plus », LaSalle, Éd. Hurtubise HMH, 1994 : n° 13, p. 140

Chapitre 15

Enfantasques, Claude Roy, coll. « Folio Junior », Paris, Éd. Gallimard, 1993 : n° 2, p. 147

« Un conte à votre façon », dans *Contes et propos*, Raymond Queneau, coll. « Blanche », Paris, Éd. Gallimard, 1981 : n° 2, p. 147

Le Monstre poilu, H. Bichonnier, coll. « Folio Benjamin », Paris, Éd. Gallimard, 1982 : n° 3, p. 149

Innocentines, R. de Obaldia, coll. « Les Cahiers Rouges », Paris, Éd. Grasset, 1969 : n° 6, p. 154

« L'orage », dans *Battre la campagne*, Raymond Queneau, coll. « Blanche », Paris, Gallimard, 1968 : n° 6, p. 154

Chapitre 16

La Nuit des fantômes, Julien Green, Paris, © Éd. du Seuil, 1990 : n° 6, p. 163

Contes d'Afrique noire, A. Bryan, Paris, Flammarion, 1987 : n° 15, p. 169-170

La Conférence des animaux, E. Kastner, coll. « Folio Junior », Paris, Éd. Gallimard, 1980 : n° 15, p. 170

Le Roi des piranhas, Y.-M. Clément, coll. « Cascades Contes », Paris, Rageot Éditeur, 1993 : n° 16, p. 170

Atterrissage forcé, Joceline Sanschagrin, Montréal, La courte échelle, 1987 : n° 23, p. 175

Le Petit Nicolas et les Copains, Sempé/ Goscinny, coll. « Folio Junior », Paris, Éd. Gallimard, 1988, © Éd. Denoël, 1963 : n° 23, p. 175

Lygaya à Québec, Andrée-Paule Mignot, coll. « Atout », LaSalle, Éd. Hurtubise HMH, 1997 : n° 24, p. 175

Histoire du prince Pipo, P. Gripari, coll. « Le Livre de poche jeunesse », Éd. Hachette, © Éd. Grasset, 1976 : n° 25, p. 176 et 177

Lygaya, Andrée-Paule Mignot, coll. « Atout », LaSalle, Éd. Hurtubise HMH, 1996 : n° 25, p. 177

Chapitre 18

Le Congrès des laids, Lucía Flores, coll. « Caméléon », Montréal, Éd. Hurtubise HMH, 2001 : n° 4, p. 199

Conjugaison

Chapitre 4

Le Moussaillon de la Grande-Hermine, Josée Ouimet, coll. « Atout histoire », Montréal, Éd. Hurtubise HMH, 1998 : n° 1, p. 261

« Gros matou », dans *Chats qui riment et rimes à chat*, Pierre Coran, coll. « Plus », LaSalle, Éd. Hurtubise HMH, 1994 : n° 8, p. 265

Anatole le vampire, Marie-Andrée Boucher et Daniel Mativat, coll. « Plus », LaSalle, Éd. Hurtubise HMH, 1996 : n° 8, p. 266

Les Trois Petits Loups et le Grand Méchant Cochon, E. Trivizas, Paris, Bayard Éditions, 1993 : n° 11, p. 267

Trois princes et une limace, Hans Hagen, coll. « Étoile », Montréal, Éd. Éditeurop/ Hurtubise HMH, 1998 : n° 11, p. 267

Le Petit Prince, Antoine de Saint-Exupéry, coll. « Folio Junior », Paris, Éd. Gallimard, copyright 1943 par Harcourt Inc., et 1971 par Consuelo de Saint-Exupéry, avec l'aimable autorisation de l'éditeur : n° 12, p. 268

La Potion magique de Georges Bouillon, Roald Dahl, coll. « Folio Junior », Paris, Éd. Gallimard, Copyright © Roald Dahl Nominee Ltd., 1981 : n° 13, p. 269

La Princesse Hoppy, J. Roubaud, coll. « Fées et Gestes », Paris, Éd. Hatier, 1990 : n° 14, p. 270

Chapitre 5

La Princesse Hoppy, J. Roubaud,
coll. « Fées et Gestes », Paris, Éd. Hatier,
1990 : n° 6, p. 276

Orthographe grammaticale

Chapitre 2

Le Robert Junior Dictionnaire Le Robert, 1997 :
n° 1, p. 314

Vocabulaire

Chapitre 2

Le Robert Junior Dictionnaire Le Robert, 1997 :
n° 10, p. 399

Chapitre 3 :

Le Robert Junior Dictionnaire Le Robert, 1997 :
n° 1, p. 408 ; n° 2, p. 409

Dictionnaire Super Major CM1, 6e, Paris,
Larousse-Bordas, 1997 : n° 1, p. 408

*Mon premier dictionnaire en couleurs Larousse
français-anglais/anglais-français* : n° 1, p. 409

*Grammaire des ensembles et orthographe de
base*, 6e année, G. Galichet et G. Mondouaud,
adaptation de Lucien Gagné et Alain
Soulières, Montréal, Éd. Hurtubise HMH,
1970 : n° 4, p. 411

Grammaire du texte

Chapitre 1

Histoires au téléphone, G. Rodari,
coll. « Le Livre de Poche Jeunesse »,
Paris, © Hachette, 1998 : n° 6, p. 421

Les princes ne sont pas tous charmants,
Sylvie Desrosiers, Montréal, La courte
échelle, 1995 : n° 11, p. 424

« Tour de reins », *Cent Chansons*,
Félix Leclerc, © Industrie Musicale : n° 11,
p. 425

*Larousse junior des animaux. 1 000 animaux
du monde entier*, Paris, Larousse-Bordas,
1999 : n° 14, p. 426-427

Chapitre 2

La Revanche de Jordan, Maryse Rouy,
coll. « Atout histoire », Montréal,
Éd. Hurtubise HMH, 2000 : n° 3, p. 433

Quête du Graal 6. Le Temps de la Malédiction,
H. Brennan, coll. « Folio Junior », Paris,
Éd. Gallimard, 1986 : n° 8, p. 436

Le Racisme expliqué à ma fille, Tahar Ben
Jelloun, Paris, © Éd. du Seuil, 1998 : n° 17,
p. 441

*Larousse junior des animaux. 1 000 animaux
du monde entier*, Paris, Larousse-Bordas,
1999 : n° 19, p. 442

Le Petit Nicolas et les Copains, Sempé/
Goscinny, Coll. « Folio Junior », Paris,
Éd. Gallimard, 1988, © Éd. Denoël, 1963 :
n° 22, p. 445

Chapitre 3

*Larousse junior des animaux. 1 000 animaux
du monde entier*, Paris, Larousse-Bordas,
1999 : n° 3, p. 449

L'Enquête de Nesbitt, Jacinthe Gaulin,
coll. « Atout policier », Montréal,
Éd. Hurtubise HMH, 2001 : n° 6, p. 452

Noémie 4. Les Sept Vérités, Gilles Tibo,
coll. « Bilbo », Montréal, Éd. Québec
Amérique Jeunesse, 1997 : n° 7, p. 453

Chapitre 4

« Les Oies », tiré du recueil *Bois de marée*,
Gilles Vigneault, Repentigny, Nouvelles
Éditions de l'Arc, 1992 : n° 1, p. 454

« Le givre », extrait de *La Lanterne magique*,
Maurice Carême, © Fondation Maurice
Carême, tous droits réservés : n° 2, p. 455

« Après », poème de Yves Préfontaine, *Parole tenue. Poèmes 1954-1985*, Montréal, Éd. de l'Hexagone, 1990 : n° 2, p. 456

« Harpe », dans *Sur la pointe des mots*, Pierre Mathieu, Saint-Boniface, Les Éditions des Plaines, 1988, www.plaines.mb.ca : n° 2, p. 456

Après-midi, j'ai dessiné un oiseau, Jacques Thisdel, Montréal, Éd. du Noroît, 1976 : n° 5, p. 457

Je te laisse une caresse, Grand-père Cailloux, Montréal, La courte échelle, 1979 : n° 7, p. 458

« Mélancolie », tiré du recueil *Silences*, Gilles Vigneault, Repentigny, Nouvelles Éditions de l'Arc, 1978 : n° 8, p. 459

« Œufs de Pâques », dans *Le Coffret d'Aladin*, Christian Poslaniec, Paris, École des Loisirs : n° 8, p. 460 ; n° 9, p. 462

« L'Hippopotame », dans *L'Écharpe d'Iris*, Daniel Lander, coll. « Le Livre de Poche Jeunesse », Paris, © Hachette, 1990 : n° 8, p. 461

Initiation à l'expression poétique au primaire, Andrée Archambault et Elizabeth Panisset-Roussel, PPMF, Université de Montréal, 1982. (Isabelle Labrèche, 3e année) : n° 9, p. 461

« Une maison d'or », poème de Gilles Vigneault, dans *Pleins feux sur la littérature québécoise*, de Louise Lemieux, Livre, bibliothèque et culture québécoise (Mélanges offerts à Edmond Desrochers, s.j., Montréal, Éd. ASTED, 1977) : n° 9, p. 462

« Rondeau du vent », poème de Jacqueline Barral, *Jongleries*, Saint-Boniface, Éd. du Blé, 1990 : n° 10, p. 463

« Chat de cirque », dans *Chats qui riment et rimes à chat*, Pierre Coran, coll. « Plus », LaSalle, Éd. Hurtubise HMH, 1994 : n° 10, p. 464

Chapitre 5

La Revanche de Jordan, Maryse Rouy, coll. « Atout histoire », Montréal, Éd. Hurtubise HMH, 2000 : n° 7, p. 468-469

Fables, Jean de La Fontaine, coll. « GF-Flammarion », Paris, Flammarion, 1995 : n° 13, p. 472

Ouvrages et travaux spécialisés

ADAM, Jean-Michel, *Les Textes : types et prototypes*, Paris, Nathan Université, 1992.

ADAM, Jean-Michel, *Éléments de linguistique textuelle*, 2ᵉ éd., Liège, Éd. Pierre Mardaga, 1990.

BERGERON, Réal et Godelieve DE KONINCK (sous la direction de), *La Grammaire au cœur du texte*, Montréal, Publications Québec Français, 1999.

CHARTRAND, Suzanne (sous la direction de), *Pour un nouvel enseignement de la grammaire*, Montréal, Éd. Logiques, 1995.

CHARAUDEAU, Patrick, *Grammaire du sens et de l'expression*, Paris, Hachette, 1992.

FAUCHART, Nicole et Serge MELEUC, *Didactique de la conjugaison*, Midi-Pyrénées, CRDP Midi Pyrénées, 1999.

GENEVAY, Éric, *Ouvrir la grammaire*, Lausanne, Éd. L.E.P. Loisirs et Pédagogie/ Chenelière, 1994.

GOBBE, Roger et Michel TORDOIR, *Grammaire française*, Saint-Laurent, Éd. du Trécarré, 1986.

GOOSSE, André et M. GREVISSE, *Le Bon Usage*, 13ᵉ édition, Paris-Gembloux, Éd. A. De Boeck-Duculot, 1993.

PELLAT, Jean-Christophe, RIEGEL, Martin et René RIOUL, *Grammaire méthodique du français*, Paris, PUF, 1994.

INDEX

Les numéros renvoient aux pages de la grammaire. Les numéros de page en **caractères gras** indiquent l'endroit où le terme est défini ou expliqué.

fonction dans la PHRASE MODÈLE, 68-69, 188, groupe prédicat (GP), 66-68, 69, 88, 188, noyau, 5-6, relié par une préposition à un autre groupe du verbe, 203, verbe à l'infinitif dans le rôle de groupe sujet (GS), 79, 81

Groupe facultatif, 12, 14-15, 64-65, 92

Groupe fixe, 12

Groupe mobile, 12

Groupe obligatoire, 12-14, 63-64, 74, 84

Groupe prédicat (GP) ou groupe verbal, 13, 49, 64, 69, **84-91**, 114, absence, 87, comportement, 84-86, dans une phrase déclarative, 87, dans une phrase exclamative, 87, fonction, 69, 88, 114, fonction occupées par des groupes de mots à l'intérieur, 66-68, groupe du verbe, 88, 188, groupe obligatoire dans la PHRASE MODÈLE, 13, 64, 84, noyau, 88, 114, 218, PHRASE MODÈLE, 13, 14, 84, place, 86, présence, 87, présence de groupes de mots ayant d'autres fonctions, 88-89, présence d'un attribut du sujet, 88, présence d'un complément du verbe, 88-89

Groupe sujet (GS), 12, 49, 63, **74-83**, 114-115, absence, 79, accord avec le verbe, 14, 77, 115, accords dans le, 81-82, 114, attribut du sujet, 82, 101-102, comportement, 74-76, dans la PHRASE MODÈLE, 12-13, 14, 36, 74-76, fonction, 74, 82, 114, fonctions occupées par des groupes de mots à l'intérieur, 65-66, groupe du nom, 10, 79-80, 127, groupe obligatoire, 12-13, 63, 74, noyau donneur, 81-82, 114-115, 332-341, place, 76-77, plusieurs groupes de mots, 78-79, accord du verbe, 334-336, présence, 78-79, présence d'un écran, 76-77, pronom personnel ou pronom de conjugaison, 10, 80, 334-336, pronom relatif *qui*, 10, 80, 81-82,

173, 332, 337, un groupe sujet pour plusieurs verbes, 78, 337, verbe à l'infinitif, 81, *on*, *nous*, *vous*, accord de l'attribut du sujet, 101-102, *tu*, *nous*, *vous* dans une phrase impérative, 34

Guillemets, 53, 58

Héros, héroïne, 466-467, 470-471

Homonyme, 409

Homophone, 398, accent grave et accent circonflexe, 347, 400

Homophones grammaticaux, 399, 400-407, TABLEAU, 400-407

Homophones lexicaux, 399

Hors-texte, 423, 440

Hypermédia, 428

Hypertexte, 427-428

Hypothèse, 266, VOIR Condition, 272-273

Idée, 188, 272, 420, 440, 441, 457, dans un paragraphe, 424-425

Idées, en relation, 429-432, 446, enchaînement, 446, ordre, 429-432, 441, 451-452, organisation, 422, 429-432, progression, 387, 418, 423, 446-447

Illustration, 423, 440, 473-474

Image, 428, 433, 434, dans un poème, 454, 458

Imparfait, 222, 224, 238, 239, 241, 243, 244, 250, 264, 266, 268, emploi dans une communication, 266, récit, 269-270, 469

Impératif, 221, 238-247, 248, 258, 273, 274-275, emploi dans une communication, 274-275, présent, 258

Indicatif, 221, 225, 238-247, 248, 249-256, 273, 274, emploi dans une communication, 274, temps composés, 222, temps simples, 222

Sujet, VOIR Groupe sujet (GS)
Sujet, d'un texte, 421, 424, 437-438, 439
Superlatif, d'infériorité, *le moins, la moins,*
les moins, 155, de supériorité, *le plus,*
la plus, les plus, 155, formation, 156,
TABLEAU, 156
Syllabe, 351, coupure de mot, 352, écrite,
351, orale, 351
Synonyme, 388, 409, 449-450

Tableau de conjugaison, construction,
282, lecture, 280-281, organisation, 283-
284, verbes modèles, 285-300
Témoignage, 437
Temps, **261-271**, 282, 421, 468-470,
adverbe, 198-199, 262,451-452, 453,
concordance, 270-271, début, 262,
durée, 269, 468, emploi dans une
communication, 261-262, fin, 262,
groupe du nom, 262, moment, 261-262,
468, récit, 453, texte poétique, 434, 458,
verbe, 261, 262, 453, 468-470
Temps composés, 222-223, 263-264,
277-278, 280
Temps de conjugaison, 263, 282
Temps simples, 222-223, 263-264, 280
Terme générique, 385-387, 449
Terme spécifique, 385-387, 449
Terminaison, VOIR Verbe, 224-225, 227,
230, 249-256, 257-258, 259-260, 281,
a et *o*, 230, commençant par un e muet,
230, fixe, 224-225, infinitif, 259-260,
participe, 259-260, pronom personnel
ou pronom de conjugaison, 224-225,
dans un tableau de conjugaison, 281
Texte, 418-419, caractéristiques, 418-419,
422-423, 429-445, 446-453, 454-464,
465-474, contexte, 422, genre, 422, lieu,
421, narrateur, narratrice, 420, organisation, 422, 424, 425, 426-427, 427-428,

434, structure, 422, 429-432, 432-433,
sujet, 421, 424, 437, 438, temps, 421,
type, 422, 433
Texte courant, 423
Texte de type argumentatif, 433,
441-443
Texte de type descriptif, 433, 437-439
Texte de type dialogal, 433, 444-445
Texte de type explicatif, 433, 439-440
Texte de type narratif, 433, 435-437, 465
Texte de type poétique, 433-434,
454-464
Texte littéraire, 423
Thème, poème, 457, roman, 473
Tiret, 53, 59, 445
Titre, 422, 426-427
Trait d'union, coupure de mot, 350, 352,
déterminants numéraux, 143, nom
composé, 131, 349, 387, phrase
interrogative, 23-25, 350
Transformation, PHRASE MODÈLE,
15-16, 31, 34, 40, 49
Tréma, 348
Type de phrase, 20-38, accueil
d'un GCP, 93

Verbe, VOIR Groupe du verbe, Groupe
prédicat, 178-195, absence, 27, 32, 35,
87, accord avec le donneur sujet, 23, 77,
81, 114-115, 130, 183-185, 332-341,
auxiliaire, 6, 11, 49, 51, 223, 333, 337-
338, CD, 104, 105-109, 111, 184-185,
339, CI, 104, 105-109, 111, classe de
mots variables, 71-72, 178, comportement, 178-179, conjugaison, 183,
190-191, dans une énumération ou une
juxtaposition, 56-57, emploi dans une
communication, 188-189, finale, 115,
189-191, 219-220, 224-225, 227, 238-
248, 249-256, 257-258, 281, fonction,

Imprimé en France par I.M.E. - 25110 Baume-les-Dames
Dépôt légal n° 35001 - Mai 2003